L'HOMME
DE NEIGE

George Sand

L'HOMME DE NEIGE

TOME SECOND

Texte établi, présenté et annoté
par Joseph-Marc Bailbé

Les Éditions de l'Aurore
8, place Grenette, 38000 Grenoble
Tél. : 76.54.32.00

L'Homme de neige

IX

Christian le laissa se diriger vers la grande entrée du château et chercha la petite porte, celle qui, dans tous les manoirs seigneuriaux, conduit aux cours et bâtiments de service. S'étant *masqué*, il appela un domestique qui l'aida à déballer ; puis il s'enquit d'un gîte pour son âne, et monta un escalier dérobé qui conduisait chez M. Johan, le majordome du château neuf. Celui-ci n'attendit pas qu'il se nommât.

« Ah ! ah ! l'homme au masque noir ! s'écria-t-il d'un ton paternel et protecteur. Vous êtes le fameux Christian Waldo ! Venez, venez, je vais vous installer, mon cher ; vous ferez vos préparatifs tranquillement. Vous avez encore une heure devant vous. »

On aida Christian à porter son bagage dans la pièce qui devait lui servir de foyer, et dont on lui remit les clefs sur sa demande. Là il s'enferma seul, ôta son masque pour se mettre à l'aise, et commença à monter son théâtre, non sans se frotter les épaules : M. Stangstadius n'était pas lourd, mais son corps déformé était si singulièrement anguleux, qu'il semblait à Christian avoir porté un fagot de bûches tortues.

Le local où il se trouvait était un petit salon dont une porte donnait sur un couloir correspondant à l'escalier dérobé. L'autre porte s'ouvrait au bout de la grande et riche galerie, dite *des chasses*, où Christian avait dansé la veille avec Marguerite. C'est devant cette porte que le théâtre devait être placé pour être vu des spectateurs, placés eux-mêmes dans la galerie[1]. Christian, ayant mesuré l'ouverture de cette porte à deux battants, vit que son théâtre tout monté y passerait, et qu'il n'y avait qu'à l'y poser pour se trouver complètement isolé du public et chez soi dans le petit salon. C'était une excellente combinaison pour assurer la liberté de ses mouvements et l'*incognito* de M. Goefle autant que le sien propre.

D'après le nombre de fauteuils et de chaises disposés en face du théâtre, Christian jugea, sans compter, que le public devait se composer d'une centaine de personnes commodément assises, les dames probablement, et d'une centaine de cavaliers plus ou moins debout derrière elles. La galerie, profonde et médiocrement large, était un local plus favorable qu'aucun de ceux où Christian avait *opéré*. La voûte, peinte à fresque, avait une sonorité exquise. Les lustres, déjà allumés, jetaient une vive lumière, et il n'était nécessaire que d'éclairer les coulisses du théâtre portatif pour donner aux différents plans de la petite scène la profondeur fictive qui devait les faire valoir.

Christian faisait toutes choses avec un grand soin. Il aimait son petit théâtre en artiste minutieux, et il l'avait établi dans des conditions ingénieuses, qui en faisaient la miniature d'un théâtre sérieux. Il eût réussi dans la peinture d'intérieur et de paysage, si l'amour des sciences ne l'eût forcé de s'arrêter aux arts de pur agrément ; mais, comme il était remarquablement doué, il n'entreprenait guère de travaux frivoles auxquels il ne sût donner un résultat gracieux et empreint de sa propre originalité. Sa petite scène était donc d'une charmante fraîcheur, et produisait toujours un effet agréable aux yeux. Il y mettait de la coquetterie, surtout quand il avait affaire à un public intelligent, et si parfois il s'impatientait d'avoir à donner du temps à ces minuties, il s'en consolait en se rappelant l'axiome favori de Goffredi : « Qu'il faut faire le mieux possible tout ce que l'on se donne la peine de faire, s'agit-t-il de tailler des cure-dents. »

Christian était donc absorbé par ses préparatifs. Après avoir jeté un coup d'oeil de précaution dans la galerie déserte, il plaça provisoirement son châssis dans l'embrasure avec toute sa décoration et son éclairage, et, passant dans la partie destinée au public, il s'assit à la meilleure place, afin de juger l'effet de sa perspective et d'y conformer les entrées et les mouvements de ses personnages.

C'était un repos de deux ou trois minutes dont il avait d'ailleurs besoin. Un peu endurci aux rigueurs de tous les climats, il se fatiguait vite d'agir dans l'atmosphère étouffante des intérieurs du Nord. Il avait à peine dormi quelques heures sur un fauteuil la nuit précédente, et, soit les émotions de la journée, soit la course qu'il venait de faire sur la glace avec un professeur de géologie sur les épaules, il fut surpris par un de ces vertiges de sommeil instantané qui vous font passer de la réalité au rêve sans transition appréciable. Il lui sembla qu'il était dans un jardin par une chaude journée d'été, et qu'il entendait crier le sable sous un pied furtif. Quelqu'un approchait de lui avec précaution, et ce quelqu'un, qu'il ne voyait pas, il avait la certitude intuitive que c'était Marguerite. Aussi son réveil se fit-il sans tressaillement lorsqu'il sentit comme un souffle effleurer sa chevelure ; mais, bientôt revenu à lui-même, il se leva brusquement en portant la main à son visage et en s'apercevant que son masque était tombé à ses pieds. Comme il se baissait pour le ramasser sans se détourner vers la personne qui l'avait réveillé, il tressaillit tout de bon en entendant une voix d'homme bien connue lui dire :

« Il est fort inutile de te cacher le visage, Christian Waldo ; je t'ai reconnu, tu es Christiano Goffredi ! »

Christian stupéfait se retourna, et vit debout derrière lui un personnage bien mis, propre et rasé de frais, qui n'était autre que Guido Massarelli.

6

« Quoi ! c'est vous ! s'écria Christian. Que faites-vous ici, quand votre place serait au bout d'une corde au carrefour d'un bois ?

— Je suis de la maison, répondit Guido avec un sourire tranquille et dédaigneux.

— Vous êtes de la maison du baron ? Ah ! oui ; cela ne m'étonne pas... Après avoir été escroc et voleur de grands chemins, il ne vous restait plus qu'à vous faire laquais !

— Je ne suis pas laquais, reprit Massarelli avec la même tranquillité, je suis ami de la maison, très ami, Christian ! et tu ferais bien de tâcher d'être aussi le mien ; c'est ce qui pourrait t'arriver maintenant de plus heureux.

— Maître Guido, dit Christian en prenant son théâtre pour le replacer dans le salon d'attente, il n'est pas nécessaire de nous expliquer ici ; mais, puisque vous y demeurez, je suis content de savoir où vous retrouver.

— Est-ce une menace, Christian ?

— Non, c'est une promesse. Je suis votre débiteur, cher ami, vous le savez, et quand j'aurai payé ma dette ici, qui est de donner une représentation de marionnettes dans une heure, j'aurai affaire à vous pour vous solder la plus belle volée de coups de bâton que vous ayez reçue de votre vie. »

Christian, en parlant ainsi, était rentré dans son foyer ; il y était occupé à éteindre ses bougies et à baisser sa toile. Massarelli l'avait suivi en refermant les portes de la galerie derrière lui. Comme en ce moment Christian était encore forcé de lui tourner le dos, il se dit bien que ce bandit était capable de profiter du tête-à-tête pour essayer de l'assassiner ; mais il le méprisait trop pour lui laisser voir sa méfiance, et il continua à lui promettre, sur un ton aussi tranquille que celui affecté par ce misérable, un sévère châtiment de ses méfaits. Heureusement pour l'imprudent Christian, Guido n'était pas brave, et il se tint à distance, prêt à fuir si son adversaire faisait mine de lui donner un à-compte sur le payement promis.

« Voyons, Christian, reprit-il quand il pensa que le jeune homme avait exhalé son premier ressentiment, parlons froidement avant d'en venir aux extrémités. Je suis prêt à te rendre raison de mes procédés envers toi ; tu n'as donc pas bonne grâce à outrager en vaines paroles un homme que tu sais bien ne pouvoir effrayer.

— Tu me fais pitié ! répondit Christian irrité, en allant droit à lui. Te demander raison à toi, le lâche des lâches ! Non, Guido, on soufflette un homme de ton espèce, après quoi, s'il regimbe, on le roue de coups comme un chien ; mais on ne se bat pas avec lui, entends-tu ? Baisse le ton, baisse les yeux, canaille ! A genoux devant moi, ou dès à présent je te frappe ! »

Guido, devenu pâle comme la mort, se laissa tomber à genoux, sans rien dire ; de grosses larmes de peur, de honte, ou de rage coulaient sur ses joues.

« C'est bon, lui dit Christian, partagé entre le dégoût et la pitié ;

à présent lève-toi et va-t'en : je te fais grâce ; mais ne te retrouve jamais sur mon chemin et ne m'adresse jamais la parole, en quelque lieu que je te rencontre. Tu es mort pour moi. Sors d'ici, valet ! cette chambre est à moi pour deux ou trois heures.

— Christian, s'écria Guido en se relevant avec une véhémence affectée ou sincère, écoute-moi seulement cinq minutes !

— Non.

— Christian, écoute-moi, reprit le bandit en se jetant contre la porte de l'escalier que Christian voulait lui faire franchir, j'ai quelque chose de grave à te dire, quelque chose d'où dépendent ta fortune et ta vie !

— Ma fortune, dit Christian en riant avec mépris, elle a passé dans ta poche, voleur ! Mais c'était si peu de chose que je ne m'en soucie guère à présent ; quant à ma vie, essaye donc de la prendre !

— Elle a été dans mes mains, Christian, reprit Guido, qui, assuré de la générosité de son ennemi, avait recouvré son aplomb : elle peut s'y trouver une seconde fois. J'avais été outragé par toi, et la vengeance me sollicitait vivement ; mais je n'ai pu oublier que je t'avais aimé, et maintenant encore, malgré tes nouveaux outrages, il ne tient qu'à toi que je ne t'aime comme par le passé !

— Grand merci, répliqua Christian en levant les épaules. Allons ! je n'ai pas le temps d'écouter tes hâbleries pathétiques ; il y a longtemps que je les connais.

— Je ne suis pas si coupable que tu crois, Christian ; quand je t'ai dépouillé dans la montagne des Karpathes, je n'étais plus le maître d'agir autrement.

— C'est ce que disent tous ceux qui sont voués au diable.

— J'étais voué au diable en effet ; j'étais chef de brigands ! Mes complices t'avaient signalé ; ils avaient les yeux sur nous : si je n'eusse pris soin de t'enivrer pour t'empêcher de faire une folle résistance, ils t'eussent assassiné.

— Ainsi je te dois des remerciements, c'est là ta conclusion ?

— Ma conclusion, la voici. Je suis sur le chemin de la fortune ; demain je serai déjà en position de te restituer ce que j'ai été forcé de te laisser prendre par des hommes que je ne gouvernais pas à mon gré, et qui, peu de jours après, m'ont dépouillé moi-même et abandonné dans la situation où ils t'avaient laissé.

— C'est fort bien fait ; tu l'avais mérité, toi.

— Te rappelles-tu, Christian, la somme qui t'a été soustraite ?

— Parfaitement.

— Et seras-tu encore au Stollborg demain ?

— Je n'en sais rien. Cela ne te regarde pas.

— Si fait ! demain je veux te porter cette somme.

— Epargne-toi cette peine. Je suis *chez moi* au Stollborg, et *je ne reçois pas.*

— Pourtant...

— Tais-toi ! j'ai assez de t'entendre.

— Mais si je te porte l'argent...

8

— Est-ce le même que tu as pris sur moi ? Non, n'est-ce-pas ? Il y a longtemps que tu l'as bu ? Eh bien ! comme ce ne peut être le même, et que celui que tu m'offres ne peut provenir que d'un vol ou de quelque chose de pis, s'il est possible, je n'en veux pas. Tiens-le-toi pour dit et dispense-toi de tes forfanteries de restitution. Je ne suis pas assez sot pour y croire, et quand j'y croirais, je n'en serais pas moins décidé à te jeter à la face le prix de tes sales exploits. »

Christian fit le geste de pousser dehors Guido, qui obéit enfin et sortit. L'*operante* allait s'enfermer, quand M. Goefle, tout emmitouflé de fourrures, lui apparut dans l'escalier, le manuscrit à la main. L'avocat avait mangé vite ou point ; il avait dévoré la pièce, il s'en était pénétré rapidement, et, craignant de n'avoir pas le temps nécessaire pour se préparer, il était venu à pied, à la clarté des étoiles, cachant sa figure et déguisant sa voix pour demander la chambre aux marionnettes, enfin prenant toutes les précautions d'un jeune aventurier allant à quelque mystérieux rendez-vous d'amour. En ce moment, il n'avait en tête que les *burattini*, et il ne songeait pas plus aux mystères du Stollborg que s'il ne s'en fût jamais tourmenté l'esprit ; mais, comme il montait légèrement l'escalier, il se trouva pour la seconde fois de la soirée forcé de passer tout près d'un personnage de mauvaise mine qui descendait, et cette rencontre le rejeta dans ses préoccupations par rapport au baron Olaüs, à Stenson et à la défunte Hilda. « Attendez, dit-il à Christian, qui le félicitait gaiement de son zèle. Regardez cet homme qui s'en va là-bas dans le corridor après s'être croisé avec moi dans l'escalier. Sort-il d'ici ? Est-ce un valet du baron ? Le connaissez-vous ?

— Je ne le connais que trop, et je viens d'être forcé de lui dire son fait, répondit Christian. Cet homme, valet ou non, est Guido Massarelli, dont je vous ai raconté ce matin les aventures avec les miennes.

— Oh ! oh ! voilà une étrange rencontre ! s'écria M. Goefle. Fâcheuse pour vous, peut-être ! Il vous en veut, n'est-ce pas ? Et si vous l'avez traité comme il le mérite, il vous fera ici tout le mal possible.

— Quel mal peut-il me faire ! Il est si lâche ! Je l'ai fait mettre à genoux.

— En ce cas,... je ne sais ce qu'il fera, je ne sais quel secret il a surpris...

— Un secret par rapport à moi ?

— Non, dit M. Goefle, qui allait parler, et qui se rappela la résolution prise par lui de ne rien dire relativement à Stenson ; mais enfin vous cachez Cristiano Goffredi sous le masque de Christian Waldo, et il vous trahira...

— Que m'importe ? Je n'ai pas souillé le nom de Goffredi. Un jour viendra, je l'espère, où mes singulières aventures prouveront en ma faveur. Voyons ! qu'ai-je à craindre de l'opinion, moi ? Suis-je un paresseux et un débauché ? Je me moque de tous les Massarelli du monde. Ne me suis-je pas fait déjà, en Suède et ailleurs, sous mon masque de bouffon, une réputation chevaleresque[2] ? On me prête plus de belles actions que je n'ai eu occasion d'en faire, et je suis un personnage de légende. N'étais-je pas cette nuit le prince royal de Suède ? Si ma renommée devient par trop fantastique, n'ai-je pas le changement de nom toujours à mon service le jour où j'aurai enfin l'occasion de vivre en homme sérieux ? L'important ici, et je dis cela uniquement à cause de vous, monsieur Goefle, c'est que l'homme du bal de cette nuit, votre prétendu neveu, ne soit pas reconnu sous le masque de Waldo. Or, Massarelli n'était pas ici la nuit dernière, j'en suis certain, et il ne sait rien de mon aventure. Il s'en fût vanté à moi. Dans tous les cas, d'ailleurs, vous n'aurez qu'à répéter et affirmer encore la vérité, à savoir que vous n'avez jamais eu ni neveu ni fils naturel, et que vous n'êtes, en aucune façon, responsable des tours que le farceur Christian Waldo s'amuse à jouer dans le monde.

— Quant à moi, après tout, je m'en moque ! reprit M. Goefle en se débarrassant de sa perruque et en couvrant sa nuque d'un léger bonnet noir que lui présentait Christian. Me croyez-vous si poltron que je me soucie du croque-mitaine de ce château ? Tenez, Christian, je vais débuter comme montreur de marionnettes, *operante*, ainsi que vous dites. Eh bien ! si jamais on vous reproche d'avoir fait le saltimbanque pour vivre au profit de la science, vous pourrez dire : ''J'ai connu un homme qui exerçait avec honneur une profession grave... et qui m'a servi de compère pour son plaisir.''

— Ou plutôt par bonté pour moi, monsieur Goefle !

— Par amitié, si vous voulez, vous me plaisez ; mais je mentirais si je disais que ce que nous faisons là m'ennuie. Au contraire, il me semble que cela va me divertir énormément. D'abord la pièce est charmante, comique au possible et attendrissante par moments. Vous avez bien fait de l'arranger de manière à éviter toute allusion. Allons, Christian, il faut répéter ; nous n'avons plus qu'une demi-heure. Dépêchons-nous. Sommes-nous bien enfermés ici ? Personne ne peut-il nous voir ni nous entendre ? »

Christian dut empêcher M. Goefle de fatiguer sa voix et de dépenser sa verve à la répétition. Les scènes étant indiquées en quelques mots sur la pancarte, il suffisait d'échanger deux ou trois répliques pour tenir le fond de la situation sur laquelle on improviserait devant le public. Il s'agissait de bien placer les acteurs dans l'ordre voulu, sur la planchette de débarras, pour les reprendre sans se tromper lorsqu'on aurait à les faire paraître, de les présenter alternativement sur la scène en convenant du motif de leurs entrées et de leurs sorties comme de la substance de leur entretien, et de laisser le dialogue et les incidents à l'inspiration du moment. M. Goefle était le plus charmant et le plus intelligent compère que Christian eût jamais rencontré ; aussi fut-il électrisé par son concours, et quand il entendit sonner huit heures, il se sentit dans une disposition de verve et de gaieté qu'il n'avait pas éprouvée depuis le temps où il jouait avec Massarelli, alors si aimable et si séduisant. Ce souvenir gâté et flétri lui causa un moment de mélancolie qu'il secoua vite en disant à M. Goefle : « Allons ! j'entends la galerie se remplir de monde ; à l'œuvre, et bonne chance, cher confrère ! »

En ce moment, on frappa à la porte du fond, et on entendit la voix de Johan, le majordome, demander maître Christian Waldo.

« Pardon, monsieur, on n'entre pas, s'écria Christian. Dites ce que vous avez à dire à travers la porte. J'écoute. »

Johan répondit que Christian eût à se tenir prêt lorsqu'il entendrait frapper trois coups à la porte de la galerie, laquelle s'ouvrirait pour donner passage à son théâtre.

Ceci convenu, il s'écoula bien encore un bon quart d'heure avant que les dames eussent trouvé chacune la place qui lui convenait pour étaler ses paniers et ses grâces et pour se trouver dans le voisinage du cavalier qui lui était agréable ou en vue de ceux à qui elle voulait le paraître. Christian, habitué à ces façons, arrangeait tranquillement sur une table les rafraîchissements qu'il avait trouvés dans le petit salon, et qui devaient au besoin éclaircir la voix de son compère et la sienne dans l'entracte. Puis il s'installa avec M. Goefle sous le châssis fermé de tapisseries bien assujetties au moyen de crochets au-dedans, sur la face et sur les côtés. Le fond était libre et assez reculé dans la petite charpente pour permettre une perspective de plusieurs plans réels.

Les deux *operanti* attendaient les trois coups, Christian avec calme, M. Goefle avec une impatience fiévreuse qu'il exprimait assez vertement.

« Vous vous dépitez ? lui dit Christian. Allons, c'est que vous êtes ému, et c'est bon signe ; vous allez être étincelant.

— Espérons-le, répondit l'avocat, quoiqu'à vrai dire il me semble en ce moment que je vais ne pas trouver un mot et rester court. C'est fort plaisant, cela, j'en ai le vertige ! Jamais plaidoyer devant une assemblée sérieuse, jamais question de vie ou d'honneur pour un client, de succès pour moi-même, ne m'a autant agité le cerveau et tendu les nerfs que la farce que je vais jouer ici. Ces bavardes de femmes que l'on entend caqueter à travers les portes ne finiront-elles pas par se taire ? Veut-on nous faire étouffer dans cette baraque ? Je vais leur dire des injures, si cela continue ! »

Enfin les trois coups furent frappés. Deux laquais placés dans la galerie ouvrirent simultanément les deux battants, et l'on vit le petit théâtre, qui semblait marcher de lui-même, s'avancer légèrement et se placer devant la porte, dont il occupait toute la largeur. Quatre instruments que Christian avait demandés jouèrent un court divertissement à l'italienne[3]. La toile se leva, et les applaudissements accordés au décor donnèrent aux deux *operanti* le temps de prendre en main leurs marionnettes pour les faire entrer en scène.

Toutefois Christian ne voulut pas commencer sans regarder son public par un petit œil ménagé devant lui. La seule personne qu'il cherchait fut la première que son regard saisit. Marguerite était assise auprès d'Olga, au premier rang des spectateurs. Elle avait une parure délicieuse ; elle était ravissante. Christian remarqua ensuite le baron, qui était au premier rang des hommes derrière les femmes. Sa haute taille le faisait apercevoir aisément. Il était plus pâle, s'il se peut, que la veille. Christian chercha en vain la figure de Massarelli. Il vit avec plaisir celles du major Larrson, du lieutenant Ervin et des autres jeunes officiers qui, au bal et après le bal de la veille, lui avaient témoigné une sympathie si cordiale, et dont les physionomies hautes en couleur, épanouies d'avance, annonçaient une bienveillante attention. En même temps Christian entendit circuler l'éloge du décor.

« Mais c'est le Stollborg ! dirent plusieurs voix.

— En effet, dit la voix métallique du baron Olaüs, je crois qu'on a voulu représenter le vieux Stollborg !... »

M. Goefle n'entendait rien et ne voyait personne ; il était réellement troublé. Christian, pour lui donner le temps de se remettre, entama la pièce par une scène à deux acteurs qu'il joua tout seul. Sa voix se prêtait singulièrement aux différents organes des personnages qu'il faisait parler, et il imitait tous les accents, donnant à chaque caractère un langage en rapport avec son rôle et sa position dans la fiction scénique. Dès les premières répliques, il charma son auditoire par la naïveté et la vérité de son dialogue. M. Goefle, chargé de faire agir et parler un type de vieillard, vint bientôt le seconder, et quoiqu'il ne sût pas d'abord bien déguiser son organe, on était si éloigné de penser à lui et on était si convaincu que Christian seul faisait parler tous les acteurs, que l'on s'émerveilla des ressources infinies de l'*operante*. « Ne jurerait-on pas, disait Larrson, qu'ils sont là dedans une douzaine ?

— Ils sont toujours au moins quatre, disait le lieutenant.

— Non, reprenait le major, ils sont deux, le maître et le valet ; mais le valet est une brute qui parle rarement et qui n'a pas encore ouvert la bouche.

— Pourtant, écoutez, les voilà qui parlent ensemble. J'entends deux voix distinctes.

— Pure illusion ! reprenait l'enthousiaste Larrson. C'est Christian Waldo tout seul qui sait faire deux, trois et quatre personnes à la fois, peut-être plus, qui sait ? C'est un diable !... Mais écoutez donc la pièce ; ce n'est pas le moins curieux. Il fait des pièces que l'on voudrait retenir par cœur pour les écrire. »

Nous ne nous chargeons pourtant pas de raconter ladite pièce au lecteur. Ces boutades fugitives sont comme toutes les improvisations oratoires ou musicales[4]. On se trompe toujours en croyant qu'elles auraient la même valeur si elles étaient transcrites et conservées. Elles n'existent que par l'imprévu, et on se les rappelle avec d'autant plus de charme, qu'on n'en a gardé réellement qu'un souvenir confus, et que l'imagination les embellit après coup. Il y avait de la verve, de la couleur et du goût dans tout ce qui venait à l'esprit de Christian dans ces moments-là. Les imperfections inséparables d'un débit exubérant disparaissaient dans la rapidité de l'ensemble, dans son habileté à faire intervenir de nouveaux personnages quand il se sentait prêt à se dégoûter de ceux qu'il tenait en main.

Quant à M. Goefle, une véritable éloquence naturelle, beaucoup d'esprit quand il se sentait excité, une instruction réelle très étendue, lui rendaient bien facile le concours qu'il avait à donner. Les digressions les plus plaisantes résultèrent de sa promptitude à saisir au vol les fantaisies du dialogue de son interlocuteur, et l'on s'étonna plus encore que de coutume de la variété de connaissances que révélaient chez Waldo ces brillants écarts.

Si nous ne racontons pas la pièce, nous devons du moins dire de quelle façon Christian avait transformé ce premier acte, qui avait si singulièrement préoccupé M. Goefle.

Craignant de compromettre réellement l'avocat par des allusions involontaires, il avait fait du traître de sa pièce un personnage purement comique, une sorte de Cassandre[5] trompé par sa pupille, cherchant à surprendre le corps du délit, *l'enfant du mystère*, mais n'ayant aucune pensée criminelle à son égard. Christian fut donc très étonné lorsque, arrivé à la scène finale de cette première partie, il entendit comme un frémissement parcourir son auditoire, et que des chuchotements, qui pouvaient être interprétés comme des témoignages de blâme aussi bien que d'approbation, vinrent frapper son oreille, exercée à saisir le sentiment de ses spectateurs à travers ses propres paroles. « Que se passe-t-il donc ? » se demanda-t-il rapidement en lui-même, et il regarda M. Goefle, qui avait la figure décomposée et qui frappait du pied d'impatience en agitant nerveusement sa marionnette sur la scène.

Christian, croyant qu'il oubliait le canevas, se hâta de lui couper la parole en faisant parler le batelier, et, pressant la conclusion, il baissa le rideau au milieu d'un bruit qui n'était ni celui des applaudissements ni celui des sifflets, mais qui ressemblait à celui de gens qui s'en vont en masse pour n'en pas entendre davantage. Christian regarda par son *œil* avant de faire reculer le théâtre dans la porte. Il vit tout le monde non encore dispersé, mais déjà debout, lui tournant le dos et se faisant part à demi-voix d'un événement quelconque. Christian ne put saisir que ces mots : *Sorti ! il est sorti !* Et, cherchant des yeux de qui il pouvait être question, il vit que le baron n'était plus dans la salle.

« Allons, lui dit M. Goefle en le poussant du coude, rentrons dans notre foyer. Que faisons-nous là ? C'est l'entracte. »

Le théâtre recula donc dans le salon, les portes furent fermées, et, tout en se mettant vite à préparer le décor de l'acte suivant, Christian demanda à M. Goefle s'il s'était aperçu de quelque chose.

« Parbleu ! dit l'avocat tout hors de lui, j'en ai fait une belle, moi ! Qu'en dites-vous ?

— Vous ? vous avez été excellent, monsieur Goefle.

— J'ai été stupide, j'ai été fou ! Mais comprenez-vous qu'un pareil accident arrive à un homme habitué à parler en public des choses les plus délicates dans les faits les plus embrouillés ?

— Mais quel accident, au nom du ciel ? monsieur Goefle ?

— Comment ! vous étiez donc sourd ? vous n'avez pas entendu que j'ai eu trois *lapsus* effroyables ?

— Bah ! j'en ai peut-être eu cent, et cela m'arrive tous les jours ; est-ce que l'on s'en aperçoit ?

— Ah ! oui-da ! vous croyez qu'on ne s'en est pas aperçu ! Je parie que le baron est sorti avant la fin ?

— Il est sorti en effet. A-t-il donc l'oreille si délicate qu'une liaison hasardée ou un mot impropre...

— Eh ! mille démons ! il s'agit bien de cela ! J'aurais mieux fait d'estropier la langue que de dire ce que j'ai dit ! Imaginez-vous que, pendant que vous vous baissiez pour faire passer le bateau sous les rochers, moi, qui faisais parler les sbires, j'ai dit trois fois *le baron* au lieu de dire don Sanche[6] ! Oui, je l'ai dit trois fois ! Une première fois sans y prendre garde, la seconde en m'en apercevant et en voulant me reprendre, la troisième... oh ! la troisième ! cela est inouï, Christian, que l'on dise précisément un mot que l'on ne veut pas dire et que l'on pense à ne pas dire ! Il y a là comme une fatalité, et me voilà prêt à croire, avec nos paysans, que les malins esprits se mêlent de nos affaires.

— Cela est fort curieux, en effet, dit Christian ; mais il n'est personne à qui cela ne soit arrivé. De quoi diable vous tourmentez-vous là, monsieur Goefle ? Le baron ne peut vous soupçonner de l'avoir fait exprès ! D'ailleurs n'y a-t-il que lui de baron dans ce monde ? n'y en a-t-il pas en ce moment peut-être une douzaine dans notre public ? Pensons au second acte, monsieur Goefle ; le temps passe, et d'un moment à l'autre on peut nous dire de commencer.

— Si l'on ne vient pas nous dire d'en rester là... Tenez, on frappe.

— C'est encore le majordome. Rentrez sous le châssis, monsieur Goefle ; je remets mon masque et j'ouvre. Il faut savoir ce qui se passe. »

M. Goefle caché et Christian masqué, la porte fut ouverte à M. Johan.

« Qu'y a-t-il ? lui dit Christian, pressé de venir au fait. Devons-nous continuer ?

— Et pourquoi non, monsieur Waldo ? dit le majordome.

— J'ai cru voir que M. le baron était indisposé.

— Oh ! cela lui arrive bien souvent de souffrir quand il reste en place ; mais ce n'est rien. Il vient de me faire dire que vous ayez à reparaître, qu'il y soit ou non. Il tient à ce que vous divertissiez la compagnie... Mais quelle drôle d'idée avez-vous eue là, monsieur Christian, de représenter notre vieux Stollborg sur votre théâtre !

— J'ai cru être agréable à M. le baron, répondit effrontément Christian ; en est-il autrement ?

— M. le baron est enchanté de votre idée, et il n'a cessé de répéter : "C'est très joli, très joli ! On croirait voir le vieux donjon !"

— A la bonne heure ! dit Christian ; alors nous continuons. Serviteur, monsieur le majordome ! — Allons, monsieur Goefle, du courage ! continua Christian, dès que Johan fut sorti. Vous voyez que tout va bien, et que nous n'avons fait que rêver toute la journée. Je parie que le baron est le meilleur des humains ; vous allez voir qu'il se convertit, et que nous serons forcés de le canoniser ! »

A l'acte suivant, qui fut très court et très gai, le baron sembla s'amuser beaucoup. Don Sanche ne paraissait pas. La langue ne tourna plus à M. Goefle, et sa voix fut si bien déguisée que personne ne se douta de sa présence. Dans l'entracte, il but plusieurs verres de porto pour soutenir son entrain, et il était un peu gris au troisième et dernier acte, qui eut encore plus de succès que les précédents.

Parallèlement à l'action burlesque où Stentarello divertissait le public, Christian avait fait marcher une action sentimentale avec d'autres personnages. Dans ce dernier acte, Alonzo, l'enfant du lac, découvrait que Rosita, la fille des braves gens qui l'avaient élevé et adopté, n'était pas sa sœur, et lui exprimait son amour. Cette situation, bien connue au théâtre, a toujours été délicate. On n'aime pas à voir le frère passer brusquement de l'amitié sainte à une passion qui, en dépit du changement de situation, prend un air d'inceste improvisé. Les personnages de la jeune fille et d'Alonzo étaient les seuls que Christian n'eût pas chargés. Il avait fait de ce dernier un bon jeune homme vivant et pensant comme lui-même. Ce caractère entreprenant et généreux fut sympathique aux auditeurs, et les femmes, oubliant qu'elles avaient une marionnette devant les yeux, furent charmées de cette voix douce qui leur parlait d'amour avec une suavité chaste et un accent de franchise bien différents des phrases maniérées des bergeries françaises de l'époque.

Christian avait beaucoup lu Marivaux, ce talent à deux faces, si minutieux d'esprit, mais si simple de cœur, si émouvant dans la passion[7]. Il avait senti le côté vrai, le grand côté de ce charmant génie, et il excellait vraiment à faire parler l'amour. La scène sembla courte ; plusieurs voix s'élevèrent pour crier : « Encore ! encore ! » et Christian, cédant au désir du public, reprit Alonzo, qui était déjà sorti de ses doigts, et il le fit rentrer en scène d'une manière ingénieuse et naturelle : « Vous m'avez rappelé ? » dit-il à la jeune amoureuse, et ce mot si simple eut un accent si craintif, si éperdu et si naïf, que Marguerite mit son éventail sur son visage pour cacher une rougeur brûlante.

C'est qu'il se passait un étrange phénomène dans le cœur de cette jeune fille. Elle seule reconnaissait dans la voix d'Alonzo celle de Christian Goefle. C'est peut-être parce qu'elle seule avait assez parlé avec lui pour se la rappeler vivement. Et pourtant Christian Waldo donnait à dessein à la voix de son jeune personnage un diapason plus clair[8] que celui qui lui était naturel ; mais il y avait de certaines inflexions et de certaines vibrations qui, à chaque instant, faisaient tressaillir Marguerite. A la scène d'amour, elle n'eut plus de doutes, et pourtant Christian Goefle ne lui avait pas dit un seul mot d'amour. Elle garda ses réflexions pour elle seule, et lorsque Olga, qui était froide et railleuse, lui poussa le coude en lui demandant si elle pleurait, l'innocente enfant répondit avec une profonde hypocrisie qu'elle était fort enrhumée et qu'elle se retenait de tousser.

Quant à Olga, elle était bien autrement dissimulée : elle affectait après la pièce un grand mépris pour ce petit personnage d'*amoureux transi*, et pourtant le cœur lui avait battu violemment, car chez certaines Russes la froideur des calculs n'exclut pas l'ardeur des passions. Olga s'était jetée avec résolution dans la convoitise cupide ; elle n'en éprouvait pas moins, en dépit d'elle-même, une secrète horreur pour le baron depuis qu'elle s'était fiancée avec lui. Lorsqu'il lui adressa la parole après la pièce, sa voix âpre et son regard glacé lui donnèrent le frisson, et elle se rappela, comme malgré elle, la douce voix et les vives paroles de Christian Waldo.

De son côté, le baron semblait de fort bonne humeur. Le fâcheux personnage de don Sanche, qui devait reparaître à la fin de la pièce, avait été prudemment supprimé par M. Goefle. Entre le premier et le second acte, cette modification avait été introduite de concert avec Christian. On avait imaginé de faire de Rosita la fille de ce personnage, qui était mort dans l'entracte. On découvrait qu'elle était héritière d'une grande fortune laissée par lui, et, pour réparer la spoliation dont Alonzo avait été victime, elle l'épousait au dénoûment. Des aventures, des quiproquos, des incidents romanesques et des personnages comiques, Stentarello surtout avec l'ingénuité de son égoïsme et de sa couardise, soutenaient la trame fragile de cette légère donnée, qui eut généralement un succès enthousiaste, en dépit de M. Stangstadius, qui n'écouta rien et blâma tout, ne pouvant souffrir que l'on s'intéressât à une œuvre frivole où il n'était pas question de science.

Cependant M. Goefle s'était jeté sur un fauteuil dans le foyer, où il s'était renfermé avec Christian, et tandis que celui-ci, toujours actif et soigneux, démontait, rangeait et pliait toutes les pièces et engins de son théâtre, de manière à enfermer tout le personnel dans une boîte et à faire de l'édifice un seul ballot assez lourd, mais assez facile à porter, l'avocat, s'essuyant le front et fêtant par distraction le vin d'Espagne, s'abandonnait à ce bien-être particulier auquel il aimait à se livrer lorsqu'il déposait la robe et le bonnet pour rentrer, comme il disait, dans le sein de la vie privée.

Ce charmant caractère d'homme avait eu peu de mécomptes dans sa vie publique et peu de contrariétés dans son intérieur. Ce qui lui avait manqué depuis qu'il avait les jouissances d'ordre et de sécurité de l'âge mûr, c'était l'imprévu, qu'il prétendait, qu'il croyait peut-être haïr, mais dont il éprouvait le besoin, en raison d'une imagination vive et d'une grande flexibilité de talent. Il se sentait donc en ce moment tout ragaillardi, sans bien savoir pourquoi, et il regrettait que la pièce fût finie, car, bien que fatigué et baigné de sueur, il trouvait dans son cerveau dix actes nouveaux à jouer encore.

« Ah ça ! dit-il à Christian, je me repose, et vous voilà rangeant, travaillant... Ne puis-je vous aider ?

— Non, non, monsieur Goefle ; vous ne sauriez pas. Voyez d'ailleurs, cela est fait. Avez-vous trop chaud maintenant pour songer à vous remettre en marche pour le Stollborg ?

— Pour le Stollborg ? Est-ce que nous allons tristement nous coucher, excités comme nous le sommes ?

— Quant à cela, monsieur Goefle, vous êtes bien le maître de sortir de ce château par la porte dérobée, d'y rentrer par la cour d'honneur, et d'aller prendre votre part du souper qui sonne et des divertissements qui se préparent probablement pour le reste de la soirée. Pour moi, mon rôle est terminé maintenant, et puisque vous avez renié votre généreux sang, puisque je ne peux reparaître à vos côtés sous le nom de Christian Goefle, il faut que j'aille manger n'importe quoi et étudier un peu de minéralogie jusqu'à ce que le sommeil me prenne.

— Au fait, mon pauvre enfant, vous devez être fatigué !

— Je l'étais un peu avant de commencer la pièce ; à présent je suis comme vous, je suis excité, monsieur Goefle. En fait d'improvisation, on est toujours très monté quand le moment vient de finir, et c'est quand la toile baisse sur un dénoûment qu'il faudrait pouvoir commencer. C'est alors qu'on aurait du feu, de l'âme et de l'esprit !

— C'est vrai ; aussi ne vous quitterai-je pas : vous vous ennuieriez seul. Je connais cette émotion, c'est comme lorsqu'on vient de plaider ; mais ceci est plus excitant encore, et à présent je voudrais faire je ne sais quoi, réciter une tragédie, composer un poème, mettre le feu à la maison ou me griser, pour en finir avec ce besoin de faire quelque chose d'extraordinaire.

— Prenez-y garde, monsieur Goefle, dit Christian en riant, cela pourrait bien vous arriver !

— A moi ? jamais ! jamais ! Hélas ! je suis d'une sobriété stupide.

— Pourtant la bouteille est à moitié vide, voyez !

— Une demi-bouteille de porto à deux, ce n'est pas scandaleux, j'espère ?

— Pardon ! je n'y ai pas touché, moi : je n'ai bu que de la limonade.

— En ce cas, dit M. Goefle en repoussant le verre qu'il venait de remplir, loin de moi cette perfide boisson ! Se griser seul est la plus triste chose du monde. Voulez-vous venir au Stollborg essayer de vous griser avec moi ? Ou bien... tenez... j'ai ouï dire ce matin, ici, que l'on ferait une course de torches sur le lac, si le temps ne se remettait pas à la neige. Or le temps était magnifique ce soir, quand je suis venu. Mettons-nous de la partie. Vous savez que l'on se déguise, si l'on veut, durant les fêtes de Noël, et... ma foi, oui, je me souviens maintenant que la comtesse d'Elvéda, ce matin, a parlé d'une mascarade.

— Bonne idée ! dit Christian ; je serai là dans mon élément, moi, l'homme au masque !... Mais où prendrons-nous des costumes ? J'en ai bien là une centaine dans ma boîte, mais il nous est aussi impossible à l'un qu'à l'autre de nous réduire à la taille de nos marionnettes !

— Bah ! nous trouverons peut-être quelque chose au Stollborg. Qui sait ?

— Ce ne sera pas dans ma garde-robe, à coup sûr.

— Eh bien ! peut-être dans la mienne ! Quand on n'a rien de mieux, on met son habit à l'envers. Voyons ! avec de l'imagination...

— Partez donc, monsieur Goefle, je vous suis ; j'ai mon âne à recharger et mon argent à recevoir. Prenez ce masque, j'en ai un second ; il y a peut-être des curieux sur l'escalier.

— Ou des curieuses... à cause de vous. Dépêchez-vous, Christian, je pars en avant. »

Et M. Goefle, leste et léger comme à vingt ans, s'élança dans l'escalier, bousculant les valets et même quelques dames bien enveloppées qui s'étaient glissées là furtivement pour tâcher d'apercevoir le fameux Christian Waldo au passage. Aussi Christian ne fit-il aucun effet et ne rencontra-t-il presque personne lorsqu'il descendit l'instant d'après, portant sa caisse et son grand ballot. « Celui-ci, disait-on, est le valet, puisqu'il porte les fardeaux. Il paraît qu'il se masque aussi, le fat ! » Et l'on se désolait de n'avoir pu apercevoir le moindre trait, de n'avoir pu se faire la moindre idée de la tournure du véritable Waldo, disparu avec la rapidité de l'éclair.

Christian terminait son emballage, lorsqu'il remarqua que maître Johan essayait de le prendre au dépourvu et de satisfaire sa curiosité personnelle, en cherchant à s'introduire brusquement dans le foyer, sous prétexte de lui payer le salaire de son divertissement. Il résolut de s'amuser aux dépens de cet insinuant personnage, et, s'étant masqué avec soin, il lui ouvrit la porte avec beaucoup de politesse.

« C'est bien à maître Christian Waldo que j'ai le plaisir de parler ? dit le majordome en lui remettant la somme convenue.

— A lui-même, répondit Christian ; ne reconnaissez-vous pas ma voix et mon habit de tantôt ?

— Certainement, mon cher ; mais votre valet se masque aussi, à ce qu'il paraît, car je viens de le voir passer aussi mystérieux que vous-même et mieux couvert, ma foi, que je ne l'avais vu hier à votre arrivée[9].

— C'est que le drôle, au lieu de porter ma pelisse sur son bras, se permet de l'endosser. Je le laisse faire, c'est un grand frileux.

— Et voilà ce qui m'étonne ; hier, il m'avait semblé voir en lui un frileux plus petit que vous de la tête.

— Ah ! voilà ce qui vous étonne ?... dit Christian, appelant à son secours les ressources de l'improvisation. Vous n'avez donc pas fait attention à sa chaussure aujourd'hui ?

— Vraiment non ! Est-il monté sur des échasses ?

— Pas tout à fait, mais sur des patins de quatre ou cinq pouces de haut.

— Et pourquoi cela ?

— Quoi, monsieur le majordome ! un homme d'esprit comme vous me fait une pareille question ?

— J'avoue que je ne comprends pas, répondit Johan en se mordant les lèvres.

— Eh bien ! monsieur le majordome, sachez que si les deux *ope-*

ranti d'un théâtre comme celui-ci ne sont pas de taille à peu près égale, l'un des deux est forcé de laisser apercevoir sa tête, qui, certes, ne fait pas bon effet au niveau des *burattini*, et ressemblerait sur cette petite scène à celle d'un habitant de Saturne ; ou bien l'autre, le plus petit, est forcé d'élever ses bras d'une manière si fatigante qu'il ne pourrait continuer pendant deux scènes.

— Alors votre valet met des patins pour se trouver à votre hauteur ? Ingénieux ! Très ingénieux, ma foi ! » Et Johan ajouta d'un air de doute : « C'est singulier que je n'aie pas entendu le bruit de ces patins tout à l'heure, pendant qu'il descendait l'escalier.

— Voilà encore, monsieur le majordome, où vous laissez sommeiller votre sagacité naturelle. Si ces patins n'étaient garnis de feutre, ils feraient dans la baraque un bruit insupportable.

— Vous m'en direz tant !... Mais vous ne me ferez pas comprendre comment ce garçon, d'un esprit si vulgaire, a été si brillant pour vous seconder.

— Ah ! voilà, répondit Christian : c'est l'histoire de l'artiste en général. Il brille sur les planches (ici ce serait le cas de dire sous les planches), et quand il en sort, il retombe dans la nuit, surtout quand il a la malheureuse habitude de boire avec les laquais de bonne maison [10].

— Comment ? vous croyez qu'il a bu ici avec...

— Avec vos laquais, qui vous ont rendu compte de son intéressante conversation, monsieur le majordome, puisque vous avez ces renseignements fidèles sur l'épaisseur de son intelligence... »

Johan se mordit encore les lèvres, et Christian fut dès lors convaincu que son incognito devait avoir été trahi jusqu'à un certain point par Puffo le verre en main, ou tout à fait par Massarelli l'argent en poche. Puffo ne connaissait Christian que sous le nom de Dulac, Massarelli le connaissait désormais sous tous ses noms successifs, excepté pourtant peut-être sous le nom récemment improvisé de Christian Goefle. Christian cherchait à s'assurer de ce dernier fait, en étudiant l'âpre curiosité que laissait percer le majordome de voir sa figure, et il comprit bientôt que ce n'était pas tant pour le plaisir de savoir s'il avait ou non une tête de mort que pour l'intérêt de reconnaître dans cette figure de bateleur celle du faux neveu de M. Goefle, laquelle avait été, la veille, très bien vue dudit majordome.

« Enfin, dit celui-ci après beaucoup de questions insidieuses contre lesquelles l'aventurier se tint en garde, si une aimable dame... une jeune personne charmante, la comtesse Marguerite par exemple, vous demandait de voir vos traits... vous seriez assez obstiné pour refuser...

— Qu'est-ce que la comtesse Marguerite ? dit Christian d'un ton ingénu, bien qu'il eût envie de souffleter maître Johan.

— Mon Dieu ! reprit le majordome, je dis la comtesse Marguerite, parce qu'elle est, à coup sûr, la plus jolie femme qu'il y ait à cette heure au château. Ne l'avez-vous pas remarquée ?

— Et où donc l'aurais-je vue, je vous prie ?

— Au premier rang de vos spectatrices.

— Oh ! si vous croyez que quand je joue, à moi presque seul, une pièce à vingt personnages, j'ai le temps de regarder les dames...

— Je ne dis pas, mais enfin vous ne seriez pas influencé par le désir de plaire à une jolie personne ?...

— Plaire ? monsieur Johan ! s'écria Christian avec une vivacité très bien jouée ; vous me dites là, sans vous en douter, une chose fort cruelle. Vous ignorez apparemment que la nature m'a gratifié d'une laideur effroyable, et que c'est là l'unique cause du soin que je prends de me cacher !

— On le dit, répliqua Johan, mais on dit aussi le contraire, et M. le baron, ainsi que toutes les personnes, surtout les dames, ici rassemblées, a une grande envie de savoir à quoi s'en tenir.

— C'est une envie désobligeante à laquelle je ne me prêterai certainement pas, et, pour les en dégoûter, j'en veux appeler à votre témoignage. »

En parlant ainsi, Christian, qui avait eu soin de ne laisser qu'une bougie allumée dans l'appartement, releva son masque de soie noire[11] et montra précipitamment, et comme avec une sorte de désespoir, au majordome un second masque de toile enduit de cire, si parfaitement exécuté, qu'à moins d'une grande clarté et d'un examen minutieux, il était impossible de ne pas le prendre pour une figure humaine, camuse, blême et horriblement maculée par une tache énorme couleur de vin. Johan, malgré son esprit soupçonneux, y fut pris et ne put retenir une exclamation de dégoût.

« Pardon, pardon, mon cher ami, dit-il en se reprenant, vous êtes à plaindre, et pourtant votre talent et votre esprit sont des avantages que je vous envie !... »

Le majordome était lui-même si laid, que Christian eut envie de rire de ce qu'il semblait se supposer beaucoup plus beau que ce masque.

« A présent, reprit-il après avoir rabaissé le masque noir, dites-moi tout bonnement pourquoi vous étiez si curieux de savoir à quel point je suis laid.

— Mon Dieu, reprit Johan après un moment d'hésitation en jouant le bonhomme, je vais vous le dire... Et même si vous voulez m'aider à découvrir un secret, une puérilité, qui intrigue ici plus d'une personne, vous acquerrez des droits à la reconnaissance... vous m'entendez bien, à la munificence du maître de céans : il s'agit d'une plaisanterie, d'un pari...

— Je ne demande pas mieux, répondit Christian, curieux d'entendre la confidence qu'il pressentait déjà ; de quoi s'agit-il ?

— Vous êtes descendu au Stollborg ?

— Oui ; vous avez refusé de m'admettre ici.

— Vous avez dormi... dans la chambre de l'ourse ?

— Parfaitement.

— Parfaitement, n'est-ce pas ? Le prétendu fantôme...

— Ce n'est pas sur le compte du fantôme que vous voulez m'interroger ? Vous n'y croyez pas plus que moi ?

— Comme vous dites ; mais il est un autre fantôme qui a fait apparition hier dans le bal, et que personne ne connaît. Vous devez l'avoir vu au Stollborg ?

— Non ; je n'ai vu aucun fantôme.

— Quand je dis un fantôme..., vous avez vu là un avocat qui s'appelle M. Goefle, un homme de grand mérite ?

— Oui, j'ai eu l'honneur de lui parler ce matin. Il occupe la chambre à deux lits.

— Ainsi que son neveu ?

— Je ne lui ai pas vu de neveu.

— Neveu ou non, un jeune homme de votre taille, dont la voix ne m'a pas frappé particulièrement, mais dont la figure était fort agréable, tout habillé de noir, un garçon de bonne mine enfin...

— De bonne mine ? Plût au ciel que ce fût moi, monsieur Johan ! J'avais une si belle envie de dormir que je ne saurais vous dire s'il était au Stollborg. Je n'ai vu là qu'un ivrogne appelé Ulphilas.

— Et M. Goefle ne l'a pas vu, cet étranger ?

— Je ne le pense pas.

— Il ne le connaît pas ?

— Ah ! vous me rappelez... Oui, oui, je sais ce que vous voulez dire : j'ai entendu M. Goefle se plaindre d'un individu qui aurait usurpé son nom pour se présenter au bal. Est-ce cela ?

— Parfaitement.

— Mais alors comment se fait-il, monsieur le majordome, qu'étant intrigué par cet inconnu, vous ne l'ayez pas fait suivre ?

— Nous n'étions nullement intrigués ; il s'était donné pour un proche parent de l'avocat : on comptait nécessairement le voir reparaître. C'est ce matin, lorsque l'avocat l'a désavoué, que M. le baron s'est demandé comment un inconnu avait osé, sous un nom d'emprunt, s'introduire dans la fête. C'est sans doute une gageure impertinente, quelque étudiant de l'école des mines de Falun,... à moins que ce ne soit, comme il paraît l'avoir donné à entendre, un fils naturel que l'avocat n'autorise pas à porter son nom.

— Tout cela ne me paraît pas valoir la peine de tant chercher, répondit Christian d'un ton d'indifférence ; m'est-il permis à présent d'aller souper, monsieur le majordome ?

— Oui, certes ; vous allez souper avec moi.

— Non, je vous remercie ; je suis très fatigué, et je me retire.

— Toujours au Stollborg ? Vous y êtes bien mal !

— J'y suis fort bien.

— Avez-vous un lit au moins ?

— J'en aurai un cette nuit.

— Cet ivrogne d'Ulphilas vous fait-il manger convenablement ?

— On ne peut mieux.

— Vous êtes en mesure pour demain ?

— A quelle heure ?

— Comme aujourd'hui.

— C'est fort bien. Je suis votre serviteur.

— Ah ! encore un mot, monsieur Waldo : est-ce une indiscrétion de vous demander votre véritable nom ?

— Nullement, monsieur Johan ; mon véritable nom est Stentarello, pour vous servir.

— Mauvais plaisant ! C'est donc vous qui faites toujours parler ce personnage de comédie ?

— Toujours, quand ce n'est pas mon valet.

— Vous êtes mystérieux !

— Oui, quand il s'agit du secret de mes coulisses ; sans cela point de prestige et point de succès.

— Peut-on au moins vous demander pourquoi un de vos personnages s'appelait le baron ?

— Ah ! cela, demandez-le aux laquais qui ont fait boire Puffo ; quant à moi, habitué à ses bévues, je n'y eusse pas fait attention, s'il ne s'en fût confessé avec effroi.

— Aurait-il recueilli quelque sot commérage ?...

— Relativement à quoi ? Expliquez-vous...

— Non, non, ça n'en vaut pas la peine, répondit Johan, qui voyait, grâce à l'adresse ou à l'insouciance de son interlocuteur, leur attitude respective transposée, en ce sens que, au lieu de questionner, le major-dome se trouvait questionné lui-même. »

Cependant il revint sur une question déjà faite :

« Vous aviez donc, dit-il, un décor qui ressemblait au Stollborg à s'y méprendre ?

— Qui ressemblait un peu au Stollborg, oui, par hasard, et c'est à dessein que je l'ai fait ressembler tout à fait.

— Pourquoi cela ?

— Ne vous l'ai-je pas dit ? Pour être agréable à M. le baron. C'est une délicatesse de ma part de chercher toujours à représenter un site de la localité où j'exerce mon industrie passagère. A ma prochaine étape, ce Stollborg sera changé et représentera autre chose. Est-ce que M. le baron a trouvé ma toile de fond mauvaise ? Que voulez-vous ? j'ai eu si peu de temps ! »

En parlant ainsi, Christian s'amusait à observer la désagréable figure de Johan. C'était un homme d'une cinquantaine d'années, assez gros, d'un type vulgaire et d'une physionomie bienveillante et apathique au premier abord ; mais dès la veille Christian, en lui remettant la lettre d'invitation trouvée dans la poche de M. Goefle, avait surpris dans son coup d'œil oblique une activité inquisitoriale dissimulée par une non-chalance d'emprunt. Maintenant il était encore plus frappé de ces indices d'un caractère affecté, qui semblait être une copie chargée de celui du baron, son maître. Néanmoins, comme au bout du compte, Johan n'était qu'un premier laquais[12] sans éducation et sans art véritable, Christian n'eut pas la moindre peine à jouer la comédie infiniment mieux que lui, et à le laisser persuadé de l'innocence de ses intentions. En même temps Christian acquérait une quasi-certitude à propos de l'histoire de la baronne Hilda. Il devenait évident pour lui qu'un drame quelconque s'était accompli au Stollborg et que le baron n'avait pu voir sans effroi ou sans colère ces trois choses représentées sous une forme et dans une intention quelconque : une prison, une victime et un geôlier.

X

Johan était à coup sûr le confident, peut-être un des acteurs de ce drame. Il avait voulu savoir à quel point maître Christian Waldo, en qualité de chroniqueur ambulant, pouvait avoir été initié à ce mystère. Christian avait adroitement jeté dans son esprit le soupçon d'une indiscrétion de la part des laquais du château, et il avait assez heureusement jusqu'à nouvel ordre retiré du jeu son épingle et celle de M. Goefle.

Nous le laisserons vaquer philosophiquement au soin de recharger son âne, et nous dirons ce qui s'était passé pendant son entretien avec le majordome. Nous reprendrons les choses au moment où M. Goefle, favorisé par le lever de la lune et le retour de l'aurore boréale, était reparti pour le Stollborg, marchant rapidement sur le lac, chantonnant et gesticulant un peu malgré lui.

Pendant ce temps, on avait servi le souper aux hôtes du château neuf, et le splendide gâteau de Noël, qui, selon l'usage norvégien, devait rester sur la table et n'être attaqué que le 6 janvier, faisait, par sa dimension et par son luxe, l'admiration des dames. Ce chef-d'œuvre de pâtisserie représentait, par un singulier mélange de la galanterie du siècle avec la pratique religieuse, le temple de Paphos[13]. On y voyait des monuments, des arbres, des fontaines, des personnages et des animaux. La pâtisserie et le sucre cristallisé de toutes couleurs imitaient les matériaux les plus précieux, et se prêtaient aux formes les plus fantastiques.

Le baron avait confié à une vieille demoiselle de sa famille, personne très versée dans la science domestique et parfaitement nulle à tous autres égards, le soin de faire les honneurs du souper, pendant qu'il prendrait le temps de lire quelques lettres et d'y répondre. En réalité, le baron, qui ne manquait pas de prétextes pour se retirer quand il avait quelque préoccupation d'esprit, était en ce moment enfermé dans son cabinet avec un homme pâle, qui se donnait le nom de Tebaldo[14], et qui n'était autre que Guido Massarelli.

Ce n'est pas sans peine que Guido avait obtenu ce tête-à-tête. Johan, très jaloux de l'oreille du maître, avait tâché de lui tirer son secret pour s'en donner les gants ; mais Massarelli n'était pas homme à se laisser surprendre. Il avait insisté, et, après avoir erré tout le jour dans le château, il obtenait enfin l'entrevue dont il avait escompté le résultat en se targuant auprès de Christian d'être l'ami de la maison. L'entretien, qui eut lieu en français, commença par un étrange récit auquel le baron ne sembla prêter qu'une attention ironique et dédaigneuse.

« Voilà, dit-il enfin à Massarelli, une très énorme aventure, je dirais une révélation très importante, si je pouvais ajouter foi à ce que je viens d'entendre ; mais j'ai été si souvent trompé dans les affaires délicates, qu'il me faudrait d'autres preuves que des paroles. Vous m'avez raconté un fait bizarre, romanesque, invraisemblable...

— Que M. Stenson a reconnu fort exact, répondit l'Italien, et qu'il n'a pas même essayé de nier.

— Vous le dites, reprit froidement le baron ; par malheur, je ne peux m'en assurer. Si j'interroge Stenson, que votre récit soit véridique ou imaginaire, il niera certainement.

— C'est probable, monsieur le baron ; un homme capable d'une dissimulation qui vous en a imposé pendant plus de vingt ans ne se fera pas faute de mentir encore; mais si vous trouvez le moyen d'épier un entretien entre lui et moi, vous surprendrez la vérité. Je me charge bien de la lui arracher encore une fois et en votre présence, pourvu qu'il ne se doute pas que vous l'entendez.

— Il ne serait pas difficile, avec un homme aussi sourd, de se glisser dans son appartement ;... mais... puisque, selon lui, la personne est morte, que me fait, à moi, le passé du vieux Stenson ? Il a certainement agi à bonne intention, et, bien qu'il m'ait fait grand tort en laissant, par son silence, d'odieux soupçons peser sur moi,... comme le temps a fait justice de ces choses...

— Pas tant que monsieur le baron paraît le croire, reprit l'Italien, qui savait, aussi bien que le baron, s'envelopper d'un calme audacieux. C'est la légende du pays, et Christian Waldo l'a certainement ramassée sur son chemin en venant ici.

— Si cela était, reprit le baron, laissant percer une secrète rage, ce bateleur n'eût certes pas eu l'impudence d'en faire publiquement et devant moi le sujet d'une scène de comédie.

— C'était pourtant bien la représentation du vieux donjon... J'ai vu la localité aujourd'hui, et Christian Waldo, qui demeure au Stollborg, a pu la voir aussi. Les Italiens,... c'est très hardi, monsieur le baron, les Italiens !

— Je m'en aperçois, monsieur Tebaldo. Vous dites que ce Waldo demeure au Stollborg ? Il aurait donc fait ce tableau tout exprès et d'après nature ? Si promptement ! ce n'est pas probable. La ressemblance de son décor avec le donjon est une chose fortuite.

— Je ne le pense pas, monsieur le baron ; Waldo a une grande facilité, et il peint comme il improvise.

— Vous le connaissez donc ?

26

— Oui, monsieur le baron.

— Quel est son vrai nom ?

— C'est ce que je dirai à monsieur le baron, si la somme que je lui ai demandée ne lui paraît pas exorbitante.

— De quel intérêt peut être pour moi de savoir son nom ?

— Un intérêt immense... et *capital*... »

La manière dont le prétendu Tebaldo prononça ce mot parut faire quelque impression sur le baron :

« Vous dites, reprit-il après une pause, que la personne est morte ?

— Stenson l'affirme.

— Et vous ?

— J'en doute.

— Christian Waldo le sait peut-être ?

— Christian Waldo ne sait rien.

— Vous en êtes sûr ?

— J'en suis sûr.

— Mais vous voulez me donner à entendre que cet homme est précisément celui...

— Je n'ai pas dit cela, monsieur le baron.

— Alors vous voulez dire et ne pas dire ; vous voulez être payé d'avance pour une révélation chimérique.

— Je ne vous ai rien demandé que votre signature, monsieur le baron, dans le cas où vous serez content de moi.

— Je ne signe jamais. Tant pis pour qui doute de ma parole.

— Alors, monsieur le baron, je remporte mon secret ; celui qu'il intéresse au moins autant que vous l'aura pour rien. »

Et Tebaldo allait résolument sortir du cabinet, lorsque le baron le rappela. Il se passait quelque chose d'assez naturel chez ces deux hommes. Ils avaient peur l'un de l'autre. Le premier n'avait pas encore touché le bouton de la serrure pour sortir, qu'il s'était dit : « Je suis fou, le baron va me faire assassiner pour m'empêcher de parler. » Le second s'était dit de son côté : « Il a peut-être déjà parlé ; lui seul peut me faire savoir ce que j'ai à craindre. »

« Monsieur Tebaldo, dit le baron, si je vous apprenais que j'en sais plus long que vous ne pensez ?

— J'en serais charmé pour vous, monseigneur, répondit l'Italien avec audace.

— La personne n'est pas morte, elle est ici ou du moins elle y était hier ; je l'ai vue, je l'ai reconnue.

— Reconnue ? dit Massarelli avec surprise.

— Oui, reconnue, je m'entends : cette personne se donnait le nom de Goefle, avec ou sans la permission d'un homme honorable qui s'appelle ainsi. Parlez donc, vous voyez que je suis sur la voie et qu'il est puéril de vouloir porter mes soupçons sur le bateleur Waldo. »

L'Italien étonné resta court. Arrivé le matin même, il ne savait rien des incidents de la veille ; il avait rencontré M. Goefle sans le connaître ; il ne parlait pas le suédois, le dalécarlien encore moins ; il n'avait pu lier conversation qu'avec le majordome, qui parlait un peu français et qui était fort méfiant. Il ignorait donc absolument l'histoire de Christian au bal et ne savait réellement pas de qui le baron lui parlait. En le voyant surpris et démonté, le baron se confirma dans sa pensée qu'il l'avait confondu par sa pénétration.

« Allons, dit-il, exécutez-vous et finissons-en. Dites tout, et comptez sur une récompense proportionnée au service que vous pouvez me rendre. »

Mais l'Italien avait déjà repris toute son assurance. Persuadé que le baron était sur une fausse piste et décidé à ne pas livrer son secret pour rien, il ne songeait plus qu'à gagner du temps et à se préserver du mauvais parti que pouvait lui faire cet homme, réputé terrible, s'il refusait carrément de s'expliquer.

« Monsieur le baron veut-il me donner vingt-quatre mille écus et vingt-quatre heures, dit-il, pour mettre en sa présence et à sa disposition la personne qu'il a tant d'intérêt à connaître ?

— Vingt-quatre mille écus, c'est peu ! répondit le baron avec ironie ; mais vingt-quatre heures, c'est beaucoup !

— C'est peu pour un homme tout seul.

— Vous faut-il de l'aide ? J'ai des gens sûrs et très habiles.

— S'il faut partager avec eux les vingt-quatre mille écus, j'aime mieux agir seul, à mes risques et périls.

— Quelle action entendez-vous donc faire ?

— Celle que me prescrira monsieur le baron !

— Oui-da ! vous avez l'air de me proposer... »

En ce moment le baron fut interrompu par une sorte de grattement derrière une des portes de son cabinet. « Attendez-moi ici, dit-il à Massarelli », et il passa dans une autre pièce.

Guido résuma vite la situation ; épouvanté du calme du baron, il jugea que le plus prudent pour lui était de traiter les affaires par correspondance : en conséquence, il alla vers la porte par laquelle on l'avait introduit. Il la trouva fermée au moyen d'un secret que, malgré une certaine science pratique, il ne put trouver. Il s'approcha de la fenêtre ; elle était à quatre-vingts pieds du sol.

Il essaya sans bruit la porte par laquelle le baron était sorti. Elle était aussi bien close que l'autre. Le bureau était ouvert et laissait voir une recommandable réunion de rouleaux d'or. « Ah ! se dit Massarelli en soupirant, les portes sont solides et les serrures sont bonnes, puisqu'on me laisse ici en tête à tête avec ces beaux écus ! » Et il commença à s'alarmer sérieusement de sa position. Il essaya d'écouter ce qui se disait dans la pièce voisine. Il n'entendit absolument rien. Or ce qui se disait dans cette pièce, le voici :

« Eh bien ! Johan, as-tu réussi ? As-tu vu la figure de ce Waldo ?

— Oui, monsieur le baron, ce n'est pas l'homme d'hier, c'est un monstre.

— Plus laid que toi ?

— Je suis beau en comparaison !

— Tu l'as vu, bien vu ?

— Comme je vous vois.

— Par surprise ?

— Nullement. Je lui ai dit que j'étais curieux, il s'est exécuté de bonne grâce.

— Et l'autre ? le faux Goefle ?

— Pas de nouvelles !

— C'est singulier ! On ne l'a vu nulle part ?

— Ce Waldo ne l'a pas aperçu au Stollborg, et M. Goefle n'est pas son compère.

— Ulphilas doit l'avoir vu pourtant ?

— Ulphilas n'a vu au Stollborg que M. Goefle, son domestique, et l'homme affreux que je viens de voir moi-même.

— M. Goefle a donc un domestique ? C'est notre inconnu déguisé.

— C'est un enfant de dix ans.

— Alors je m'y perds.

— Monsieur le baron a quelque renseignement de cet Italien qui est là ?

— Non : c'est un menteur ou un fou ; n'importe, il faut retouver cet inconnu qui m'a insulté ! Tu m'as dit qu'il avait causé et fumé avec le major Larrson et ses amis ?

— Oui, dans la salle d'en bas.

— Alors ce sont ces jeunes gens qui le cachent ; il est dans le *bostœlle* du major[15] !

— Je le ferai surveiller. Le major n'est pas homme à garder un secret avec cet air d'insouciance. Il est arrivé ce matin, et n'est pas retourné chez lui de la journée. Son lieutenant...

— Est un âne ! Mais ces jeunes gens me haïssent.

— Que pouvez-vous craindre de cet inconnu ?

— Rien et tout ! Que penses-tu de ce Tebaldo ?

— Franche canaille !

— C'est pour cela qu'il ne faut pas le lâcher. Tu m'entends ?

— Parfaitement.

— Où en est-on du souper ?

— Au dessert bientôt.

— Il faut que je me montre. Tu donneras des ordres pour préparer mon plus beau traîneau, et mes meilleurs chevaux en quadrige.

— Vous allez faire cette course sur le lac ?

— Non, je tâcherai de me reposer au contraire ; mais il faut que l'on me croie très vaillant : je serai retenu par une affaire d'Etat. Fais botter un courrier, et qu'on le voie. Donne à plusieurs reprises ordre et contre-ordre. Enfin quand je passe pour très occupé, pour très bien portant par conséquent.

— Vous voulez donc faire crever de rage vos aimables héritiers ?

— Je veux les enterrer, Johan !

— *Amen*, mon cher maître ! Vous accompagnerai-je jusqu'à la salle à manger ?

— Non, j'aime à entrer sans bruit et à surprendre mon monde, aujourd'hui plus que jamais.»

Le baron sortit, et Johan rentra dans le cabinet où Massarelli, en proie à une vive inquiétude, trouvait le temps bien long. « Venez, mon garçon, lui dit Johan de son air le plus gracieux, c'est le moment de souper.

— Mais... ne reverrai-je pas M. le baron ce soir ? Il m'a dit de l'attendre ici.

— Il vous fait dire maintenant de souper tranquillement et d'attendre ses ordres. Croyez-vous qu'il n'ait rien à faire que de vous écouter ? Allons, venez donc ; avez-vous peur de moi ? Ai-je l'air d'un méchant homme ?

— Ma foi, oui, répondit Guido intérieurement en faisant glisser de sa manche un stylet qu'il maniait fort bien. »

Johan vit son mouvement, et sortit précipitamment. Guido essaya de le suivre ; mais deux colosses qui étaient derrière la porte le saisirent et le conduisirent, le pistolet sur la gorge, à la prison du château, où, après l'avoir fouillé et désarmé, ils le laissèrent au soin du gardien de la grosse tour, une espèce de spadassin aventurier, bélître de profession, comme on disait alors, à qui l'on donnait dans le château le titre de capitaine, mais qui ne paraissait jamais dans les salons.

Johan l'avait suivi, et il assista d'un air bénin à la visite qui fut faite de ses poches et de toutes les pièces de son vêtement. S'étant assuré qu'il ne s'y trouvait aucun papier, il se retira en lui disant : « Bonsoir, mon petit ami. Ne faites pas le méchant une autre fois ! » Et il ajouta en lui-même : « Il disait avoir les preuves d'un gros secret. Ou il a menti comme un imbécile, ou il s'est méfié en homme qui connaît les affaires, mais il ne s'est pas méfié assez. Tant pis pour lui ! Un peu de cachot fera arriver les aveux ou les preuves. »

Cependant le baron, quoique très souffrant, entra sans bruit dans la salle du festin, mangea un peu d'un air de bon appétit, et fut aussi gai qu'il lui était possible de l'être, c'est-à-dire qu'il énonça en souriant d'un sourire glacial quelques propositions d'un athéisme effrayant, et lança quelques propos odieusement cruels sur le compte de quelques personnes absentes. Quand il calomniait, l'aimable homme parlait à demi-voix, d'un air de nonchalance. Ses héritiers et ses complaisants se hâtaient de rire et se chargeaient de faire circuler ses mots. Ceux de ses hôtes qui s'en trouvaient scandalisés se reprochaient d'être venus chez lui, situation qui les empêchait de le contredire, sinon avec de grands ménagements. Ces ménagements empiraient nécessairement les accusations portées contre les absents. Le baron répétait son dire d'un air de bravade dédaigneuse, ses flatteurs le soutenaient avec âpreté. Les honnêtes gens soupiraient et rougissaient de la faiblesse qui les avait amenés dans cet antre ; mais le baron ne prolongeait aucune discussion. Il lançait un mot méchant contre les bienveillants et les timides ; puis il se levait et s'en allait sans qu'on sût s'il devait revenir. On restait contraint jusqu'à ce que son absence définitive fût constatée. Alors tout le monde respirait, même les méchants, qui n'étaient pas les moins anxieux en sa présence. Néanmoins le baron perdit cette fois une bien belle occasion de se venger et de faire souffrir. S'il eût été renseigné sur la double visite de Marguerite au Stollborg, il ne se fût pas fait faute de la divulguer avec amertume. Heureusement la Providence avait protégé l'innocent secret de ces deux visites, et l'ennemi, qui en eût tiré des indices certains de la présence du faux Goefle au Stollborg, n'en avait reçu aucun avis. Johan avait bien fait questionner Ulphilas sur toutes les personnes qu'il avait pu voir au Stollborg dans la journée ; mais Ulphilas, qui n'avait pas vu Marguerite, avait eu, relativement à la figure de Christian, un motif plausible pour répondre fort à propos : c'est la terreur que Christian lui avait inspirée avec ses grimaces et ses paroles menaçantes dans une langue inconnue. Il l'avait vu sans masque beaucoup plus effrayant qu'il n'était apparu à Johan lui-même, et, d'après ses réponses, Johan s'était trouvé confirmé dans son sentiment et le baron dans son erreur. Les renseignements en étaient donc arrivés à cette conclusion, que le beau Christian Goefle avait disparu, et que le véritable Christian Waldo était un monstre.

Le baron apporta au souper cette dernière nouvelle avec une sorte de satisfaction, car, au moment où il arriva, on faisait encore l'éloge de l'artiste, et il éprouva un certain plaisir à dépoétiser l'homme.

« Vous avez tort, monsieur le baron, lui dit Olga, de lui ôter son prestige aux yeux de la comtesse Marguerite, car elle était enthousiasmée de son débit, et je parie que demain elle n'aura plus aucun plaisir à l'écouter. »

Marguerite, placée à peu de distance d'Olga et du baron, feignit de ne pas entendre, afin de se dispenser d'avoir à répondre au baron, s'il cherchait à lier conversation avec elle, comme il l'avait fait plusieurs fois depuis la veille sans y réussir.

« Vous pensez donc, reprit le baron, s'adressant toujours à Olga, mais parlant assez haut, que la comtesse Marguerite n'est touchée d'une cause amoureuse qu'autant qu'elle est plaidée par un joli garçon.

— J'en suis certaine, répondit Olga en baissant la voix, et il n'y a plus de jolis garçons pour elle passé vingt-cinq ans. »

Olga crut avoir décoché adroitement un trait flatteur dans le cœur de son fiancé quinquagénaire ; mais il était mal disposé, et le trait s'émoussa.

« Elle a probablement raison, répondit-il de manière à n'être entendu que de la jeune Russe ; plus on s'éloigne de cet heureux âge, plus on enlaidit, et moins on doit prétendre à un mariage d'amour.

— Oui, répondit Olga, quand on enlaidit ; mais...

— Mais quand on n'enlaidit pas trop, reprit le baron, on est encore bien heureux de pouvoir songer à un mariage de raison ! »

Et comme Olga allait répondre, il lui ferma la bouche en ajoutant :

« Ne l'accusez pas, cette pauvre fille, elle a un grand mérite à mes yeux, c'est d'être sincère. Quand elle hait les gens, elle le leur jette si franchement à la figure, que l'heureux mortel qui lui plaira pourra se fier à sa parole. Celle-là ne trompera jamais personne ! »

Olga ne put rien répliquer : le baron s'était tourné vers une autre voisine et parlait d'autre chose.

La jeune Russe eut un grand dépit et une grande inquiétude. Dès qu'on se leva de table, Marguerite s'approcha d'elle, non moins inquiète, mais pour un motif tout différent.

« Qu'est-ce donc que le baron vous a dit de moi ? lui demanda-t-elle en l'attirant dans un couloir. Il vous a parlé deux ou trois minutes en me regardant.

— Vous vous imaginez cela, répondit Olga sèchement ; le baron ne songe plus à vous.

— Ah ! je voudrais bien en être sûre. Dites-moi la vérité, ma chère.

— Votre inquiétude n'est pas très modeste, Marguerite, permettez-moi de vous le dire. Vous pensez que, malgré vos rigueurs, on doit persister à vous adorer ?

— Eh bien ! pourquoi pas ? dit Marguerite, résolue à piquer sa compagne pour lui arracher la vérité. Peut-être justement à cause de ma rigueur arriverai-je, malgré moi, à vous supplanter ! »

Un éclair de vanité blessée passa dans les yeux de la belle Russe.

« Marguerite, dit-elle, vous voulez la guerre, vous l'aurez ; tenez, reprenez vos dons ! Vous m'avez fait présent d'un beau bracelet ; je ne m'en soucie plus : j'ai une plus belle bague ! »

Et elle tira de sa poche une boîte qui contenait deux bijoux, le bracelet de Marguerite et la bague du baron.

« Le diamant noir ! s'écria Marguerite, reculant d'effroi... Vous osez toucher à cela ? »

Mais se reprenant aussitôt :

« N'importe, n'importe, dit-elle en embrassant Olga, je refuse la guerre, ma chère enfant, et je vous remercie du fond de mon âme de m'avoir montré ce gage de vos fiançailles. Gardez mon bracelet, je vous en supplie ! Gardez ma reconnaissance et mon amitié. »

Olga fondit en larmes.

« Marguerite, dit-elle, si vous parlez, je suis perdue ! J'avais juré de me taire pendant huit jours, et si vous laissez voir votre joie, le baron me reprendra sa parole et pensera encore à vous,... d'autant plus qu'il y pense toujours.

— Et vous pleurez à cause de cela ?... Olga, vous l'aimez donc, vous ? Eh bien ! ma chère amie, quelque bizarre que cette inclination-là me paraisse, elle vous relève à mes yeux. Je croyais que vous n'étiez qu'ambitieuse. Si vous aimez, je vous aime et je vous plains !

— Ah ! s'écria Olga, vous me plaignez, n'est-ce pas ? »

Et, entraînant Marguerite tout au fond de la galerie, elle sanglota sur son épaule jusqu'à être près de crier. Marguerite l'emmena dans sa chambre, où elle la soigna et parvint à la calmer.

« Oui, oui, me voilà bien à présent, dit Olga en se levant. J'ai eu deux ou trois de ces crises depuis hier ; mais celle-ci est la dernière, je le sens. Mon parti est pris ; je serai calme, j'ai confiance en vous, je ne serai plus faible, je n'aurai plus peur, je ne souffrirai plus ! »

Elle reprit la bague dans sa poche, la mit à son doigt, et redevint pâle en la contemplant d'un air morne ; puis elle l'ôta en disant : « Je ne dois pas la porter encore. » Et elle la remit dans la boîte et dans sa poche.

Marguerite la quitta sans avoir rien compris à ce qui se passait en elle. Cette passion pour un homme de l'âge et du caractère du baron lui paraissait inexplicable, mais elle avait la généreuse simplicité d'y croire, tandis qu'Olga, prise tout à coup de haine pour son fiancé et de dégoût pour son anneau d'alliance, luttait contre ce qu'elle appelait la faiblesse humaine, et s'exerçait à tuer les révoltes de son propre cœur, de son propre esprit et de tout son être, pour arriver à l'amère et dangereuse conquête d'un grand nom et d'une grande position sociale.

Quant au baron, il avait donné des ordres pour la course et pour la mascarade, comme s'il eût dû y prendre part. Puis, vaincu par la fatigue et la souffrance, il se retira dans sa chambre, tandis que ses hôtes se préparaient à suivre le programme de la fête et que ses chevaux, magnifiquement harnachés, piaffaient devant son escalier particulier, sous la main d'un cocher qui faisait mine d'attendre.

Le baron s'était enfermé avec son médecin, un jeune homme plus instruit qu'expérimenté, que depuis un an il avait attaché exclusivement au soin de sa personne.

« Docteur, lui disait-il en repoussant une potion que lui présentait le jeune homme timide et tremblant, vous me soignez mal ! Encore de l'opium, je parie ?

— Monsieur le baron a besoin de calmants. Son irritation nerveuse est extrême.

— Pardieu ! je le sais bien, mais calmez-moi sans m'abattre ; ôtez-moi ce tremblement convulsif et ne me retirez pas mes forces. »

Le malade demandait l'impossible. Le médecin n'osait pas le lui dire.

« J'espère, reprit-il, que cette potion vous tranquillisera sans vous affaiblir.

— Voyons, agira-t-elle vite ? Je voudrais dormir deux ou trois heures, me relever et m'occuper de mes affaires. Me répondez-vous que dans le courant de la nuit j'aurai mes facultés ?

— Monsieur le baron, vous me désespérez ! Vous voulez encore travailler cette nuit après la crise d'hier et celle d'aujourd'hui ? Vous avez un régime impossible.

— N'ai-je pas une force exceptionnelle ? ne m'avez-vous pas dit cent fois que vous me guéririez ? Vous m'avez donc trompé ? vous vous moquez donc de moi ?

— Ah ! dit le médecin avec un accent de détresse, pouvez-vous le croire ?

— Eh bien ! donnez-la, votre potion. Va-t-elle agir tout de suite ?

— Dans un quart d'heure, si vous n'en détruisez pas l'effet par votre agitation.

— Donnez-moi ma montre, là, à côté de moi. Je veux voir si vous êtes sûr de l'effet de vos drogues. »

Le baron avala la potion, et, assis dans son grand fauteuil, il sonna son valet de chambre :

« Dis au major Larrson que je le prie de diriger la course. C'est lui qui s'y entend le mieux. »

Le valet sortit. Le baron le rappela presque aussitôt.

« Que Johan se couche, dit-il, et qu'il dorme vite. A trois heures du matin j'aurai besoin de lui. C'est lui qui viendra me réveiller. Va-t'en, non ! reviens. J'irai à la chasse demain, toutes les mesures sont-elles prises ? oui ? c'est bien. Va-t'en tout à fait. »

Le valet sortit définitivement, et le jeune médecin, toujours fort ému, resta seul avec son malade.

« Votre potion n'opère pas du tout, lui dit celui-ci avec impatience, je devrais déjà être endormi !

— Tant que monsieur le baron se tourmentera de mille détails...

— Eh ! morbleu, monsieur, si je n'avais pas de tourments dans l'esprit, je n'aurais pas besoin de médecin ! Voyons, asseyez-vous là et causons tranquillement.

— Si, au lieu de causer, monsieur le baron pouvait se recueillir...

— Me recueillir ! Je ne me recueille que trop. C'est la réflexion qui me donne la fièvre. Causons, causons, comme la nuit dernière. Je me suis endormi en causant. Vous savez, docteur, je me marie décidément.

— Avec la belle comtesse Marguerite ?

— Pas du tout ; c'est une petite sotte. J'épouse la grande Olga. J'aurai des enfants russes.

— De beaux enfants à coup sûr.

— Oui, si ma femme a bon goût, car je ne crois pas un mot de vos flatteries, docteur ; ma femme me trompera. Qu'importe, pourvu que j'aie un héritier, pourvu que les cousins et arrière-cousins enragent ! Docteur, je tiens à vivre assez pour voir cela, entendez-vous ? Faites-y attention, je ne vous léguerai pas un ducat ! Je vous comblerai pendant ma vie, pour que vous ayez intérêt à me conserver. J'agirai de même avec ma femme : chaque année de ma vie augmentera son luxe et ses parures. Après moi, si elle n'a pas fait d'économies, elle n'aura rien. Elle n'aura même pas la tutelle de son enfant ! Oh ! oui-da, je n'ai pas envie d'être empoisonné !

— Vous vous nourrissez d'idées sinistres, monsieur le baron. Mauvais régime !

— Quelle bêtise vous dites là, docteur ! C'est comme si vous disiez que j'ai tort d'avoir trop de bile dans le foie. Est-ce ma faute ?

— Ne sauriez-vous vous efforcer d'avoir des idées riantes ? Essayez ; pensez à cette comédie de marionnettes qui était fort gaie.

— Que je pense aux marionnettes ! Vous voulez donc me rendre imbécile ?

— Oh ! certes, si je pouvais éteindre le feu de vos pensées...

— Pas de compliments sur mon intelligence, je vous prie ; je sens qu'elle baisse beaucoup.

— Monsieur le baron est seul à s'en apercevoir. »

Le baron haussa les épaules, bâilla et garda quelques instants le silence. Le docteur vit ses yeux s'agrandir, ses pupilles se dilater et sa lèvre inférieure devenir pesante. Le sommeil approchait.

Tout à coup le baron se leva et montra la muraille en disant :

« Je la vois toujours ! C'est comme hier ! C'était un homme d'abord, et puis la figure a changé... A présent elle regarde à la fenêtre, elle se penche... Courez, courez, docteur ! On m'a trompé, on m'a trahi... J'ai été joué comme un enfant !... Un enfant !... Non, il n'y a pas d'enfant ! »

Et se rasseyant, le baron, mieux éveillé, ajouta avec un sourire lugubre :

« C'était dans la comédie de Christian Waldo... Un tour de bateleur !... Vous voyez, docteur, vous le voulez, je pense aux marionnettes... Je me sens lourd ; ... ne me quittez pas. »

Et le baron s'endormit les yeux ouverts, comme un cadavre.

Au bout de quelques instants, ses paupières se détendirent et s'abaissèrent ; le docteur lui toucha le pouls, qui était plein et lourd. Le baron avait besoin, selon lui, d'être saigné ; mais comment l'y décider ?

« La tâche de faire vivre cet homme en dépit du ciel et de lui-même est ingrate, odieuse, impossible, pensa le pauvre médecin. Ou il a de fréquents accès de folie, ou sa conscience est chargée de remords. Je me sens devenir fou moi-même auprès de lui, et les terreurs de son imagination me gagnent, comme si, en m'efforçant de conserver sa vie, je devenais le complice de quelque iniquité ! »

Mais ce jeune homme avait une mère et une fiancée. Quelques années d'une tâche lucrative devaient le mettre à même d'épouser l'une et de tirer l'autre de la misère. Il restait donc là cloué à ce cadavre, sans cesse galvanisé par les ressources de son art, et tantôt dévoué à son œuvre, tantôt brisé de fatigue et de dégoût, il ne savait parfois s'il désirait la guérison ou la mort de son malade. Ce garçon avait une âme douce et des instincts naïfs. Le commerce continuel d'un athée le froissait, et il n'avait pas le droit de défendre ses croyances ; la contradiction exaspérait le malade. Il était sociable et enjoué ; le malade était sombre et misanthrope sous son habitude de raillerie acerbe et cynique.

Pendant que le baron dormait, la fête de nuit allait son train[16]. Le bruit des pétards, la musique, les hurlements des chiens courants réveillés au chenil par le piaffement des chevaux qu'on attelait, les rires des dames dans les corridors du château, les clartés errantes sur le lac, tout ce qui se passait autour de cette chambre muette et sombre où gisait le baron immobile et livide faisait sentir au jeune homme son isolement et son esclavage. Et pendant ce temps aussi la comtesse Elvéda conspirait avec l'ambassadeur de Russie contre la nationalité de la Suède, tandis que les cousins et arrière-cousins du baron surveillaient la porte de son appartement, se disant les uns aux autres : « Il sortira, il ne sortira pas. Il est plus malade qu'il ne l'avoue ; il est mieux portant que l'on ne croit. » Comment savoir la vérité ? Les valets, très dévoués à la volonté absolue d'un maître qui payait bien et punissait de même (on sait que les valets sont encore soumis en Suède au régime des coups), répondaient invariablement à toutes les questions que M. le baron ne s'était jamais mieux porté ; quant au médecin, le baron lui avait fait donner, en le prenant chez lui, sa parole d'honneur de ne jamais avouer la gravité de son mal.

On a vu que, pour motiver ses fréquentes disparitions au milieu des fêtes qu'il donnait, le baron avait fait mettre en avant une fois pour toutes le prétexte de nombreuses et importantes affaires. Il y avait là un fonds de vérité ; le baron se livrait au minutieux détail des intrigues politiques, et en outre ses affaires particulières étaient encombrées de questions litigieuses, sans cesse soulevées par son humeur inquiète et ses prétentions despotiques. Cette fois, en dehors de tous ces motifs d'agitation, un trouble étrange, vague encore, mais plus funeste à sa santé que tous ceux dont il avait l'habitude, était entré dans son esprit. Des soupçons effacés, des craintes longtemps assoupies s'étaient réveillés depuis le bal de la veille, et encore plus depuis la représentation des *burattini*. Il en était résulté un de ces états nerveux qui lui mettaient la bouche de travers, tandis qu'un de ses yeux se mettait à loucher considérablement. Comme il attachait une immense vanité à la beauté de sa figure flétrie, mais noble et régulière, et cela surtout dans un moment où il s'occupait de mariage, il se cachait avec soin dès qu'il se sentait ainsi contracté, et il se faisait soigner pour hâter la fin de la crise.

Aussi, dès qu'il eut fait un somme, son premier soin fut-il de se regarder dans un miroir posé près de lui. Satisfait de se voir rendu à son état naturel :

« Allons, dit-il au médecin, en voilà encore une de passée ! J'ai bien dormi, ce me semble. Ai-je rêvé, docteur ?

— Non, répondit le jeune homme, troublé du mensonge qu'il faisait.

— Vous ne dites pas cela franchement, reprit le baron. Voyons, si j'ai parlé haut, il faut en tenir note et me le rapporter exactement ; vous savez que je le veux.

— Vous n'avez dit que des paroles sans suite et dépourvues de sens, qui ne trahissaient aucune pensée dominante.

— Alors c'est que réellement vos drogues ont un bon effet. Le médecin qui vous a précédé ici me racontait mes rêves... Ils étaient bizarres, affreux ! Il paraît que je n'en ai plus que d'insignifiants.

— N'en avez-vous pas conscience, monsieur le baron ? N'êtes-vous pas moins fatigué qu'autrefois en vous éveillant ?

— Non, je ne peux pas dire cela.

— Cela viendra.

— Dieu le veuille ! A présent laissez-moi, docteur, allez vous coucher ; si j'ai besoin de vous, je vous ferai éveiller ; je sens que je dormirai encore. Envoyez-moi mon valet de chambre ; je veux essayer de me mettre au lit.

— Le médecin qui m'a précédé ici, se dit le jeune docteur en se retirant, a entendu trop de choses et il en a trop redit. Le baron l'a su, ils se sont brouillés ; le médecin a été persécuté, forcé de s'exiler... C'est une leçon pour moi. »

Cependant Christian avait rejoint M. Goefle au Stollborg. Le docteur en droit était triomphant. Il avait forcé la serrure d'une des vastes armoires de la chambre de garde, et il avait trouvé quelques vêtements de femme d'un assez grand luxe.

« Cela, dit-il à Christian, c'est, à coup sûr, un reste oublié, ou conservé religieusement par Stenson, de la garde-robe de la baronne Hilda ; cela peut passer pour un costume, puisque c'est fort passé de mode ; cela a au moins une vingtaine d'années de date. Voyez si vous pouvez vous en affubler ; la dame était grande, et quand même vous seriez un peu *court-vêtue* ! Quant à moi, je me ferai un costume de sultan avec ma pelisse et un turban d'étoffe quelconque. Voyons, aidez-moi, Christian, vous êtes artiste ; tout artiste doit savoir rouler un turban[17] ! »

Christian n'était pas gris ; l'effraction de M. Goefle le chagrina un peu.

« On accuse toujours, lui dit-il, les gens de mon état, et non sans cause généralement ; vous verrez que cela m'attirera quelque ennui !

— Bah ! bah ! ne suis-je pas là ? s'écria M. Goefle ; je prends tout sur moi. Allons, Christian, endossez donc cette robe, essayez du moins.

— Cher monsieur Goefle, dit Christian, laissez-moi avaler n'importe quoi ; je meurs de faim.

— C'est trop juste ! Faites vite.

— Et puis, je ne sais pourquoi, reprit Christian en mangeant debout et en regardant les vêtements épars devant lui, je me sens de la répugnance à toucher à ces vieilles reliques. Le sort de cette pauvre baronne Hilda a été si triste ! Savez-vous que mes soupçons ont encore augmenté depuis tantôt sur son genre de mort ?

— Au diable ! reprit M. Goefle ; je ne suis plus en train de ressasser les histoires du temps passé, moi ! Je me sens en humeur de rire et de courir. A l'œuvre, Christian, à l'œuvre, et à demain les idées tristes ! Voyons, passez donc cette robe à la polonaise ; elle est magnifique ! Pourvu que vos épaules y entrent, le reste ira tout seul.

— Je ne crois pas, dit Christian en enfonçant sa main dans une des poches de la robe ; mais voyez donc comme elle avait la main petite pour passer dans cette fente !

— Eh bien ! et vous aussi, ce me semble !

— Oui, mais moi, je ne peux plus retirer la mienne... Attendez ! oh ! un billet !

— Voyons, voyons ! s'écria le docteur en droit, ce doit être curieux cela.

— Non, dit Christian, il ne faut pas le lire.

— Pourquoi ?

— Je ne sais pas ; cela ressemble à une profanation.

— En ce cas, j'en commettrais souvent, moi dont l'état est de fouiller dans les secrètes archives des familles.»

M. Goefle saisit le billet jauni et lut ce qui suit :

« Mon Hilda bien-aimée, j'arrive à Stockholm, et j'y trouve le comte de Rosenstein. Je ne serai donc pas obligé d'aller à Calmar, et je repartirai le 10 courant pour te serrer dans mes bras, te chérir, te soigner et faire avec toi de nouveaux rêves de bonheur, puisque Dieu bénit encore une fois notre union. Je t'envoie un exprès pour te rassurer sur mon voyage, qui n'a pas été trop pénible. Il l'a été cependant assez pour que je me sois plusieurs fois applaudi de ne t'avoir pas emmenée dans la situation où tu es. Jusqu'à Falun, il m'a fallu toujours être à cheval. A revoir donc le 15 ou le 16 au plus tard, ma bien-aimée. Nous ne plaiderons pas avec Rosenstein. Tout s'arrange. Je t'aime. »

« ADELSTAN DE WALDEMORA. »

« Monsieur Goefle, dit Christian à l'avocat, qui repliait la robe en silence, ne vous semble-t-il pas horriblement triste de trouver cette lettre d'amour et de bonheur conjugal dans les vêtements d'une morte ?

— Oui, c'est triste ! répondit M. Goefle en ôtant ses lunettes et le turban qu'il s'était improvisé. Et puis, c'est étrange ! Savez-vous que cela donnerait à réfléchir ? ... Mais la pauvre baronne s'était trompée, elle n'était pas enceinte, elle l'a déclaré librement. Stenson me l'a dit encore aujourd'hui. Il était là quand elle a signé !... Mais voyons donc la date de ce billet. »

M. Goefle remit ses lunettes et lut : « *Stockholm, le 5 mars 1746.* »

« Tiens ! reprit-il, cela s'accorde justement, si j'ai bonne mémoire. ...Bah ! cette histoire est trop ténébreuse pour un homme qui a envie de s'amuser. C'est égal, je garde le billet. Qui sait ? Il faudra que je revoie les papiers que m'a laissés mon père... Mais voyons, Christian, vous renoncez donc au déguisement ?

— Avec ces chiffons qui sentent le sépulcre, à coup sûr ! Ils me donnent froid dans le dos... Elle était vertueuse, érudite et belle, disiez-vous ce matin : la perle de la Dalécarlie !... Et elle est morte toute jeune ?

— A vingt-cinq ou vingt-six ans, près de dix mois après la date de ce billet, car c'est bien en mars 1746 que le comte Adelstan a été assassiné. Ce sont probablement là les derniers mots qu'il a tracés pour sa femme, et c'est pour cela qu'elle a porté ce cher billet sur elle peut-être jusqu'à son dernier jour, arrivé si peu de temps après !

— Voyez comme cette femme a été malheureuse ! reprit Christian ; jeune épouse et jeune mère, se trouver tout à coup veuve et sans postérité, ... mourir victime de la haine du baron...

— Oh ! cela n'est rien moins que prouvé... Mais écoutez donc la fusillade ! La course est commencée, Christian, et nous sommes là à deviser sur des choses qui n'intéressent plus personne, et qui après tout ne nous regardent pas. Si vous êtes mélancolique ce soir, restez ici, mon garçon ; moi, je vais courir, j'ai besoin de prendre l'air ; j'ai trop rêvassé aujourd'hui. »

Christian eût préféré rester, mais il voyait M. Goefle si animé qu'il craignit de le laisser à sa propre gouverne.

« Tenez, dit-il, renonçons au déguisement. Comme il ne faut pas que l'on nous voie ensemble à visage découvert, masquons-nous tous deux. Vous serez Christian Waldo, puisque vous êtes le mieux vêtu de nous deux ; moi, qui ai déjà été pris ce soir pour mon valet, je vais continuer ce rôle, je serai Puffo.

— Voilà qui est très bien imaginé ! s'écria M. Goefle. A présent partons ! A propos ! laissons de la lumière à M. Nils ; s'il se réveillait, il aurait peur, et peut-être faim. Je vais lui mettre une cuisse de poularde sous le nez.

— Le petit Nils ? Il est donc là ?

— Mais oui, certainement. Mon premier soin, en rentrant, a été d'aller le chercher dans l'écurie, de le déshabiller et de le mettre au lit. Il aurait gelé cette nuit dans la litière, ce maudit enfant !

— A-t-il recouvré ses esprits ?

— Parfaitement, pour me dire que je le dérangeais beaucoup et pour grogner pendant que je le couchais.

— Eh bien ! et Puffo ? je ne l'ai pas retrouvé dans l'écurie en y ramenant mon âne ?

— Je ne l'ai pas vu non plus ; il doit être en train de se regriser avec Ulphilas. Allons, grand bien leur fasse ! Il va être minuit, partons ; vous m'aiderez bien à atteler mon cheval ? Oh ! le brave Loki ne restera pas en arrière, allez !

— Mais votre cheval et votre traîneau vous feront reconnaître ?

— Non, le traîneau n'a rien de particulier. Quant au cheval, il m'a été vendu dans ce pays-ci, l'année dernière précisément ; mais nous lui mettrons son capuchon de voyage.»

Le but de la course proposée par le baron et confiée à la direction du major Larrson était le *högar* qui s'élevait à l'extrémité du lac, environ à une demi-lieue du Stollborg et du château neuf, lesquels, comme nous l'avons dit, étaient fort peu distants l'un de l'autre, l'un bâti sur un îlot rapproché du rivage, l'autre sur le rivage même. Les *högar*[18] sont des tumulus attribués à la sépulture des anciens chefs scandinaves. Ils sont généralement très escarpés et de forme cylindrique. Lorsqu'ils sont terminés par une plate-forme, ils servaient, dit-on, à ces rois barbares pour rendre la justice. On les rencontre dans toute la Suède, où ils sont même beaucoup plus multipliés que chez nous.

Celui vers lequel la course se dirigeait présentait un coup d'oeil fantastique. On l'avait couronné d'une triple rangée de torches de résine, et à travers la fumée de ce luminaire rougeâtre on voyait s'élever une gigantesque figure blanche : c'était une statue de neige, ouvrage informe et colossal que des paysans avaient façonné et dressé dans la journée par ordre du baron, lequel, n'ignorant pas le surnom dont on l'avait gratifié, avait narquoisement promis aux dames la surprise de son portrait sur la cime du tumulus. La grossièreté de l'œuvre était en harmonie avec la sauvagerie du site et la tradition de ces idoles à grosse tête et à court sayon raboteux qui représente Thor, le Jupiter scandinave[19], élevant son marteau redoutable au-dessus de son front couronné.

L'aspect de ce colosse blanc, qui semblait flotter dans le vide, était prestigieux, et personne ne regretta d'avoir bravé le froid de la nuit pour jouir d'un spectacle aussi étrange. L'aurore boréale était pâle, et luttait d'ailleurs contre l'éclat de la lune ; mais ces alternatives de nuances diverses, ces recrudescences et ces défaillances de lumière qui caractérisent le phénomène, n'en donnaient pas moins au paysage une incertitude de formes et un chatoiement de reflets qu'il faut renoncer à décrire. Christian croyait rêver, et il répétait à chaque instant à M. Goefle que cette étrange nature, malgré ses rigueurs, parlait à l'imagination plus que tout ce qu'il avait vu dans ses voyages.

La course était lancée, quand les deux amis la rejoignirent et la suivirent en flanc pour n'en pas troubler l'ordre nécessaire. La glace avait été explorée, et le chemin, tracé par des torches colossales, contournait les pointes de rochers et les îlots plantés de sapins et de bouleaux qui parsemaient la surface du lac. Une volée de riches traîneaux, placés sur quatre de front, fuyaient comme des flèches en maintenant exactement leurs distances, grâce à l'habileté des conducteurs et à la fidélité des chevaux.

A l'approche du rivage où s'élevait le högar, le lac, plus profond, offrait une surface parfaitement plane et libre d'obstacles. Là, tous les traîneaux s'arrêtèrent, et se placèrent en demi-cercle, et les jeunes gens qui devaient se disputer le prix s'écartèrent sur une seule ligne en attendant le signal. Les dames et les hommes graves sortirent de leurs véhicules et montèrent sur un îlot préparé à cet effet, c'est-à-dire jonché de branches de pin, pour juger, sans se trop geler les pieds, des prouesses des concurrents. La scène était parfaitement éclairée par un grand feu allumé sur les rochers, derrière l'estrade naturelle où se tenait l'assistance.

Le tableau que présentait cette assemblée était aussi bizarre que le lieu qui lui servait de cadre. Tout le monde était masqué, circonstance agréable pour chacun en raison du froid qui soufflait au visage. Les costumes étaient, pour la même raison, lourds et chargés de fourrures, ce qui n'excluait pas un grand luxe de dorures, de broderies et d'armes étincelantes. Les coureurs étaient bien en vue sur de légers traîneaux découverts qui représentaient divers animaux fantastiques, de gigantesques cygnes[20] d'argent à bec d'or rouge, des dauphins d'or vert, des poissons à queue recourbée, etc. Le major Larrson, monté sur un dragon effroyable, était lui-même déguisé en monstre, avec des foudres lumineuses sur la tête. Sur le högar, on voyait s'agiter ceux qui devaient décerner le prix, et qui figuraient d'antiques guerriers à casques ailés ou à capuchon décoré d'une corne sur l'oreille, comme on représente Odin dans son costume de cérémonie, c'est-à-dire dans tout l'éclat de sa divinité.

Christian cherchait parmi les dames, déguisées en sibylles et en reines barbares, à reconnaître Marguerite. Il ne put en venir à bout, et dès lors la fête, sans lui paraître moins brillante, ne parla plus qu'à ses yeux. Il n'en était pas ainsi de M. Goefle, dont l'imagination était fort excitée.

« Christian, s'écria-t-il, malgré nos costumes, qui ne sont pas des costumes, et notre traîneau, qui n'est qu'un traîneau, ne nous mettrons-nous pas en ligne ? Est-ce parce que mon brave Loki n'a ni panache, ni oiseau empaillé, ni cornes sur la tête, qu'il aura de moins bonnes jambes que les autres ?

— Cela vous regarde, monsieur le docteur, répondit Christian. Vous le connaissez, vous savez s'il est capable de nous couvrir de gloire ou de honte.

— Il nous couvrira de gloire, j'en suis certain.

— Eh bien ! marchons.

— Mais il sera fatigué, le pauvre Loki ; il aura chaud, et Dieu sait s'il ne prendra pas une fluxion de poitrine !

— Eh bien ! restons.

— Le diable soit de votre flegme, Christian ; moi, les mains me grillent de pousser en avant !

— Eh bien ! essayons.

— Un homme aussi raisonnable que moi crever un cheval qu'il aime pour damer le pion aux jeunes gens ! c'est absurde, n'est-ce pas, Christian ?

— C'est absurde, si cela vous semble absurde ; tout dépend de l'ivresse que l'on porte dans ces amusements.

— Marchons ! s'écria M. Goefle ; résister aux inspirations de l'ivresse, c'est être raisonnable, c'est-à-dire bête. En avant, mon bon Loki, en avant !

— Attendez, s'écria Christian en sautant hors du traîneau, débarrassons-le de son frontail ! Comment voulez-vous qu'il coure, étouffé comme cela ?

— C'est vrai, c'est vrai, Christian ; merci, mon enfant, dépêchez-vous : les autres sont prêts ! »

Le docteur en droit avait à peine dit ces paroles qu'un feu d'artifice, placé sur un autre îlot, en arrière de la lice, partit avec un bruit formidable. C'était le signal du départ, le stimulant des chevaux déjà essoufflés.

« Allez, allez ! cria Christian à M. Goefle, qui voulait retenir Loki pour attendre que son compagnon fût remonté à ses côtés. Allez donc ! vous perdez le temps ! »

Et il anima le cheval, qui partit ventre à terre, tandis qu'il restait, le frontail à la main, à regarder les exploits de l'avocat et de son coursier fidèle ; mais il ne le regarda pas longtemps. Comme il s'était rangé de côté pour n'être pas écrasé par les chevaux stationnaires que le feu d'artifice et l'exemple de leurs compagnons lancés à la course mettaient en belle humeur, il se trouva près d'un traîneau bleu et argent qu'il reconnut aussitôt pour celui de Marguerite. La légère voiture présentait la forme évasée d'un carrosse[21] du temps de Louis XV monté ou plutôt baissé sur des patins de glissade, ce qui permettait de regarder sans affectation à travers les vitres légèrement brillantées par la gelée. Christian ne s'attendait pas pourtant à voir Marguerite en voiture : elle devait être sur l'estrade de rochers avec les autres ; mais bien lui prit de regarder quand même. Marguerite, qui n'était ni déguisée ni masquée, qui se trouvait ou se disait un peu souffrante, était restée seule dans le traîneau et regardait par la portière. Le cocher s'était mis un peu à l'écart des autres, afin de pouvoir se tourner de profil, ce qui permettait à Marguerite de voir la course, et cette circonstance permettait également à Christian de regarder Marguerite et de se tenir tout près d'elle sans être vu des spectateurs, distraits d'ailleurs par le spectacle de la course.

Il n'eût pas osé lui adresser la parole, et même il affectait de se tenir là par hasard, lorsqu'elle baissa vivement la glace pour lui parler, et comme il tenait toujours la coiffure du cheval, elle le prit pour un domestique.

« Dites-moi, mon ami, lui dit-elle à demi-voix, quoique sans affectation ; cet homme masqué de noir... comme vous, qui vient de passer là et qui court maintenant, c'est votre maître, n'est-ce pas, c'est Christian Waldo ?

— Non, mademoiselle, répondit Christian en français et sans changer sa voix ni son accent, Christian Waldo, c'est moi.

— Ah ! mon Dieu ! quelle plaisanterie ! reprit la jeune fille avec un sentiment de joie qu'elle ne put contenir et en baissant tout à fait la voix, car son interlocuteur s'était tout à fait rapproché de la portière ; c'est vous, monsieur Christian Goefle ! quelle fantaisie vous a donc pris de jouer ce soir le rôle de ce personnage ?

— C'est peut-être pour rester ici sans compromettre mon oncle, répondit-il.

— Vous teniez donc un peu à rester ?» reprit-elle d'un ton qui fit battre le cœur de Christian.

Il n'eut pas le courage de répondre qu'il n'y tenait pas, cela était au-dessus de ses forces ; mais il sentit qu'il était temps de finir cette comédie, dangereuse, sinon pour la jeune comtesse, du moins pour lui-même, et, saisi d'un vertige de loyauté, il se hâta de lui dire :

« Je tenais à rester pour vous détromper, je ne suis pas ce que vous croyez. Je suis ce que je vous dis, Christian Waldo.

— Je ne comprends pas, reprit-elle ; n'est-ce pas assez de m'avoir mystifiée une fois ? Pourquoi voulez-vous jouer encore un rôle ? Croyez-vous que je n'ai pas reconnu votre voix quand vous faisiez parler les marionnettes de Christian Waldo avec tant d'esprit ? J'ai bien remarqué que vous en aviez plus que lui...

— Comment donc arrangez-vous cela ? dit Christian étonné. Qui donc croyez-vous avoir entendu ce soir ?

— Vous et lui. Il y avait deux voix, j'en suis sûre, peut-être trois qui seraient... la vôtre, celle de ce Waldo, et celle de son valet.

— Il n'y en avait que deux, je vous le jure.

— Soit ! qu'importe ? j'ai reconnu la vôtre, vous dis-je, vous ne me tromperez pas là-dessus.

— Eh bien ! la mienne, c'est la mienne, je ne le nie pas, mais il faut que vous sachiez...

— Ecoutez, écoutez ! s'écria Marguerite. Oh ! voyez, on proclame le nom du vainqueur de la course, c'est Christian Waldo, ce me semble. Oui, oui, j'en suis sûre, j'entends bien le nom, et je vois très bien l'homme masqué debout sur son petit traîneau noir. C'est lui ! c'est le véritable ! vous n'êtes qu'un Waldo de contrebande... C'est égal, monsieur Goefle, vous lui en remontreriez ; les plus jolies choses de la pièce et les mieux dites, le rôle d'Alonzo tout entier, c'était vous ! voyons, donnez votre parole d'honneur que je me suis trompée !

— Quant au rôle d'Alonzo, je ne puis le nier.

— Est-ce que vous jouerez encore demain, monsieur Goefle ?

— Certainement !

— Ce sera bien aimable à vous ! Pour ma part, je vous en remercie ; mais personne ne s'en doutera, n'est-ce pas ? Tenez-vous bien caché au Stollborg. Au reste, je vois avec plaisir que vous êtes prudent, et que vous savez vous bien déguiser. Personne ne peut vous reconnaître sous les habits que vous avez là ; mais sauvez-vous ! Voilà que l'on remonte en voiture pour pousser jusqu'au högar et complimenter le vainqueur. Ma tante va sûrement... Non, elle monte dans le traîneau de l'ambassadeur russe... Elle me laisse seule ? Voyez-vous, monsieur Christian, une mère ne ferait pas cela ! Une tante jeune et belle, ce n'est pas une mère, il est vrai !... Attendez ! elle va sûrement m'envoyer M. Stangstadius pour me tenir compagnie !

— M. Stangstadius ! s'écria Christian, où est-il ? Je ne le vois pas...

— Il a eu la naïveté de mettre un masque [22] ; il n'en est pas moins reconnaissable ; s'il était par là, vous le verriez ! Il n'y est pas, et tout le monde part.

— Mademoiselle, dit le cocher de Marguerite en dalécarlien à sa jeune maîtresse, madame votre tante vient de me faire signe de suivre.

— Suivons, mon ami, suivons, dit-elle ; mais vous êtes à pied, monsieur Goefle ! Montez sur le siège, vous ne pourrez pas suivre autrement.

— Que dira votre tante ?

— Rien, elle n'y fera pas attention.»

Christian sauta sur le siège, pensant avec regret que la conversation était finie ; mais Marguerite ferma la glace de côté et ouvrit celle de devant. Le siège où se trouvait Christian était de niveau avec cette glace. Le traîneau ne faisait pas le moindre bruit sur la neige, que suivait Peterson en dehors du chemin frayé, car il avait perdu son rang dans la bande. En outre, le brave homme n'entendait pas un mot de français : la conversation continua.

« Que se passe-t-il donc au château ? demanda Christian, essayant de détourner de lui l'attention que lui accordait Marguerite : je n'ai pas vu le baron ici ; il me semble qu'on le reconnaîtrait à sa taille comme M. Stangstadius à sa démarche.

— Le baron est enfermé sous prétexte d'affaires pressantes et imprévues. Cela veut dire qu'il est plus malade. Personne n'en est dupe. On a vu sa bouche de travers et son oeil dérangé. Savez-vous qu'après tout c'est un homme extraordinaire de lutter contre la mort !... Il devait courir, comme cela, cette nuit avec les jeunes gens, et il eût certes gagné le prix : il a de si bons chevaux ! On annonce une chasse à l'ours pour demain. Ou le baron chassera et tuera son ours, ou le baron sera porté en terre avant que l'on ait songé à décommander la chasse. L'un est aussi possible que l'autre. Cela fait, pour tout le monde ici, une situation bien singulière, n'est-ce pas ? Il semble que l'homme de neige prenne plaisir à voir combien il a peu d'amis, puisque l'on continue à se divertir chez lui comme si de rien n'était.

— Pourtant, Marguerite, vous admirez son courage, et il réussit à produire, même sur vous, l'effet qu'il désire.

— Mon cher confident, reprit Marguerite gaiement, sachez qu'à présent je n'ai presque plus d'aversion pour le baron. Il me devient indifférent, et je lui pardonne tout. Il épouse... mais c'est un secret que j'ai surpris et qu'il faut garder, entendez-vous ? Il ne m'épouse pas, et j'ai le bonheur de rester libre... et pauvre...

— Pauvre ! Je croyais que vous aviez au moins de l'aisance ?

— Eh bien ! il n'en est rien. Je me suis querellée aujourd'hui avec ma tante, toujours à propos du baron ; alors elle m'a déclaré qu'elle ne me donnerait rien pour m'établir, et qu'elle ferait valoir ses droits sur le petit héritage que m'a laissé mon père, vu qu'elle lui avait prêté dans le temps je ne sais combien de ducats... pour... Je n'y ai rien compris, sinon que me voilà ruinée !

— Ah ! Marguerite, s'écria Christian involontairement, si j'étais riche et bien né !... Voyons ! ajouta-t-il en lui saisissant la main, car elle avait fait le mouvement de se rejeter au fond de la voiture, ce n'est pas une déclaration que j'ai l'audace de vous faire. De ma part, elle serait insensée, je n'ai rien au monde, et je n'ai pas de famille ; mais vous m'avez permis l'amitié : ne puis-je vous dire que si j'étais riche et noble, je voudrais partager avec vous comme avec ma sœur ?

— Merci, Christian, répondit Marguerite tremblante, bien que rassurée ; je vois la bonté de votre cœur, je sais l'intérêt que vous me portez... Mais pourquoi me dites-vous que vous êtes sans famille, quand le nom de votre oncle est si honorable ?... » Puis elle ajouta en s'efforçant de rire : « N'admirez-vous pas que j'aie l'air de vous dire... quelque chose assurément à quoi je ne pense pas ? Non, je n'ai pas à vos yeux cet air-là ; vous n'êtes pas un fat, vous ! Vous êtes tout vrai et tout confiant comme moi, et comprenez bien que si je vous interroge, c'est parce que je me préoccupe des chances de bonheur que vous avez dans la vie, avec n'importe qui... Dites-moi donc pourquoi vous vous tourmentez de votre naissance, que bien des gens pourraient envier ?

— Ah ! Marguerite, s'écria Christian, vous voulez le savoir, et je voulais vous le dire, moi ! Voilà que nous arrivons tout à l'heure, et que je vais vous quitter cette fois pour toujours. Je ne veux pas vous laisser de moi un souvenir usurpé au prix d'un mensonge. Ne pouvant prétendre qu'à votre dédain et à votre oubli, je les accepte, c'est tant pis pour moi ! Sachez donc que Christian Goefle n'existe pas. M. Goefle n'a jamais eu ni fils ni neveu.

— Ce n'est pas vrai ! s'écria Marguerite. Il l'a dit aujourd'hui au château. Tout le monde l'a répété, mais personne ne l'a cru. Vous êtes son fils... par mariage secret[23], il vous reconnaîtra, il vous adoptera, cela est impossible autrement !

— Je vous jure sur l'honneur que je ne lui suis rien, et qu'hier matin il ne me connaissait pas plus que vous ne me connaissiez.

— Sur l'honneur ! vous jurez sur l'honneur... Mais si vous n'êtes pas Christian Goefle, je ne vous connais pas, moi ! et je n'ai pas de raisons pour vous croire. Si vous êtes Christian Waldo[24], ...un homme qui, dit-on, peut contrefaire toutes les voix humaines... Ah ! tenez, je m'y perds ; mais j'ai bien du chagrin,... et je doute encore, Dieu merci !

— Ne doutez plus, hélas ! Marguerite, dit Christian, qui venait de sauter à terre, la voiture s'arrêtait ; regardez-moi, et sachez bien que l'homme qui vous a voué le plus profond respect et le plus absolu dévouement est bien le même qui vous jure sur l'honneur être le véritable Christian Waldo. »

En même temps Christian releva sur son front le masque de soie, se mit résolument dans la lumière du fanal et montra son visage en se penchant vers la portière. Marguerite, en reconnaissant son ami de la veille, étouffa un cri de douleur trop éloquent peut-être, et cacha sa figure dans ses mains, tandis que Christian, rabaissant son masque, disparaissait dans la foule des valets et des paysans accourus pour voir la fête.

Il eut bientôt rejoint M. Goefle, qu'il était question de porter en triomphe, vu qu'il était arrivé, non pas le premier (il était arrivé le dernier), mais parce qu'il avait fait une prouesse imprévue en attrapant au vol avec son fouet la perruque de Stangstadius, qui s'était juché sur le traîneau de Larrson en dépit du jeune major. Certes M. Goefle ne l'avait pas fait exprès ; le bout de son fouet, lancé au hasard, s'était noué autour de la queue de la perruque par une de ces chances que l'on peut appeler invraisemblables, parce qu'elles arrivent souvent une fois sur mille. Le chapeau du savant, arraché par les efforts que faisait Goefle pour dégager son fouet, avait été s'abattre comme un oiseau noir sur la neige ; la perruque avait suivi la queue[25], la queue n'avait pas voulu quitter la mèche du fouet, que M. Goefle n'avait pas eu le loisir de dénouer, et qui, ainsi terminée en masse chevelue bourrée de poudre, avait perdu toute sa vertu, tout son effet stimulant sur les flancs du généreux Loki. Dans le premier moment du triomphe, le vainqueur Larrson n'avait rien vu ; mais les cris et les injures de Stangstadius, qui redemandait sa perruque à tout le monde et qui s'était enveloppé la tête de son mouchoir, attirèrent bientôt l'attention.

« C'est lui ! s'écriait le géologue indigné en montrant M. Goefle masqué ; c'est ce bouffon italien, l'homme au masque de soie ! Il l'a fait exprès le drôle ! Attends, attends, va, coquin d'histrion ! je vais te donner cent soufflets pour t'apprendre à railler un homme comme moi ! »

Un immense éclat de rire avait accueilli la colère de Stangstadius, et le nom de Christian Waldo avait été acclamé par tout le personnel de la course ; mais bientôt la scène avait changé. Stangstadius, irrité des rires de cette impertinente jeunesse, s'était élancé vers le ravisseur de sa perruque, lequel, debout sur son char, montrait piteusement la cause de sa défaite, semblable à un poisson au bout d'une ligne. Au moment où M. Goefle, déguisant sa voix, accusait Stangstadius, en termes comiques, de lui avoir joué ce mauvais tour pour l'empêcher de fouetter son cheval et d'arriver au but honorablement, le savant, qui, de ses jambes inégales et de ses bras crochus, était agile comme un singe, grimpa derrière lui, lui arracha son chapeau et son masque, et ne s'arrêta dans ses projets de vengeance qu'en reconnaissant avec surprise son ami Goefle, à l'instant salué par un applaudissement unanime.

Bien que M. Goefle ne fût pas connu de tous ceux qui se trouvaient là, son nom, crié par plusieurs, fut acclamé avec sympathie. Les Suédois sont très fiers de leurs célébrités, et particulièrement des talents qui font valoir leur langue[26]. D'ailleurs l'honorable caractère du docteur en droit et son esprit renommé lui assuraient l'affection et le respect de la jeunesse. On voulut le proclamer vainqueur de la course, et il eut beaucoup de peine à empêcher le bon major de lui céder le prix, qui consistait dans une corne à boire[27] curieusement ciselée, ornée de caractères runiques en argent. C'était une copie exacte d'une antiquité précieuse faisant partie du cabinet du baron, et trouvée dans les fouilles exécutées dans le högar quelques années auparavant.

« Non, mon cher major, disait M. Goefle en remettant dans sa poche son masque désormais inutile, tandis que Stangstadius remettait sa perruque sur sa tête ; je n'ai couru que pour l'honneur, et mon honneur, c'est-à-dire celui de mon cheval, n'étant point entaché pour quelques secondes de retard en dépit de cette malencontreuse perruque, je suis fier de Loki et content de moi. Je serais encore plus content, ajouta-t-il en mettant pied à terre, si je savais ce qu'est devenu le couvre-chef de ce pauvre animal qui va s'enrhumer.

— Le voici, lui dit Christian tout bas en s'approchant de M. Goefle ; mais, puisque vous vous êtes fait reconnaître, il ne me reste plus qu'à déguerpir, mon cher oncle ; Christian Waldo pouvait avoir un domestique masqué, mais vous, ce serait invraisemblable.

— Non pas, non pas, Christian, je ne vous quitte point, répondit M. Goefle. Nous donnons ensemble un coup d'œil à l'aspect du lac vu du sommet du högar, et nous retournons ensemble au Stollborg. Tenez, confions mon cheval à un de ces paysans, et grimpons là-haut. Prenons ce sentier, échappons aux curieux, car tout masque noir intrigue, et je vois qu'on va nous entourer et nous questionner.»

XI

Tandis que Christian et M. Goefle s'éloignaient furtivement derrière le tumulus, le gros de la société retournait au château neuf, trouvant l'ascension du högar trop pénible et la nuit trop froide. On avait pourtant préparé, dans une excavation à mi-côte, une sorte de tente où il avait été question de prendre le punch ; mais les dames refusèrent, et les hommes les suivirent peu à peu. Quand au bout d'une demi-heure Christian et l'avocat descendirent de la plate-forme où fondait la statue, trop chauffée par le voisinage des torches de résine, ils entrèrent par curiosité dans cette grotte garnie et fermée de tentures goudronnées, et ils n'y trouvèrent que Larrson avec son lieutenant. Les autres jeunes gens, esclaves de leurs amours qui se retiraient, ou de leurs chevaux qu'ils craignaient de laisser enrhumer, étaient repartis ou en train de partir. Osmund Larrson était un aimable jeune homme qui faisait bien son possible pour avoir l'esprit français, mais qui, heureusement pour lui, avait le cœur tout à sa patrie. Le lieutenant Ervin Osburn était une de ces bonnes grosses natures tranchées qui ne peuvent même pas essayer de se modifier. Il avait toutes les qualités d'un excellent officier et d'un excellent citoyen avec toute la bonhomie d'un homme bien portant et qui ne se creuse pas la tête sur ce dont il n'a que faire. Larrson était son ami, son chef et son dieu. Il ne le quittait pas plus que son ombre, et ne remuait pas un doigt sans son avis. Il l'avait consulté même pour le choix de sa fiancée.

Dès que ces deux amis aperçurent M. Goefle, ils s'élancèrent vers lui pour le retenir, en jurant qu'ils ne quitteraient pas le högar sans qu'il leur eût fait l'honneur de trinquer avec eux. Le punch était prêt, il n'y avait plus qu'à l'allumer.

« Je veux, s'écria Larrson, pouvoir dire que j'ai bu et fumé dans le högar du lac, la nuit du 26 au 27 décembre, avec deux hommes célèbres à différents titres, M. Edmund Goefle et Christian Waldo.

— Christian Waldo ! dit M. Goefle ; où le prenez-vous ?

— Là, derrière vous. Il est déguisé en pauvre quidam, il est masqué, mais c'est égal ; il a perdu un de ces gros vilains gants, et je recon-

49

nais sa main blanche[28], que j'ai vue à Stockholm par hasard et que j'ai considérée si attentivement que je la reconnaîtrais entre mille ! Tenez, monsieur Christian Waldo, vous avez la main très belle, mais elle offre une particularité : votre petit doigt de la main gauche est légèrement courbé en dessous, et vous ne pouvez pas l'ouvrir tout à fait, même quand vous ouvrez la main avec franchise et de tout cœur. Ne vous souvient-il pas d'un officier qui, à Stockholm, vous vit sauver un petit mousse de la fureur de trois matelots ivres ? C'était sur le port, vous sortiez de votre baraque, vous étiez encore masqué ; votre valet s'enfuit. L'enfant, sans vous, eût péri : vous en souvenez-vous ?

— Oui, monsieur, répondit Christian ; cet officier, c'était vous qui passiez, et qui, tirant le sabre, avez mis ces ivrognes en fuite, après quoi vous m'avez fait monter dans votre voiture. Sans vous, j'étais assommé.

— C'eût été un homme de cœur de moins, dit Larrson. Voulez-vous me donner encore une poignée de main comme là-bas ?

— De tout mon cœur, répondit Christian en serrant la main du major. Puis, ôtant son masque : ''Je n'ai pas coutume, dit-il en s'adressant à M. Goefle, de cacher ma figure aux gens qui m'inspirent de la confiance et de l'affection.''

— Quoi ! s'écrièrent ensemble le major et son lieutenant, Christian Goefle, notre ami d'hier soir ?

— Non, Christian Waldo, qui avait volé le nom de M. Goefle, et à qui M. Goefle a bien voulu pardonner une grande impertinence. Dès cette nuit, je vous avais reconnu, major.

— Ah ! très bien. Vous avez assisté au bal en dépit des préjugés du baron, lequel n'avait peut-être pas eu le bon esprit de vous inviter à y paraître ?

— Ce n'est l'usage en aucun pays d'inviter comme convive un homme payé pour faire rire les convives. Je n'aurais donc pas eu lieu de trouver mauvais que l'on me mît à la porte, et je m'y suis exposé, ce qui est une sottise. Pourtant j'ai une excuse : je voyage pour connaître les pays que je parcours, pour m'en souvenir et pour les décrire. Je suis une espèce d'écrivain observateur[29] qui prend des notes, ce qui ne veut pas dire que je sois un espion diplomatique. Je m'occupe de beaux-arts et de sciences naturelles plus que de mœurs et de coutumes ; mais tout m'intéresse, et, ayant ailleurs déjà vécu dans le monde, il m'a pris envie de revoir le monde, chose curieuse, le monde avec tout son luxe, au fond des montagnes des lacs et des glaces d'un pays en apparence inabordable. Seulement il paraît que ma figure a fort déplu au baron, et voilà pourquoi je suis rentré aujourd'hui chez lui sous mon masque. Vous me donniez hier soir le conseil de n'y pas rentrer du tout ?

— Et nous vous le donnerions encore, cher Christian, répondit le major, si le baron se fût rappelé l'incident de la nuit dernière ; mais son mal paraît le lui avoir fait oublier. Prenez garde pourtant à ses valets. Cachez votre visage et parlons français, car voici des gens à lui qui nous apportent le punch et qui peuvent vous avoir vu au bal. »

Un vaste bol d'argent, plein de punch enflammé, fut posé sur une table de granit brut, et le major en fit les honneurs avec gaieté. Pourtant M. Goefle, si animé l'instant d'auparavant, était devenu tout à coup rêveur, et, comme dans la matinée, il semblait partagé entre le besoin de s'égayer et celui de résoudre un problème.

« Qu'est-ce que vous avez donc, mon cher *oncle* ? lui dit Christian en lui remplissant son verre : me blâmez-vous d'avoir mis ici l'incognito de côté ?

— Nullement, répondit l'avocat, et si vous le voulez, je raconterai succinctement à ces messieurs votre histoire, pour leur prouver qu'ils ont raison de vous traiter en ami.

— Oui, oui, l'histoire de Christian Waldo ! s'écrièrent les deux officiers. Elle doit être bien curieuse, dit le major, et si elle doit rester secrète, nous jurons sur l'honneur...

— Mais elle est trop longue, dit Christian. J'ai encore deux jours à passer chez le baron. Prenons un rendez-vous plus sûr et plus chaud.

— C'est cela, dit M. Goefle. Messieurs, venez nous voir au Stollborg demain, nous dînerons ou nous souperons ensemble.

— Mais demain, répondit le major, c'est la chasse à l'ours ; n'y viendrez-vous pas tous les deux ?

— Tous les deux ? Non, moi, je ne suis pas chasseur, et je n'aime pas les ours ; quant à Christian, ce n'est pas sa partie. Voyez un peu, si un ours venait à lui manger une main... Il n'en a pas trop de deux pour faire agir ses marionnettes. Montrez-la moi donc, Christian, votre main : c'est singulier, cette courbure de votre petit doigt ! Je ne l'avais pas remarquée, moi ! C'est une blessure, n'est-ce pas ?

— Non, répondit Christian, c'est de naissance. »

Et montrant sa main gauche, il ajouta :

« C'est moins apparent de ce côté-ci, et pourtant cela existe aux deux mains ; mais cela ne me gêne nullement.

— C'est singulier, très singulier ! répéta M. Goefle en se grattant le menton comme il avait coutume de faire quand il était intrigué.

— Ce n'est pas si singulier, reprit Christian. J'ai vu cette légère difformité chez d'autres personnes... Tenez, je l'ai remarquée chez le baron de Waldemora. Elle est même beaucoup plus sensible que chez moi.

— Eh ! parbleu ! précisément ; c'est à quoi je songeais. Il a les deux petits doigts complètement fermés. Vous avez remarqué cela aussi, messieurs ?

— Très souvent, dit Larrson, et devant Christian Waldo, qui donne aux malheureux presque tout ce qu'il gagne, on peut dire, sans crainte d'allusion, que ces doigts fermés sont réputés un signe d'avarice.

— Pourtant, dit M. Goefle, le baron ne ménage pas l'argent. On pourrait dire, je le sais bien, que sa magnificence est pour lui une raison de plus d'aimer la richesse à tout prix ; mais son père était très désintéressé et son frère excessivement généreux. Donc les doigt fermés ne prouvent rien.

— Retrouvait-on les mêmes particularités chez le père et le frère du baron ? demanda Christian.

— Oui, et très marquée, à ce que l'on m'a dit. Un jour, en examinant avec attention les portraits de famille du baron, j'ai constaté avec surprise plusieurs ancêtres à doigts recourbés. N'est-ce pas une chose très bizarre ?

— Espérons, dit Christian, que je n'aurai jamais d'autre ressemblance avec le baron. Quant à la chasse à l'ours, dussé-je y perdre mes deux mains *difformes*, je meurs d'envie d'en être, et j'irai certainement pour mon compte.

— Venez avec nous, s'écria Larrson ; j'irai vous prendre dès le matin.

— De grand matin ?

— Ah oui, certes ! avant le jour.

— C'est-à-dire, reprit Christian en souriant, un peu avant midi ?

— Vous calomniez notre soleil, dit le lieutenant ; il sera levé dans sept ou huit heures.

— Alors... allons dormir !

— Dormir ! s'écria M. Goefle ; déjà ? Le punch ne nous le permettra pas, j'espère ! Je ne fais que commencer à me remettre de l'émotion que m'a causée la perruque de Stangstadius. Laissez-moi respirer, Christian ; je vous croyais plus gai ! Vous ne l'êtes pas du tout ce soir, savez-vous ?

— Je l'avoue, je suis mélancolique comme un Anglais, répondit Christian.

— Pourquoi cela, voyons, mon neveu ; car vous êtes mon neveu, je n'en démords pas en particulier, bien que je vous aie lâchement renié en public. Pourquoi êtes-vous triste ?

— Je n'en sais rien, cher oncle ; c'est peut-être parce que je commence à devenir saltimbanque[30].

— Expliquez votre aphorisme.

— Il y a trois mois que je montre les marionnettes, c'est déjà trop. Dans une autre phase de ma vie que je vous ai racontée, j'ai fait le même métier pendant environ le même espace de temps, et j'ai éprouvé, quoique à un moindre degré (j'étais plus jeune), ce que j'éprouve maintenant, c'est-à-dire une grande excitation suivie de grands abattements, beaucoup de dégoûts et de nonchalance pour me mettre à la besogne, une fièvre de verve, un débordement de gaieté ou d'émotion quand j'y suis, un grand accablement et un véritable mépris de moi-même quand j'ôte mon masque et redeviens un homme aussi rassis qu'un autre.

— Bah ! ce que vous racontez là c'est ma propre histoire ; il m'en arrive autant pour plaider. Tout orateur, tout comédien, tout artiste ou tout professeur forcé de se battre les flancs pendant une moitié de sa vie pour instruire, éclairer ou divertir les autres, est las du genre humain et de lui-même quand le rideau tombe. Je ne suis gai et vivant ici, moi, que parce que je n'ai pas plaidé depuis quatre ou cinq jours. Si vous me surpreniez dans mon cabinet, rentrant de l'audience, criant après ma gouvernante qui ne m'apporte pas mon thé assez vite, après les clients qui m'assiègent, après les portes de ma maison qui grincent... Que sais-je ? Tout m'exaspère... Et puis je tombe dans mon fauteuil, je prends un livre d'histoire ou de philosophie... ou un roman, et je m'endors délicieusement dans l'oubli de ma maudite profession.

— Vous vous endormez *délicieusement*, monsieur Goefle, parce que vous avez, en dépit de vos nerfs malades, la conscience d'avoir fait quelque chose d'utile et de sérieux.

— Hom, hom ! pas toujours ! On ne peut pas toujours plaider de bonnes causes, et, même en plaidant les meilleures, on n'est jamais sûr de plaider précisément le juste et le vrai. Croyez-moi, Christian, il n'y a pas de sots métiers, dit-on : moi, je dis qu'ils le sont tous ; c'est ce qui fait que peu importe celui qui donne carrière au talent. Ne méprisez pas le vôtre : tel qu'il est, il est cent fois plus moral que le mien.

— Oh ! oh ? monsieur Goefle, vous voilà dans un beau paradoxe ! Allez, allez, nous vous écoutons. Vous allez plaider cela avec éloquence.

— Je n'aurai pas d'éloquence, mes enfants, dit M. Goefle, pressé par les deux officiers comme par Christian de donner carrière à son imagination. Ce n'est pas ici le lieu de sophistiquer, et je suis en vacances. Je vous dirai tout bonnement que le métier d'amuser les hommes par des fictions est le premier de tous[31],... le premier en date, c'est incontestable : aussitôt que le genre humain a su parler, il a inventé des mythologies, composé des chants et récité des histoires ; le premier au point de vue de l'utilité morale, je le soutiendrais contre l'université et contre Stangstadius lui-même, qui ne croit qu'à ce qu'il touche. L'homme ne profite jamais de l'expérience ; vous aurez beau lui apprendre l'histoire authentique : il repassera sans cesse, de moins en moins, si vous le voulez, mais toujours proportionnellement à son degré de civilisation, dans les mêmes folies et les même fautes. Est-ce que notre propre expérience nous profite à nous-mêmes ? Moi qui sais fort bien que demain je serai malade pour avoir fait le jeune homme cette nuit, vous voyez que je m'en moque ! ce n'est donc pas la raison qui gouverne l'homme, c'est l'imagination, c'est le rêve[32]. Or le rêve, c'est l'art, c'est la poésie, c'est la peinture, la musique, le théâtre... Attendez, messieurs, que je vide mon verre avant de passer à mon second point.

— A votre santé, monsieur Goefle, s'écrièrent les trois amis.

— A votre santé, mes enfants ! Je continue. Je ne considère pas Christian Waldo comme un montreur de marionnettes. Qu'est-ce qu'une marionnette ? Un morceau de bois couvert de chiffons. C'est l'esprit et l'âme de Christian qui font l'intérêt et le mérite de ses pièces. Je ne le considère pas non plus seulement comme un acteur, car il ne lui suffirait pas de varier son accent et de changer de voix à chaque minute pour nous émouvoir : ce n'est là qu'un tour d'adresse. Je le considère comme un auteur, car ses pièces sont de petits chefs-d'œuvre, et rappellent ces mignonnes et adorables compositions musicales[33] qu'ont faites d'illustres maîtres de chapelle italiens et allemands pour des théâtres de ce genre. C'était de la musique pour les enfants, disaient-ils avec modestie. En attendant, les connaisseurs en faisaient leurs délices. Donc, messieurs, rendons à Christian Waldo la justice qui lui est due.

— Oui, oui, s'écrièrent les deux officiers, que le punch rendait expansifs, vive Christian Waldo ! C'est un homme de génie.

— Pas tout à fait, répondit Christian en riant ; mais je vois ici la cause du mépris de *mon oncle* pour le métier d'avocat. Il peut soutenir et faire accepter les plus énormes mensonges.

— Taisez-vous, mon neveu, vous n'avez pas la parole ! Je dis que... Mais tu n'es qu'un ingrat, Christian ! Tu n'es pas avocat, et tu te plains ! Tu peux chercher la vérité générale sous toutes les fictions possibles, et tu te lasses de la faire aimer aux hommes ! Tu as de l'esprit, du cœur, de l'instruction, du savoir-vivre, et tu te qualifies de saltimbanque pour rabaisser ton œuvre et l'abandonner peut-être ! Voyons, malheureux, est-ce là ton idée ?

— Oui, c'est ma résolution, répondit Christian, j'en ai assez. J'ai cru que je pourrais aller plus longtemps, mais l'incognito prolongé me fatigue comme une puérilité indigne d'un homme sérieux. Il faut que je trouve le moyen de voyager sans mendier. J'ai bien cherché déjà. C'est un grand problème à résoudre pour qui n'a rien. L'homme qui se fixe trouve toujours du travail ; celui qui veut marcher est bien embarrassé aujourd'hui. Dans l'antiquité, monsieur Goefle, voyager signifiait conquérir la terre au profit de l'intelligence humaine[34]. Les hommes le sentaient, c'était une auguste mission, l'initiation des âmes d'élite. Aussi le voyageur était-il un être sacré pour les populations qui saluaient son arrivée avec respect et qui venaient chercher auprès de lui des nouvelles de l'humanité. Aujourd'hui, si le voyageur n'est pas quelque peu riche, il faut qu'il se fasse mendiant, voleur ou histrion...

— Histrion ! s'écria M. Goefle ; pourquoi ce terme de mépris ? L'histrion, que j'appellerai, moi, du nom de *fabulateur*, parce que c'est l'interprète de l'œuvre d'imagination (*fabula*), a pour but de détourner l'homme du positif de la vie, et, comme la majorité de notre sotte espèce est prosaïque et brutalement attachée aux intérêts matériels, les Cassandres qui gouvernent l'opinion repoussent les poètes et leurs organes. S'ils l'osaient, ils repousseraient encore bien plus les prédicateurs, qui leur parlent du ciel, et la religion, qui est une guerre aux passions étroites, une doctrine d'idéalisme ; mais on ne se révolte pas contre l'idéalisme présenté comme une vérité révélée. On n'ose pas. On le repousse quand il vient vous dire naïvement : "Je vais vous prouver le beau et le bien par des symboles et des fables."

— Et pourtant, dit Christian, les livres sacrés sont remplis d'apologues. C'est la prédication des âges de foi et de simplicité. Tenez, monsieur Goefle, la cause du préjugé n'est pas précisément où vous la cherchez, ou du moins elle n'y est que par la déduction d'un fait que je vais vous signaler. Le comédien n'a pas de liens réels avec le reste de la société. Il ne rend pas de services effectifs en tant que comédien, et les hommes ne s'estiment entre eux qu'en raison d'un échange de services. Considérez que toutes les autres professions sont étroitement liées au sort de chacun dans la société, même le prêtre, qui, pour les incrédules, est encore l'officier indispensable à leur état civil. Quant aux autres fonctionnaires, chaque homme voit en eux son espoir ou son appui à un moment donné. Le médecin lui fait espérer la santé, le juge et l'avocat représentent le gain de sa cause, le spéculateur peut lui donner la fortune, le commerçant lui procure les denrées, le soldat protège sa sécurité, le savant favorise les progrès de son industrie par ses découvertes, tout professeur d'une branche quelconque des connaissances humaines lui offre l'instruction nécessaire aux divers emplois : le comédien seul lui parle de tout et ne lui donne rien... que de bons conseils qu'il lui fait payer à la porte, et que son auditeur eût pu prendre gratis de lui-même.

— Eh bien ! s'écria M. Goefle, quel est cet ergotage ? Ne sommes-nous pas d'accord ? Tu ne fais que prouver ce que je disais. Tout ce qui est imagination et sentiment est méprisé par le vulgaire.

— Non, monsieur Goefle, mais le sentiment infécond, l'imagination improductive ! Que voulez-vous ? il y a quelque chose de juste dans l'opinion du bourgeois qui peut dire au comédien : "Tu me parles de vertu, d'amour, de dévouement, de raison, de courage, de bonheur ! C'est ton état d'en parler ; mais, puisque ton état ne te donne que la parole, n'exige pas que je voie en toi autre chose qu'un vain discoureur. Si tu es quelque chose de plus, descends de ces tréteaux tout à l'heure et m'aide à arranger ma vie comme tu réussis dans ta pièce à arranger ta fiction. Guéris ma goutte, plaide mon procès, enrichis ma maison, marie ma fille avec celui qu'elle aime, place mon gendre, et si tu n'es pas bon à tout cela, fais-moi des souliers ou pave ma cour ; fais quelque chose enfin en échange de l'argent que je te donne."

— D'où tu conclus ?... dit M. Goefle.

— D'où je conclus qu'il faut que tout homme ait un état qui serve directement aux autres hommes[35], et que le préjugé contre le comédien et le *fabulateur* en général cessera le jour où le théâtre sera gratuit, et où tous les gens d'esprit capables de bien représenter se feront, par amour de l'art, fabulateurs et comédiens à un moment donné, quelle que soit d'ailleurs leur profession.

— Voilà, j'espère, un rêve qui dépasse tous mes paradoxes !

— Je ne dis pas le contraire ; mais, il y a deux ans, on ne croyait pas à l'Amérique, et l'on verra, je crois, dans deux cents ans, des choses plus extraordinaires que toutes celles que nous pouvons rêver. »

On avala le reste de punch sur cette conclusion, et Christian voulut prendre congé de M. Goefle, qui semblait d'humeur à aller danser une courante[36] au château neuf avec les jeunes officiers ; mais le docteur en droit ne voulut pas quitter son ami, qui avait réellement besoin de repos, et, après s'être promis de se revoir le lendemain ou plutôt le jour même, puisqu'il était deux heures du matin, chacun alla reprendre sa voiture.

« Voyons, Christian, dit M. Goefle quand ils furent côte à côte sur le traîneau qui les ramenait au Stollborg, est-ce sérieusement que tu parles de ?... A propos, je m'aperçois que j'ai pris, je ne sais où et je ne sais quand, l'habitude de vous tutoyer !

— Gardez-la, monsieur Goefle, elle m'est agréable.

— Pourtant,... je ne suis pas d'âge à me permettre... Je n'ai pas encore la soixantaine, Christian, ne me prenez pas pour un patriarche !

— Dieu m'en garde ! Mais si le tutoiement est dans votre bouche un signe d'amitié...

— Oui, certes, mon enfant ! Or je continue : dis-moi donc... Ici M. Goefle fit une assez longue pause et Christian le crut endormi ; mais il se ranima pour lui dire tout à coup : — Répondez, Christian, si vous étiez riche, que feriez-vous de votre argent ?

— Moi ? dit le jeune homme étonné, je tâcherais d'associer le plus de gens possible à mon bonheur.

— Tu serais donc heureux ?

— Oui, je partirais pour faire le tour du monde.

— Et après ?

— Après... je n'en sais rien... j'écrirais mes voyages.

— Et après ?

— Je me marierais pour avoir des enfants... J'adore les enfants !

— Et tu quitterais la Suède ?

— Qui sait ? Je n'ai de liens nulle part. Le diable m'emporte si... Ne croyez pas que j'exagère, je ne suis pas gris, mais je me sens pour vous, monsieur Goefle, une affection prononcée, et je veux être pendu si le plaisir de vivre près de vous n'entrerait pas pour beaucoup dans ma résolution !... Mais de quoi parlons-nous là ? Je n'ai pas le goût des châteaux en Espagne, et je n'ai jamais rêvé la fortune... Dans deux jours, j'irai je ne sais où et n'en reviendrai peut-être jamais ! »

Quand les deux amis furent rentrés dans la chambre de l'ourse, ils avaient si bien oublié qu'elle était hantée, qu'ils se couchèrent et s'endormirent sans songer à reprendre leurs commentaires sur l'apparition de la veille.

De leurs lits respectifs, ils essayèrent de continuer la conversation ; mais, bien que M. Goefle fût encore un peu excité et que Christian mît la meilleure grâce du monde à lui donner la réplique, le sommeil vint bientôt s'abattre comme une avalanche de plumes sur les esprits du jeune homme, et le docteur en droit, après avoir maugréé contre Nils, qui ronflait à faire trembler les vitres, prit le parti de s'endormir aussi.

En ce moment, le baron de Waldemora s'éveillait au château neuf. Lorsque, d'après son ordre, Johan entra chez lui, il le trouva assis sur son lit et à demi vêtu.

« Il est trois heures, monsieur le baron, lui dit le majordome. Avez-vous un peu reposé ?

— J'ai dormi, Johan, mais bien mal ; j'ai rêvé marionnettes toute la nuit.

— Eh bien ! mon maître, ce n'est pas un rêve triste, cela ! ces marionnettes étaient fort drôles.

— Tu trouves, toi ? Allons, soit !

— Mais vous avez ri vous-même ?

— On rit toujours. La vie est un rire perpétuel[37],... un rire bien triste, Johan !

— Voyons, mon maître, pas d'idées noires. Qu'avez-vous à m'ordonner ?

— Rien ! si je dois mourir aujourd'hui, qui pourra l'empêcher ?

— Mourir ! où diable prenez-vous cela ? Vous avez une mine admirable ce matin !

— Mais si on m'assassinait ?

— Qui donc aurait cette pensée ?

— Beaucoup de gens ; mais surtout l'homme du bal, celui dont la figure et la menace...

— Le prétendu neveu de l'avocat ? Je ne comprends pas que vous vous tourmentiez de cette figure-là. Elle ne ressemble nullement à celle...

— Tais-toi, tu n'as jamais vu clair de ta vie, tu es myope !

— Oh ! que non !

— Mais un insolent qui, chez moi, devant tout le monde, ose me regarder en face et me défier !

— Cela vous est arrivé plus d'une fois, et vous en avez toujours ri.

— Et cette fois je suis tombé foudroyé !

— C'est ce maudit anniversaire ! Vous savez bien que tous les ans il vous rend malade, et puis vous l'oubliez.

— Je ne me reproche rien, Johan.

— Parbleu ! croyez-vous que je vous reproche quelque chose ?

— Mais que se passe-t-il dans ma pauvre tête pour que j'aie ces visions ?

— Bah ! c'est l'époque des grands froids. La chose arrive à tout le monde.

— Est-ce que cela t'arrive quelquefois ?

— Moi ! jamais. Je mange beaucoup ; vous, vous ne mangez rien. Voyons, il faut prendre quelque chose ; du thé, au moins.

— Pas encore. Que penses-tu du récit de cet Italien ?

— Ce Tebaldo ? Vous ne m'en avez pas dit le premier mot !

— C'est vrai. Eh bien ! je ne t'en dirai pas davantage.

— Pourquoi ?

— C'est trop insensé. Cependant,... crois-tu que l'avocat Goefle soit mon ennemi ? Il doit être mon ennemi !

— Je n'en vois pas la raison.

— Je ne la vois pas non plus ; je l'ai toujours largement payé, et son père m'était tout dévoué.

— Et puis c'est un homme d'esprit que M. Goefle, un beau parleur, un homme du monde, et sans préjugés, croyez-moi.

— Tu te trompes ! il ne veut pas plaider contre le Rosenstein. Il dit que j'ai tort ; il m'a tenu tête aujourd'hui. Je le hais, ce Goefle !

— Déjà ? Bah ! attendez un peu. Promettez-lui une plus grosse somme que de coutume, et il trouvera que vous avez raison.

— Je l'ai fait. Il m'a fort mal répondu ce matin. Je te dis que je le hais !

— Eh bien ! alors que voulez-vous *qu'il lui arrive* ?

— Je ne sais pas encore, nous verrons ; mais le vieux Stenson ?

— Quoi, le vieux Stenson !

— Le crois-tu capable de m'avoir trahi ?

— Quand ça ?

— Je ne te demande pas quand. Le crois-tu dissimulé ?

— Je le crois idiot.

— Idiot toi-même ! Stenson est plus fin que toi, et que moi aussi peut-être. Ah ! si l'Italien m'avait dit vrai !...

— Vous ne voulez donc pas que je sache ce qu'il vous a dit ? Vous n'avez plus de confiance en moi ? Alors tourmentez-vous, allez vous-même aux renseignements, et renvoyez-moi dormir.

— Johan, tu me grondes, dit le baron avec une douceur extraordinaire. Apaise-toi, tu sauras tout.

— Oui, quand vous aurez besoin de moi.

— J'en ai besoin tout de suite. Il faut que cet Italien produise ses preuves, s'il en a. On n'a rien trouvé sur lui ?

— Rien. J'ai fouillé moi-même.

— Il me l'avait bien dit qu'il n'avait rien. Et que pourrait-il avoir ? Te souviens-tu de Manassé, toi ?

— Je crois bien ! un bonhomme qui a beaucoup vendu ici autrefois, et qui vendait cher.

— Il est mort.

— Ça m'est égal.

— C'est cet Italien qui l'a tué.

— Drôle d'idée ! Pourquoi donc ?

— Pour le voler probablement, et lui prendre une lettre.

— De qui ?

— De Stenson.

— Intéressante ?

— Oh ! oui, certes, si elle contenait ce que prétend ce drôle.

— Eh bien ! dites, si vous voulez que je comprenne. »

Le baron et son confident parlèrent alors si bas, que les murailles même ne les entendaient pas. Le baron était agité ; Johan haussait les épaules.

« Voilà, dit-il, un conte à dormir debout. Cette canaille de Tebaldo aura forgé cette histoire dans le pays sur des *on dit* pour vous tirer de l'argent.

— Il dit n'avoir jamais mis le pied en Suède avant ce jour et arrive tout droit de Hollande par Drontheim.

— C'est possible. Qu'importe ? Il se sera renseigné par hasard dans les environs ; on y débite sur vous tant de fables ! Il est possible aussi qu'il ait rencontré dans ses voyages ce vieux Manassé, qui en avait recueilli sa part autrefois.

— Voyons, que faut-il faire ?

— Il faut faire peur à M. l'Italien, ne pas vous laisser rançonner, et lui promettre...

— Combien ?

— Deux ou trois heures dans notre *chambre des roses*.

— Il n'y croira pas ! On lui aura dit qu'en Suède, sous le règne du vieux évêque, tout cela était rouillé.

— Croyez-vous que le capitaine de la grosse tour ait besoin de ces antiquailles pour faire tirer la langue à un homme de chair et d'os ?

— Alors tu es d'avis...

— Qu'on le couvre de roses jusqu'à ce qu'il avoue qu'il a menti, ou jusqu'à ce qu'il dise où il a caché ses preuves.

— Impossible ! Il criera, et le château est plein de monde.

— Et la chasse ? Allez-y, mort ou vif, il faudra bien que tout le monde vous suive.

— Il reste toujours quelqu'un, ne fût-ce que les laquais de mes hôtes. Et les vieilles femmes ? Elles diront que j'use d'un droit que l'État se réserve.

— Bah ! bah ! vous vous en moquez bien ! Je me charge d'arranger cela d'ailleurs : je dirai que c'est un pauvre diable qui a eu la jambe broyée, et que l'on opère.

— Et tu recevras ses révélations !

— Oui certes... Qui donc ?

— J'aimerais mieux être là.

— Vous savez bien que vous avez le cœur tendre, et que vous ne pouvez pas voir souffrir.

— C'est vrai, cela me dérange l'estomac et les entrailles... J'irai à la chasse pour tout de bon.

— Allons, rendormez-vous en attendant l'heure. Je veillerai à tout.

— Et tu trouveras l'inconnu ?

— Celui-là, ce doit être un compère. Nous ne le trouverons que par les aveux de Tebaldo.

— D'autant plus qu'il offrait de me livrer celui... Mais ce n'est peut-être pas le même !

— Je le confesserai sur tous les points, dormez tranquille.

— L'a-t-on fait jeûner, cet Italien ?

— Parbleu !

— Alors va-t-en, je vais essayer de reposer encore un peu... Tu m'as calmé, Johan... Tu as toujours des idées, toi ; moi, je baisse... Ah ! que j'ai vieilli vite, mon Dieu ! »

Johan sortit en recommandant à Jacob de réveiller le baron à huit heures. Jacob était un valet de chambre qui couchait toujours dans un cabinet contigu à la chambre du baron. C'était un très honnête homme, avec qui le baron jouait le rôle de bon maître, sachant bien qu'il est utile d'avoir quelques braves gens autour de soi, ne fût-ce que pour pouvoir dormir en paix sous leur garde.

Quant à Christian, qui dormait toujours très bien en quelque lieu et en quelque compagnie qu'il se trouvât, il se réveilla au bout de six heures de sommeil, et se leva doucement pour regarder le ciel. Le jour ne paraissait pas encore ; mais comme le jeune homme allait se recoucher, il se rappela la partie de chasse qui devait probablement commencer à s'organiser en ce moment au château neuf. Christian n'était chasseur qu'en vue d'histoire naturelle. Adroit tireur, il n'avait jamais eu la passion de tuer du gibier pour tuer le temps et pour montrer son adresse ; mais une chasse à l'ours lui offrait l'intérêt d'une chose neuve, pittoresque, ou intéressante au point de vue zoologique. Il se sentit donc tout à coup et tout à fait réveillé, et parfaitement résolu à aller voir ce spectacle, sauf à ne pas le voir tout entier et à revenir à temps pour préparer sa représentation avec M. Goefle.

Comme en s'endormant il avait touché quelques mots de cette chasse au docteur en droit, et qu'il ne l'avait pas trouvé favorable à ce projet, dont, pour sa part, M. Goefle n'avait nulle envie, Christian prévit qu'il rencontrerait de l'opposition chez son bon *oncle*, et, se sachant complaisant, il prévit aussi qu'il céderait. « Bah ! pensa-t-il, mieux vaut s'échapper sans bruit, en lui laissant deux mots au crayon pour qu'il ne s'inquiète pas de moi. Il sera un peu contrarié, il s'ennuiera de déjeuner seul ; mais il a encore à travailler, à causer avec M. Stenson : je rentrerai à temps peut-être pour qu'il ne s'aperçoive pas trop de son isolement. »

Christian sortit doucement de la chambre de garde, s'habilla dans celle de l'ourse, mit, par habitude et par précaution, son masque sous son châpeau, et sortit par le *gaard*, qui était encore plongé dans le silence et l'obscurité. De là, Christian gagna le verger desséché par l'hiver, descendit au lac, et, se voyant, de ce côté, beaucoup plus près du rivage que par le sentier du nord, il traversa un court espace d'eau glacée, et se mit à marcher en terre ferme dans la direction du château neuf.

Dans le même moment, Johan traversait la glace du côté opposé et venait se mettre en observation au Stollborg, sans se douter du vol que son gibier venait de prendre.

XII

Christian ne pensait pas trouver le major au château neuf. Il savait que le jeune officier allait passer chaque nuit ou chaque matinée, après les fêtes du château, à son bostœlle, situé à peu de distance. N'ayant pas songé à lui demander dans quelle direction se trouvait cette maison de campagne, il ne la cherchait nullement. Son intention était d'observer à distance les préparatifs de la chasse et de se mêler aux paysans employés à la battue générale.

Il suivait encore le sentier au bord du lac, lorsque l'aube parut, et lui permit de distinguer un homme venant à sa rencontre. Il baissa vite son masque, mais le releva presque aussitôt en reconnaissant le lieutenant Osburn.

« Ma foi ! lui dit celui-ci en lui tendant la main, je suis content de vous rencontrer ici. J'allais vous chercher, et cette rencontre nous fera gagner au moins une demi-heure de jour. Hâtons-nous, le major est là qui vous attend. »

Ervin Osburn prit les devants en rebroussant chemin ; au bout de quelques pas, il se dirigea vers la gauche dans la montagne. Lorsque Christian, qui le suivait, eut gravi pendant quelques minutes une montée assez rapide, il vit au-dessous de lui, dans un étroit ravin, deux traîneaux arrêtés, et le major, qui, l'apercevant, accourut d'un air joyeux.

« Bravo ! s'écria-t-il, vous possédez l'exactitude par esprit de divination ! Comment diable saviez-vous nous trouver ici ?

— Je ne savais rien, répondit Christian ; j'allais au château neuf à tout hasard.

— Eh bien ! le hasard est pour nous dès le matin ; cela signifie que la chasse sera bonne... Ah çà ! vous êtes fort bien déguisé, comme hier soir, mais vous n'êtes ni chaussé ni armé pour la circonstance. J'avais prévu cela heureusement, et nous avons pour vous tout ce qu'il faut. En attendant prenez cette pelisse de précaution et partons vite. Nous allons un peu loin, et la journée ne sera pas trop longue pour tout ce que nous avons à faire. »

Christian monta avec Larrson dans un petit traîneau du pays, très léger, à deux places, et mené par un seul petit cheval de montagne. Le lieutenant, avec le caporal Duff, qui était un bon vieux sous-officier expert en fait de chasse, monta dans un véhicule de même forme. Le major prit les devants, et l'on se mit en route au petit galop.

« Il faut que vous sachiez, dit le major à Christian, que nous allons nous hâter de chasser pour notre compte. Ce n'est ni le gibier, ni les tireurs adroits qui manquent sur les terres du baron, il est lui-même un très savant et très intrépide chasseur ; mais, comme il doit consentir à envoyer ou à conduire à la battue d'aujourd'hui beaucoup de ses hôtes qui n'y entendent pas grand chose, et qui ont plus de prétentions que d'habileté, il est fort à craindre qu'on n'y fasse plus de bruit que de besogne. Et d'ailleurs la battue avec les paysans est une chose sans grand intérêt, comme vous pourrez vous en assurer, lorsque, après avoir fait notre expédition, nous reviendrons par la montagne que vous voyez là-haut. C'est une espèce d'assassinat vraiment lâche : on entoure le pauvre ours qui ne veut pas toujours quitter sa tanière ; on l'effraye, on le harcèle, et quand il en sort enfin pour faire tête ou pour fuir, on le tire sans danger de derrière les filets où l'on se tient à l'abri de son désespoir. Or, outre que cela manque de piquant et d'imprévu, il arrive fort souvent que les impatients et les maladroits font tout manquer, et que la bête a déguerpi avant qu'on ait pu l'atteindre. Nous allons opérer tout autrement, sans traqueurs, sans vacarme et sans chiens. Je vous dirai ce qu'il y aura à faire quand nous approcherons du bon moment. Et croyez-moi, la vraie chasse est comme tous les vrais plaisirs : il n'y faut point de foule. C'est une partie fine qui n'est bonne qu'avec des amis ou des personnes de premier choix.

— J'ai donc, répondit Christian, double remerciement à vous faire de vouloir bien m'associer à ce plaisir intime ; mais expliquez-moi comment vous avez la liberté d'aller tuer le gibier du baron avant lui. Je l'aurais cru plus jaloux de ses prérogatives de chasseur ou de ses droits de propriétaire.

— Aussi n'est-ce pas son gibier que nous allons essayer de tuer. Ses propriétés sont considérables, mais tout le pays n'est pas à lui, Dieu merci. Voyez ces belles montagnes qui se dressent devant vous ! C'est la frontière norvégienne, et, sur les premières assises de ces gigantesques remparts, nous allons trouver un groupe que l'on appelle le *Blaakdal*. Là vivent quelques paysans libres et propriétaires au sein des déserts sublimes, et quelquefois au sein des nuages, car les cimes ne sont pas souvent nettes et claires comme aujourd'hui. Eh bien ! c'est à un de ces *dannemans* (on les appelle ainsi) que mes amis et moi avons acheté l'ours dont il a découvert la retraite. Ce *danneman*, qui est un homme intéressant pour ses connaissances dans la partie, demeure dans un site magnifique et assez difficile à atteindre en voiture ; mais avec l'aide de Dieu et de ces bons petits chevaux de montagne, nous en viendrons à bout. Nous déjeunerons chez lui, après quoi il nous servira lui-même de guide auprès de monseigneur l'ours, qui, n'étant pas traqué d'avance par des bavards et des étourdis, nous attendra sans méfiance et nous recevra... selon son humeur du moment. Mais voyez, Christian, voyez quel beau spectacle ! Aviez-vous déjà vu ce phénomène ?

— Non, pas encore, s'écria Christian transporté de joie, et je suis content de le voir avec vous. C'est un phénomène que je ne connaissais que de réputation, une parhélie[38] magnifique ! »

En effet, cinq soleils se levaient à l'horizon. Le vrai, le puissant astre était accompagné à droite et à gauche, au-dessus et au-dessous de son disque rayonnant, de quatre images lumineuses moins vives, moins rondes, mais entourées d'auréoles irisées d'une beauté merveilleuse. Comme nos chasseurs marchaient dans le sens opposé, ils s'arrêtèrent quelques instants pour jouir de cet effet d'optique, qui a beaucoup de rapport avec l'arc-en-ciel, quant à ses causes présumées, mais qui ne se produit guère en Europe que dans les pays du Nord.

On suivit d'abord une belle route, puis cette même route devenue un chemin étroit et inégal à travers les terres, puis ce chemin devenu sentier, puis le terrain inculte et raboteux n'offrant plus que de faibles traces frayées dans la neige des collines. Enfin Larrson, qui connaissait parfaitement le pays et les ressources du traîneau qu'il conduisait, se lança dans des aspérités effrayantes au flanc des montagnes, côtoyant des précipices, glissant à fond de train dans des ravines presque à pic, franchissant des fossés au saut de son cheval, escaladant par-dessus des arbres abattus et des rochers écroulés, sans presque daigner éviter ces obstacles, qui semblaient à chaque instant devoir faire voler en éclats le traîneau fragile. Christian ne savait lequel admirer le plus de l'audace du major ou de l'adresse et du courage du maigre petit cheval qu'il laissait aller à sa guise, car l'instinct merveilleux de l'animal ressemblait au sens de la seconde vue. Deux fois pourtant le traîneau versa. Ce ne fut pas la faute du cheval, mais celle du traîneau, qui ne pouvait se lier assez fidèlement à ses mouvements, quelque ingénieusement construit qu'il pût être. Ces chutes peuvent être graves, mais elles sont si fréquentes que, sur la quantité, il en est peu qui comptent. Le traîneau du lieutenant, bien qu'averti par les accidents de celui qui lui frayait le passage, fut aussi deux ou trois fois culbuté. On roulait dans la neige, on se secouait, on remettait le traîneau sur sa quille, et on repartait sans faire plus de réflexion sur l'aventure que si l'on eût mis pied à terre pour alléger au cheval un peu de tirage. Ailleurs une chute fait rire ou frémir ; ici elle entrait tranquillement dans les choses prévues et inévitables.

Christian éprouvait un bien-être indicible dans cette course émouvante.

« Je ne peux pas vous exprimer, disait-il au bon major, qui s'occupait de lui avec une fraternelle sollicitude, combien je me sens heureux aujourd'hui !

— Dieu soit loué, cher Christian ! Cette nuit, vous étiez mélancolique.

— C'était la nuit, le lac, dont la belle nappe de neige avait été souillée par la course, et qui avait l'air d'une masse de plomb sous nos pieds. C'était le hogar éclairé de torches sinistres comme des flambeaux mortuaires sur un linceul. C'était cette barbare statue d'Odin[39], qui, de son marteau menaçant et de son bras informe, semblait lancer sur le monde nouveau et sur notre troupe profane je ne sais quelle malédiction ! Tout cela était beau, mais terrible ; j'ai l'imagination vive, et puis...

— Et puis, convenez-en, dit le major, vous aviez quelque sujet de chagrin.

—Peut-être, une rêverie, une idée folle que le retour du soleil a dissipée[40]. Oui, major, le soleil a sur l'esprit de l'homme une aussi bienfaisante influence que sur son corps. Il éclaire notre âme comme au réel. Ce beau et fantastique soleil du Nord, c'est pourtant le même que le bon soleil d'Italie et que le doux soleil de France. Il chauffe moins, mais je crois qu'il éclaire mieux qu'ailleurs, dans ce pays d'argent et de cristal où nous voici ! Tout lui sert de miroir, même l'atmosphère, dans ces glaces immaculées. Béni soit le soleil, n'est-ce pas, major ? Et béni soyez-vous aussi pour m'avoir emmené dans cette course vivifiante qui m'exalte et me retrempe. Oui, oui, voilà ma vie, à moi ! le mouvement, l'air, le chaud, le froid, la lumière ! Du pays devant soi, un cheval, un traîneau, un navire... bah ! moins encore, des jambes, des ailes, la liberté !

— Vous êtes singulier, Christian ! Moi, je préférerais à tout cela une femme selon mon cœur.

— Eh bien ! dit Christian, moi aussi, parbleu ! Je ne suis pas singulier du tout ; mais il faut être l'appui de sa propre famille ou rester garçon. Que voulez-vous que je fasse avec rien ? Ne pouvant songer au bonheur, j'ai du moins la consolation de savoir oublier tout ce qui me manque, et de m'enthousiasmer pour les joies austères auxquelles je peux prétendre. Ne me parlez donc pas de famille et de coin du feu. Laissez-moi rêver le grand vent qui pousse vers les rives inconnues... Je le sais trop, cher ami, que l'homme est fait pour aimer ! Je le sens en ce moment auprès de vous qui m'accueillez comme un frère, et qu'il me faudra quitter demain pour toujours ; mais, puisque c'est ma destinée de ne pouvoir établir de liens nulle part ; puisque je n'ai ni patrie, ni famille, ni état en ce monde, tout le secret de mon courage est dans la faculté que j'ai acquise de jouir du bonheur pris au vol et d'oublier que le lendemain doit l'emporter comme un beau rêve !... J'ai fait d'ailleurs bien des réflexions depuis ce punch dans la grotte du hogar.

— Pauvre garçon ! vous êtes amoureux, tenez, car vous n'avez pas dormi !

— Amoureux ou non, j'ai dormi comme dort l'innocence ; mais on réfléchit vite quand on n'a pas beaucoup d'heures à perdre dans la vie. En m'habillant et en venant du Stollborg jusqu'à vous, une bonne et simple vérité m'est apparue. C'est qu'en voulant résoudre le problème du métier ambulant, je m'étais trompé. J'avais raisonné en enfant gâté de la civilisation. Je m'étais réservé des jouissances de sybarite. Vous allez me comprendre... »

Ici Christian, sans raconter au major les faits de sa vie, lui esquissa en peu de mots les aptitudes, les besoins, les défaillances et les progrès de sa vie intellectuelle et morale, et quand il lui eut fait comprendre comment il avait essayé de se faire artiste pour ne pas cesser de se consacrer au service actif de la science, il ajouta :

« Or, mon cher Osmund, pour être artiste, il faut n'être que cela, et sacrifier les voyages, les études scientifiques et la liberté. Ne voulant pas faire ces sacrifices, pourquoi ne serais-je pas tout simplement l'artisan sans art que tout homme bien portant peut être à un moment donné de sa vie ? Je veux étudier les flancs de la terre : ne puis-je me faire mineur, un mois durant, dans chaque mine ? Je veux étudier la flore et la zoologie : ne puis-je m'engager pour une saison comme pionnier ou chasseur dans un lieu donné, et pousser plus loin à la saison suivante, utilisant, pour vivre pauvrement, mes bras et mes jambes au profit de mon savoir, au lieu d'épuiser mon esprit à des pasquinades pour gagner plus vite une meilleure nourriture et des habits plus fins ? Ne suis-je pas de force à travailler matériellement pour laisser mon intelligence libre et humblement féconde ? J'ai beaucoup pensé à la vie de votre grand Linnée, qui est le résumé de la plupart de celle des savants au temps où nous sommes. C'est toujours le pain qui leur a manqué, c'est l'absence de ressources qui a failli étouffer leur développement et laisser leurs travaux ignorés ou inachevés. Je les vois tous, dans leur jeunesse, errants comme moi et inquiets du lendemain, ne trouver leur planche de salut que dans le hasard, qui leur fait rencontrer d'intelligents protecteurs. Encore sont-il forcés, après avoir refermé leur main sur un bienfait, chose amère, d'interrompre souvent leur tâche pour occuper de petites fonctions qui leur sont accordées comme une grâce, qui leur prennent un temps précieux, et qui entravent ou retardent leurs découvertes. Eh bien ! que ne faisaient-ils ce que je veux, ce que je vais faire : mettre un marteau ou un pic sur l'épaule pour s'en aller creuser la roche ou défricher la terre ? Qu'ai-je besoin de livres et d'encriers ? Qui me presse de faire savoir au monde savant que j'existe avant d'avoir quelque chose de neuf et de véritablement intéressant à lui dire ? J'en sais assez maintenant pour commencer à apprendre, c'est-à-dire pour observer et pour étudier la nature sur elle-même. Ne voit-on pas de secrets sublimes découverts au sein des forces naturelles par de pauvres manœuvres illettrés en qui Dieu avait enfoui, comme une étincelle sacrée, le génie de l'observation ? Et croyez-vous, major Larrson, qu'un homme passionné, comme je le suis pour la nature, manquera de zèle et d'attention parce qu'il mangera du pain noir et couchera sur un lit de paille ? Ne pourra-t-il, en observant la construction des roches ou la composition des terrains, susciter une idée féconde pour l'exploitation,... tenez, de ces porphyres qui nous environnent, ou de ces champs incultes que nous traversons ? Je suis sûr qu'il y a partout des sources de richesse que l'homme trouvera peu

65

à peu. Être utile à tous, voilà l'idéal glorieux de l'artisan, cher Osmund ; être agréable aux riches, voilà le puéril destin de l'artiste, auquel je me soustrais avec joie[41].

— Quoi ! dit le major étonné, est-ce sérieusement, Christian, que vous voulez renoncer aux arts agréables, où vous excellez, aux douceurs de la vie, que les ressources de votre esprit peuvent conquérir, aux charmes du monde, où il ne tiendrait qu'à vous de reparaître avec avantage et agrément, en acceptant quelque emploi dans les plaisirs de la cour ? Vous n'avez qu'à vouloir, et vous vous ferez vite des amis puissants, qui obtiendront aisément pour vous la direction de quelque spectacle ou de quelque musée. Si vous voulez... ma famille est noble et a des relations...

— Non, non, major, merci ! Cela eût été bon hier matin ; je n'étais encore qu'un enfant qui cherchait son chemin en faisant l'école buissonnière ; j'eusse peut-être accepté. Le bal m'avait ramené à d'anciens errements, à d'anciennes séductions mondaines que j'ai trop subies. Aujourd'hui je suis un homme qui voit où il doit aller. Je ne sais quel rayon a pénétré dans mon âme avec ce soleil matinal... »

Christian tomba dans la rêverie. Il cherchait en lui-même quel enchaînement d'idées l'avait amené à des résolutions si énergiques et si simples ; mais il avait beau chercher et attribuer le tout à l'influence d'un bon sommeil et d'une belle matinée : toujours sa mémoire le ramenait à l'image de Marguerite cachant sa figure dans ses mains au nom de Christian Waldo. Ce cri étouffé, parti du cœur de la femme, était allé frapper la fière poitrine de Christian Goffredi. Il était resté dans son oreille, il avait rempli son âme d'une honte généreuse, d'un courage subit et inflexible.

« Eh ! pourquoi, je vous le demande, répondit-il au major, qui lui rappelait les fatigues et les ennuis du travail matériel, pourquoi faut-il que je m'amuse, que je me repose et que je préserve mon existence de tout accident ? Ma naissance ne m'ayant pas fait une place privilégiée, à qui m'en prendrai-je, si je n'ai pas le courage et le bon sens de m'en faire une honorable ? A ceux qui m'ont donné la vie ? S'ils étaient là, ils pourraient me répondre que, m'ayant fait robuste et sain, ce n'était pas à l'intention de me rendre douillet et paresseux, et que, si j'ai absolument besoin de marcher sur des tapis et de manger des friandises pour entretenir mes forces et ma belle humeur, il leur était complètement impossible de prévoir ce cas bizarre et ridicule.

— Vous riez, Christian, dit le major, et pourtant la vie sans superflu ne vaut pas la peine qu'on vive. Le but de l'homme n'est-il pas de se bâtir un nid avec tout le soin et la prévoyance dont l'oiseau lui donne l'exemple ?

— Oui, major, c'est là le but, pour vous dont l'avenir se rattache à un passé ; mais moi, dont le passé n'a rien édifié, quand je me suis fait *fabulateur*, comme dit M. Goefle, savez-vous ce qui m'a décidé ? C'est à mon insu, mais très assurément, la crainte de ce que l'on appelle la misère. Or, cette crainte, chez un homme isolé, c'est une lâcheté,

66

et il n'y a pas moyen de la traduire autrement que par cette plainte dont vous allez voir l'effet burlesque dans la bouche d'un homme bien bâti et aussi bien portant que je le suis. Tenez, supposons un monologue de marionnettes. C'est notre ami Stentarello qui parle ingénument : « Hélas ! trois fois hélas ! je ne dormirai donc plus dans ces draps fins ! Hélas ! je ne pourrai plus, quand j'aurai chaud en Italie, prendre une glace à la vanille ! Hélas ! quand j'aurai froid en Suède, je ne pourrai donc plus mettre du rhum de première qualité dans mon thé ! Hélas ! je n'aurai plus d'habit de soie couleur de lavande pour aller danser, plus de manchettes pour encadrer ma main blanche ! Hélas ! je ne couvrirai plus mes cheveux de poudre de violette et de pommade à la tubéreuse ! O étoiles, voyez mon destin déplorable ! Mon être si joli, si précieux, si aimable va être privé de compotes dans des assiettes de Saxe, de ruban de moire à sa queue, de boucles d'or à ses souliers ! Fortune aveugle, société maudite ! tu me devais certes bien tout cela, ainsi qu'à Christian Waldo, qui fait si bien parler et gesticuler les marionnettes ! »

Larrson ne put s'empêcher de rire de la gaieté de Christian.

« Vous êtes un bien drôle de corps, lui dit-il. Il y a des moments où vous me paraissez paradoxal, et d'autres où je me demande si vous n'êtes pas un aussi grand sage que Diogène brisant sa tasse pour boire à même le ruisseau.

— Diogène ! dit Christian, merci ! ce cynique m'a toujours paru un fou rempli de vanité. Dans tous les cas, s'il était vraiment philosophe et s'il voulait prouver aux hommes de son temps que l'on peut être libre et heureux sans bien-être, il a oublié la base de son principe : c'est que l'on ne peut pas être heureux et libre sans travail utile, et cette vérité-là est de tous les temps. Se réduire au strict nécessaire pour consacrer ses jours et ses forces à une tâche généreuse, ce n'est pas sacrifier quelque chose, c'est conquérir l'estime de soi, la paix de l'âme ; mais, sans ce but, le stoïcisme n'est qu'une sottise, et je trouve plus sensés et plus aimables ceux qui avouent n'être bons à rien qu'à se divertir. »

Tout en causant ainsi, nos chasseurs arrivèrent en vue de l'habitation rustique où ils étaient attendus. Elle était si bien liée aux terrasses naturelles de la montagne que, sans la fumée qui s'en échappait, on ne l'eût guère distinguée de loin.

« Vous allez voir un très brave homme, dit le major à Christian, un type de fierté et de simplicité dalécarliennes. Il y a bien dans la maison un être assez désagréable, mais peut-être ne le verrons-nous pas.

— Tant pis, répondit Christian ; je suis curieux de toutes gens comme de toutes choses dans cet étrange pays. Quel est donc cet être désagréable ?

— Une sœur du *danneman*, une vieille fille idiote ou folle, que l'on dit avoir été belle autrefois, et sur laquelle ont couru toutes sortes d'histoires bizarres. On prétend que le baron Olaüs l'a rendue mère, et que la baronne son épouse (celle qu'il porte en bague) a fait enlever et périr l'enfant par jalousie rétrospective. Ce serait là la cause de l'égarement d'esprit de cette pauvre fille. Pourtant je ne vous garantis rien de tout cela, et je m'intéresse peu à une créature qui a pu se laisser vaincre par les charmes de l'homme de neige. Elle est quelquefois fort ennuyeuse avec ses chansons et ses sentences ; d'autres fois elle est invisible ou muette. Puissions-nous la trouver dans un de ces jours-là ! Nous voici arrivés. Entrez vite vous chauffer pendant que le caporal et le lieutenant déballeront nos vivres. »

Le *danneman* Joë Bœtsoï était sur le seuil de sa porte. C'était un bel homme d'environ quarante-cinq ans, aux traits durs contrastant avec un regard doux et clair. Il était vêtu fort proprement et s'avança sans grande hâte, le bonnet sur la tête, l'air digne et la main ouverte.

« Sois le bienvenu ! dit-il au major (le paysan dalécarlien tutoie tout le monde, même le roi) ; tes amis sont les miens. »

Et il tendit aussi la main à Christian, à Osburn et au caporal.

« Je vous attendais, et malgré cela vous ne devez pas compter trouver chez moi beaucoup de richesse et de provisions. Tu sais, major Larrson, que le pays est pauvre ; mais tout ce que j'ai est à toi et à tes amis.

— Ne dérange rien dans ta maison, *danneman* Bœtsoï, répondit le major. Si j'étais venu seul, je t'aurais demandé ton gruau et ta bière ; mais, ayant amené trois de mes amis, je me suis approvisionné d'avance pour ne te point causer d'embarras. »

Il y eut entre l'officier et le paysan un débat en dalécarlien que Christian ne comprit pas, et que le lieutenant lui expliqua pendant que l'on ouvrait les paniers.

« Nous avons, comme de juste, lui dit-il, apporté de quoi faire un déjeuner passable dans cette chaumière ; mais tout en s'excusant de n'avoir rien de bon à nous offrir, le brave paysan s'est mis en frais, et il est aisé de voir, à sa figure allongée, que notre prévoyance le blesse et lui fait l'effet d'un doute sur son hospitalité.

— En ce cas, dit Christian, ne chagrinons pas ce brave homme ; gardons nos vivres, et mangeons ce qu'il a préparé pour nous. Sa maison paraît propre, et voilà ses filles laides, mais fort élégantes, qui servent déjà la table.

— Faisons un arrangement, reprit le lieutenant, mettons tout en commun et invitons la famille à accepter nos mets, en même temps que nous accepterons les siens ; je vais proposer cela au *danneman*... si toutefois la chose paraît louable au major. »

Le lieutenant ne prenait jamais un parti sur quoi que ce soit sans cette restriction.

La proposition, faite par le major, fut agréée par le *danneman* d'un air à demi satisfait.

« Ce sera donc, dit-il avec un sourire inquiet, comme un repas de noces, où chacun apporte son plat ? »

Toutefois il accepta ; mais, malgré les insinuations de Christian, il ne fut pas même question de faire asseoir les femmes. Cela était trop contraire aux usages, et les jeunes officiers eussent craint de paraître ridicules en proposant au *danneman* une si grande infraction à la dignité d'un chef de famille.

Pendant que l'on déballait d'un côté et que l'on causait de l'autre, Christian examina la maison en dehors et en dedans. C'était le même système de construction qu'il avait déjà remarqué dans le *gaard* du Stollborg : des troncs de sapin calfeutrés avec de la mousse, l'extérieur peint en rouge à l'oxyde de fer, un toit d'écorce de bouleau recouvert de terre et de gazon. Comme la neige, très abondante dans cette région montagneuse, eût pu surcharger le toit, elle avait été balayée avec soin, et la chèvre du *danneman*, plus grande d'un tiers que celle de nos climats, faisait entendre un bêlement plaintif à la vue de cette herbe fraîche mise à découvert.

Il faisait si chaud dans l'intérieur que tout le monde jeta pelisses et bonnets pour rester en bras de chemise. Cette maisonnette, aisée et spacieuse comparativement à beaucoup d'autres de la localité, était encore assez petite ; mais elle était d'une coupe élégante, et sa galerie extérieure, sous le bord avancé du toit, lui donnait l'aspect confortable et pittoresque d'un chalet suisse. Une seule pièce, abritée du froid extérieur par un court vestibule, suffisait à toute la famille, composée de cinq personnes, le *danneman* veuf, sa sœur, un fils de quinze ans, et deux filles plus âgées. Le poêle était un cylindre en briques de Hollande, de quatre pieds de haut, avec une cheminée accolée, le tout au centre de la maison. Le sol brut était jonché, en guise de tapis, de feuilles de sapin qui répandaient une odeur agréable et saine.

Christian se demandait où couchait toute cette famille, car il ne voyait que deux lits enfoncés dans la muraille comme dans des cases de navire. On lui expliqua que ces lits étaient ceux du *danneman* et de sa sœur. Les enfants couchaient sur des bancs, avec une fourrure pour toute literie.

« Au reste, dit le major à Christian, qui s'informait de tout avec curiosité, si vous trouvez ici la rudesse d'habitudes de nos montagnards de pure race, vous y pourriez trouver en même temps un luxe particulier à la profession de notre hôte et à la richesse giboyeuse de ces lieux sauvages. Je vous ai dit que le *danneman* Bœtsoï était un chasseur habile et plein d'expérience ; mais il faut que vous sachiez qu'il est habile, non seulement pour dépister la grosse bête, mais encore pour la tuer sans l'endommager, et pour préparer et conserver sa précieuse dépouille. C'est toujours à lui que nous nous adressons quand nous voulons quelque chose de bon et de beau moyennant un prix honnête : des draps de peau de *daim de lait*, qui sont, pour l'été, le coucher le plus frais et le plus souple, et qui se lavent comme du linge ; des peaux d'ours noir à longs poils pour doubler les traîneaux, des manteaux de peau de veau marin, qui sont impénétrables à la pluie, à la neige, et aux longs brouillards d'automne, plus pénétrants et plus malsains que tout le reste ; enfin des raretés et même des curiosités en fait de fourrures, car ce Joë Bœtsoï a beaucoup voyagé dans les pays froids, et il conserve des relations avec des chasseurs qui lui font passer les objets de son commerce par les Lapons nomades et les Norvégiens trafiquants, ces caravanes du Nord dont le renne est le chameau, et dont le commerce n'est souvent qu'un échange de denrées, à la manière des anciens. »

Christian était curieux de voir ces fourrures. Le *danneman* pensa qu'il désirait faire quelque acquisition, et le conduisant avec le major à un petit hangar où les peaux étaient suspendues, il pria Larrson de disposer de toutes ses richesses, à la satisfaction de son ami, sans vouloir seulement savoir le prix de vente avant de le recevoir.

« Tu t'y connais aussi bien que moi, lui dit-il, et tu es le maître dans ma maison. »

Christian, à qui Osmund traduisit ces paroles, admira la confiance du Dalécarlien et demanda si cette confiance s'étendait à quiconque réclamait son hospitalité.

« Elle est généralement très grande, répondit le major ; ici les mœurs sont patriarcales. Le Dalécarlien, ce Suisse du Nord[42], a de grandes et rudes vertus ; mais il habite un pays de misère. L'exploitation des mines y amène beaucoup de vagabonds, et ce monde souterrain cache souvent des criminels qui se soustraient longtemps aux châtiments prononcés contre eux dans d'autres provinces. Le paysan, quand il n'est ni propriétaire, ni employé aux mines, est si misérable qu'il est parfois forcé de mendier ou de voler. Et cependant le nombre des malfaiteurs est infiniment petit quand on le compare à celui des gens sans ressources, dont les ordres privilégiés ne s'occupent nullement. Le paysan riche ne peut donc se fier à tous les passants, et il ne se fie pas davantage au noble, qui vote régulièrement à la diète pour ses propres intérêts, contrairement à ceux des autres ordres ; mais le militaire, surtout le membre de l'*indelta*, est l'ami du paysan. Nous sommes le pouvoir le plus indépendant qui existe, puisque la loi nous assure une existence heureuse et honorable, en dépit de toute influence contraire. On sait que nous sommes généralement dévoués à la royauté quand elle se fait le soutien du peuple contre les abus de la noblesse. C'est son rôle chez nous, et le paysan, qui fait cause commune avec elle, ne s'y trompe pas. Laissez faire, Christian : un temps viendra où diète et sénat seront bien forcés de compter avec le bourgeois et le paysan ! Notre roi n'ose pas. Notre reine Ulrique oserait bien, si son mari avait quelque énergie ; mais la sœur de Frédéric le Grand s'arrêterait-elle en chemin, si une fois elle pouvait rabattre l'orgueil et l'ambition des *iarls* ? J'en doute... Elle ne penserait qu'à étendre le pouvoir royal, sans admettre que la liberté publique doive y gagner. Notre espoir est donc dans Henri, le prince royal. C'est un homme de génie et d'action, celui-là !... Oui, oui ! un temps viendra... Pardon ! j'oublie que vous voulez voir des fourrures, et que vous ne vous intéressez guère à la politique de notre pays ; mais croyez bien que le prince royal...

— Oui, oui, le prince royal », répéta le lieutenant en suivant le major et Christian sous le hangar ; puis il resta pensif, occupé à apprendre par cœur en lui-même les mémorables paroles que venait de dire son ami, afin de se faire une opinion arrêtée sur la situation de son pays, dont il ne se fût pas beaucoup inquiété s'il eût consulté la philosophie apathique qui lui était naturelle ; mais le major avait une idée, il fallait bien que le lieutenant en eût une aussi, et quelle autre pouvait-il avoir ?... Ce raisonnement le conduisit à mettre sans restriction son espoir et sa confiance dans le génie du prince royal. Se trompait-il avec Larrson ? Henri (le futur Gustave III) avait en lui de puissantes séductions : l'instruction, l'éloquence, le courage, et certes, au début de sa carrière, l'amour du vrai et l'ambition de faire le bien ; mais il devait, comme Charles XII et tant d'autres, subir les entraînements de ses propres passions en lutte contre celle du bien public. Après avoir sauvé la Suède de l'oligarchie, il devait la ruiner par le faste aveugle et par les faux calculs d'une politique sans vertu : grand homme quand même à un moment donné de sa vie, celui où, sans répandre une goutte de sang, il parvint à affranchir son peuple de la tyrannie d'une caste fatalement entraînée par ses privilèges à rompre l'équilibre social.

Christian, d'après tout ce qu'il avait pu recueillir de la situation du pays et du caractère présumé du futur héritier de la couronne, partageait volontiers les illusions et les espérances du major ; néanmoins il était encore plus occupé pour le moment, non pas d'acheter la doublure d'un vêtement d'hiver, il n'y pouvait songer, mais de regarder les dépouilles d'animaux que le *danneman* tenait entassées dans son étroit magasin. C'était pour lui un cours d'histoire naturelle relativement à quelques espèces, et Larrson, qui était un chasseur émérite, lui expliquait dans quelles régions du nord de l'Europe ces espèces étaient répandues.

« Puisque nous allons chasser l'ours tout à l'heure, lui dit-il en terminant, il est bon que vous connaissiez d'avance à quelle variété nous aurons affaire. Selon le *danneman* Bœtsoï, c'est un métis ; mais il n'est encore prouvé pour personne que les différentes espèces se reproduisent entre elles. On en compte trois en Norvège [43] : le *bress-diur*, qui vit de feuilles et d'herbes, et qui est friand de lait et de miel ; l'*ildgiersdiur*, qui mange de la viande ; et le *myrebiorn*, qui se nourrit de fourmis. Quant à l'ours blanc des mers glaciales, qui est une cinquième famille encore plus tranchée, je n'ai pas besoin de vous dire que nous ne le connaissons pas.

— Voilà pourtant, dit Christian, deux peaux d'ours polaire qui ne me paraissent pas les pièces les moins précieuses de la collection du *danneman*. A-t-il été chasser jusque sur la mer glaciale ?

— C'est fort possible, répondit le major. Dans tous les cas, il est, comme je vous l'ai dit, en relation avec l'extrême Nord, et il lui arrive fort bien de faire deux cents lieues en traîneau, au cœur de l'hiver, pour aller opérer des échanges avec des chasseurs qui ont fait tout autant de chemin sur leurs patins ou avec leurs rennes pour venir à sa rencontre. Aujourd'hui même il prétend nous mettre en présence d'un métis d'ours blanc et d'ours noir, vu que son pelage lui a paru mélangé ; mais comme il ne l'a vu que la nuit, à la clarté fort trompeuse de l'aurore boréale, je ne vous garantis rien. L'ours est un être si méfiant, que ses mœurs sont encore très mystérieuses, même dans nos contrées, où il abondait il y a cent ans, et où il est encore très commun. On ne sait donc pas si l'ours à la robe mélangée est un métis ou une espèce à part. Les uns croient que, le pelage blanc étant un effet de l'hiver, le pelage pie est un commencement ou une fin de la métamorphose annuelle ; d'autres assurent que l'ours blanc est blanc en toute saison ; mais tout ce que je vous dis là, Christian, vous le savez mieux que moi peut-être... Vous avez lu tant d'ouvrages que je ne connais que de nom...

— C'est précisément parce que j'ai lu beaucoup d'ouvrages que je ne sais rien pour résoudre vos doutes. Buffon contredit Wormsius[44] précisément à l'endroit des ours, et tous les savants se contredisent les uns les autres presque à propos de tout, ce qui ne les empêche pas de se contredire eux-mêmes. Ce n'est pas leur faute en général ; la plupart des lois de la nature sont encore à l'état d'énigme, et si les mœurs des animaux qui vivent à la surface de la terre sont encore si peu ou si mal observées, jugez des secrets que renferment les flancs du globe ! C'est là ce qui me faisait vous dire tantôt que tout homme, si petit qu'il fût, pouvait découvrir des choses immenses ; mais revenons à nos ours, ou plutôt dépêchons-nous de déjeuner pour aller les trouver. Je ne connais aux Suédois qu'un défaut, cher ami, c'est de manger trop souvent et trop longtemps. Je comprendrais cela tout au plus quand ils ont des journées de vingt heures ; mais quand je vois le petit arc de cercle que le soleil doit faire maintenant pour se replonger sous l'horizon, je me demande à quelle heure vous espérez chasser.

— Patience, cher Christian ! répondit le major en riant ; la chasse à l'ours n'est pas longue. C'est un coup de main réussi ou manqué, soit qu'on loge deux balles dans la tête de l'ennemi, soit que d'un revers de patte il vous désarme et vous assomme. Voilà le *danneman* qui nous annonce que le déjeuner est prêt ; marchons. »

L'*ambigu* apporté par les officiers était très confortable ; mais Christian vit bien que les jeunes filles et le *danneman* lui-même regardaient ce bon repas avec une sorte de tristesse humiliée, et qu'après s'être fait une fête d'offrir leurs mets rustiques, ils osaient à peine les exhiber. Dès lors il se fit un devoir d'y goûter et de les vanter, politesse qui lui coûta peu, car le saumon fumé et le gibier frais du *danneman* étaient fort bons, le beurre de renne exquis, les navets tendres et sucrés, les confitures de baies de ronces du Nord aromatiques et rafraîchissantes. Christian apprécia moins le lait aigre servi pour boisson dans des cruches d'étain. Il préféra la piquette fabriquée avec les baies d'une autre ronce qui croît en abondance dans le pays même, et que l'on mange et conserve de mille manières. Enfin il admira, au dessert, le gâteau de Noël, qui avait été fait exprès pour les hôtes du *danneman*, afin qu'ils pussent l'entamer, vu que celui qui était réservé à la famille devait, selon l'usage, rester intact jusqu'à l'Épiphanie. Le *danneman* porta résolument le couteau dans l'édifice de luxe pétri en farine de froment, et fit tomber les tourelles et les clochetons savamment construits par ses filles. Ces grandes personnes, brunes, peu jolies, mais bien faites et coquettement parées de rubans et de bijoux sur un grand luxe de linge blanc et de cheveux noirs tressés, furent alors seulement invitées à prendre leur part du gâteau et à tremper leurs lèvres dans le gobelet de leur père, après que celui-ci l'eut rempli de bière forte. Elles restèrent debout, et firent, avant de boire, une grande révérence et un compliment de nouvelle année à leurs hôtes.

L'impatience que Christian éprouvait ordinairement à table quand il n'avait plus faim, s'était changée en une rêverie profonde. Ses compagnons étaient assez bruyants, bien qu'ils se fussent abstenus de vin et d'eau-de-vie dans la crainte de se laisser surprendre par l'ivresse au moment d'entrer en chasse. Le *danneman*, d'abord réservé et un peu fier, était devenu plus expansif, et paraissait avoir conçu pour son hôte étranger une sympathie particulière, mais cet homme, qui connaissait tous les dialectes du Norrland et même le finnois et le russe d'Archangel, ne parlait le suédois, sa propre langue nationale, qu'avec peine. Christian, qui, avec sa curiosité et sa facilité habituelles, s'exerçait déjà à comprendre le dalécarlien, n'avait saisi que vaguement, et par la pantomime du narrateur, les récits intéressants de ses chasses et de ses voyages, provoqués et recueillis avidement par les autres convives.

Fatigué des efforts d'attention qu'il était obligé de faire et de la chaleur excessive qui régnait dans la chambre, Christian s'était éloigné du poêle et de la table. Il regardait par la fenêtre le sublime paysage que dominait le chalet, planté au bord d'une profonde gorge granitique, dont les flancs noirs, rayés de cascatelles glacées, plongeaient à pic jusqu'au lit du torrent. Les prairies naturelles, inclinées au-dessus de l'abîme, étaient, en beaucoup d'endroits, si rapides, que la neige n'avait pu s'y maintenir contre les rafales, et qu'elles étalaient au soleil leurs nappes vertes légèrement poudrées de givre, brillantes comme des tapis d'émeraudes pâles. Ces restes d'une verdure tendre, victorieuse des frimas, étaient rehaussés par le vert sombre et presque noir des gigantesques pins, pressés et dressés comme des monuments de l'abîme, et tout frangés de girandoles de glace. Ceux qui étaient placés dans les creux où séjournait la neige entassée y étaient ensevelis jusqu'à la moitié de leur fût, et ce fût est quelquefois de cent soixante pieds de haut. Leurs branches, trop chargées de glaçons, pendaient et s'enfonçaient dans la neige, roides comme les arcs-boutants des cathédrales gothiques. A l'horizon, les pics escarpés du Sevenberg dressaient, dans un ciel couleur d'améthyste, leurs crêtes rosées, séjour des glaces éternelles. Il était onze heures du matin environ ; le soleil projetait déjà ses rayons vers les profondeurs bleuâtres qui, à l'arrivée de Christian sur la montagne, étaient encore plongées dans les tons mornes et froids de la nuit. A chaque instant, il les voyait s'animer de lueurs changeantes comme l'opale.

Tout voyageur artiste a signalé la beauté des paysages neigeux sous

les latitudes qui sont, pour ainsi dire, leur théâtre de prédilection. Chez nous, la neige ne parvient jamais à tout son éclat : ce n'est que dans des lieux accidentés, et en de rares journées où elle résiste au soleil, que nous pouvons nous faire une idée de la splendeur des tons qu'elle revêt, de la transparence des ombres que ses masses reçoivent. Christian était pris d'enthousiasme. Comparant le bien-être relatif du chalet (bien-être excessif quant à la chaleur) avec l'âpreté solennelle du spectacle extérieur, il se mit à songer à la vie du *danneman*, et à se la représenter par l'imagination au point de se l'approprier furtivement et de se croire chez lui, dans sa propre patrie, dans sa propre famille.

Il n'est aucun de nous qui, vivement frappé de certaines situations, ne se soit trouvé plongé dans une de ces étranges rêveries où le moment présent nous apparaît simultanément double, c'est-à-dire reflété dans l'esprit comme un objet dans une glace. On s'imagine qu'on repasse par un chemin déjà parcouru, que l'on se retrouve avec des personnes déjà connues dans une autre phase de la vie, et que l'on recommence en tous points une scène du passé. Cette sorte d'hallucination de la mémoire devint si complète chez Christian, qu'il lui sembla avoir déjà entendu clairement cette langue dalécarlienne, tout à l'heure inintelligible pour lui, et qu'en écoutant machinalement la parole douce et grave du *danneman*, il se mit en lui-même à achever ses phrases avant lui et à y attacher un sens. Tout à coup il se leva, un peu comme un somnambule, et, roidissant sa main sur l'épaule du major :

« Je comprends ! s'écria-t-il avec une émotion extrême ; c'est fort étrange,... mais je comprends ! Le *danneman* ne vient-il pas de dire qu'il avait douze vaches, dont trois étaient devenues si sauvages pendant l'été dernier, qu'il n'avait pu les ramener chez lui à l'automne ? qu'il les croyait perdues, et qu'il avait été obligé d'en tuer une d'un coup de fusil, pour l'empêcher de disparaître comme les autres ?

— Il a dit cela en effet, répondit le major, seulement cette histoire ne date pas de l'été dernier. Le *danneman* dit qu'elle lui est arrivée il y a une vingtaine d'années.

— N'importe, reprit Christian, vous voyez que j'ai presque tout compris. Comment expliquez-vous cela, Osmund ?

— Je ne sais, mais j'en suis moins surpris que vous : c'est le résultat de votre incroyable facilité à apprendre toutes les langues, à les construire et à les expliquer en vous-même par les analogies qu'elles ont entre elles.

— Non, cela ne s'est pas fait ainsi en moi ; cela est venu comme une réminiscence.

— C'est encore possible. Vous aurez étudié dans votre enfance une foule de choses dont vous vous souvenez confusément. Voyons à présent, écoutez ce que disent les jeunes filles : le comprenez-vous ?

— Non, dit Christian, c'est fini ; le phénomène a cessé, je ne comprends plus rien. »

Et il retourna vers la fenêtre pour essayer de ressaisir la mystérieuse révélation en écoutant parler ses hôtes ; mais ce fut en vain. Les rêveries confuses se dissipèrent, et, malgré lui, le raisonnement, les impressions réelles reprirent leur empire habituel sur son esprit.

Cependant il ne tarda pas à entrer dans un autre ordre de pensées contemplatives. Cette fois ce n'était plus un passé fantastique qui lui apparaissait ; c'était le songe d'un avenir assez logiquement déduit des résolutions qu'il avait prises, et dont il avait entretenu le major une heure auparavant. Il se voyait vêtu, comme le *danneman*, d'une lévite sans manches par-dessus une veste à manches longues et étroites, chaussé de bas de cuir jaune par-dessus les bas de drap, les cheveux coupés carrément sur le front, assis auprès de son poêle brûlant, et racontant à quelque rare visiteur ses expéditions sur les glaces flottantes, ou sur les courants du terrible gouffre Maelstroem et dans les sentiers perdus du Syltfield.

Dans ce milieu paisible et rude qu'il entrevoyait comme la récompense austère de ses voyages et de ses travaux, il essayait naturellement de se faire l'idée d'une compagne associée aux occupations rustiques de son âge mûr. Christian regardait attentivement les filles du *danneman* ; elles n'étaient pas assez belles pour qu'il se délectât à l'idée d'être l'époux d'une de ces mâles et sévères créatures. Il eût mieux aimé rester garçon que de ne pouvoir vivre intellectuellement avec la compagne de sa vie. Malgré lui, le fantôme de Marguerite voltigeait dans son rêve sous la forme d'une blonde et mignonne fée déguisée en fille des montagnes, et plus jolie avec la chemisette blanche et le corsage vert que dans sa robe à paniers et ses mules de satin ; mais cette fantaisie de toilette n'était qu'un travestissement passager : Marguerite était une figure détachée d'un autre cadre ; elle ne pouvait que traverser le chalet en souriant, et disparaître dans le traîneau bleu et argent, doublé de cygne, où il était à jamais défendu à Christian de s'asseoir à ses côtés.

« Va-t'-en, Marguerite ! se dit-il. Que viens-tu faire ici ? Un abîme nous sépare, et tu n'es pour moi qu'une vision dansant au clair de la lune. La femme que j'aurai sera une épaisse réalité... ou plutôt je n'aurai pas de femme ; je serai mineur, laboureur ou commerçant nomade comme mon hôte, pendant une vingtaine d'années, avant de pouvoir bâtir mon nid sur la pointe d'une de ces roches. Eh bien ! à cinquante ans, je me fixerai dans quelque site grandiose, j'y vivrai en anachorète, et j'élèverai quelque enfant abandonné qui m'aimera comme j'ai aimé Goffredi. Pourquoi non ? Si d'ici là j'ai découvert quelque chose d'utile à mes semblables, ne serai-je pas heureux ? »

C'est ainsi que Christian retournait dans sa tête le problème de sa destinée ; mais son rêve de bonheur, quelque modeste qu'il le construisît, s'écroulait toujours devant l'idée de la solitude.

« Et pourquoi donc depuis vingt-quatre heures, se disait-il, cette obsession d'amour sérieux ? Jusqu'à présent j'avais peu pensé au lendemain. Voyons, ne puis-je m'appliquer à ces éveils et à ces cris du cœur la bonne philosophie que j'opposais, en causant avec Osmund, aux douceurs matérielles de l'existence ? Si j'ai su m'oublier, ou du moins me traiter rudement comme un être physique dans mon projet de réforme, ne puis-je aussi bien imposer silence à l'imagination, qui se met à caresser le bonheur de l'âme ? Allons donc, Christian ! puisque tu as réglé et décidé que tu n'avais pas de droits particuliers au bonheur, ne peux-tu en prendre ton parti, et te dire : Il ne s'agit pas de respirer le parfum des roses, mais de marcher dans les épines sans regarder derrière toi ? »

Christian sentit son cœur se rompre au beau milieu de cet effort de volonté, et son visage fut inondé de larmes, qu'il cacha dans ses mains en prenant l'attitude d'un homme qui sommeille.

« Eh bien ! Christian, s'écria le major en se levant de table, est-ce le moment de dormir, vous qui étiez le plus ardent à la chasse ? Venez boire le coup de l'étrier, et partons. »

Christian se leva en criant *bravo*. Il avait les yeux humides ; mais son franc sourire ne permettait pas de penser qu'il eût pleuré.

« Il s'agit, reprit le major, de savoir qui de nous aura l'honneur d'attaquer le premier sa majesté fourrée[45].

— Ne sera-ce pas, dit Christian, le sort qui en décidera ? Je croyais que c'était l'usage.

— Oui, sans doute ; mais vous nous avez tant divertis et intéressés hier soir, que nous nous demandions tout à l'heure ce que nous pourrions faire pour vous en remercier, et voici ce que le lieutenant et moi avons décidé avec l'agrément du caporal, qui a ici sa voix comme les autres. On tirera au sort, et celui de nous qui sera favorisé aura le plaisir de vous offrir la longue paille.

— Vraiment ! dit Christian. Je vous en suis reconnaissant, je vous en remercie tous du fond du cœur, mes aimables amis ; mais il se pourrait bien que vous fissiez là le sacrifice d'un plaisir que je ne suis pas digne d'apprécier. Je ne me suis pas donné pour un chasseur ardent et habile. Je ne suis qu'un curieux...

— Craignez-vous quelque chose ? reprit le major. Dans ce cas...

— Je ne peux rien craindre, répondit Christian, puisque je ne sais rien des dangers de cette chasse, et je ne crois pas être poltron au point de ne vouloir aller où je présume qu'il y a un danger quelconque à courir. Je répète que je n'y mets aucun amour-propre ; je n'ai jamais fait aucun exploit qui me donne le droit de vouloir accaparer un triomphe : ne pouvez-vous me donner une place qui égalise toutes nos chances ?

— Il n'en peut être ainsi. Toutes les chances sont égales devant le sort ; seulement la bonne est pour celui qui marche le premier.

— Eh bien ! dit Christian, je marcherai le premier et je ferai lever le gibier ; mais si quelqu'un ne tient pas à le tuer de sa propre main, c'est moi, je vous le déclare, et même j'avoue que je préférerais beaucoup avoir le temps d'examiner la pantomime et l'allure vivante de la bête.

— Mais si, avant que vous puissiez l'examiner, elle fuit et nous échappe ? On ne sait rien du caprice qu'elle peut avoir. L'ours est peureux le plus souvent, et à moins d'être blessé, il ne songe qu'à disparaître. Croyez-moi, Christian, chargez-vous de l'attaque, si vous tenez à voir quelque chose d'intéressant. Autrement vous ne verrez peut-être que la bête morte après le combat, car il paraît qu'elle est retranchée dans un lieu étroit, derrière d'épaisses broussailles.

— Alors j'accepte, dit Christian, et je vous promets de vous faire voir, ce soir, sur mon théâtre, une chasse à l'ours où je tâcherai d'introduire des choses divertissantes. Oui, oui, je serai aussi amusant que possible pour vous prouver ma gratitude. Et à présent, major, dites-moi ce qu'il faut faire, et de quelle façon on s'y prend pour tuer un ours proprement, sans le faire trop souffrir, car je suis un chasseur sentimental, et force m'est de vous avouer que je n'ai pas le plus petit instinct de férocité.

— Quoi ! reprit le major, vous n'avez même jamais vu tuer un ours ?

— Jamais !

— Oh ! alors c'est très différent ; nous retirons notre proposition. Personne ici n'a envie de vous voir estropié, cher Christian ! N'est-ce pas, camarades ? Et que dirait la comtesse Marguerite, si on lui ramenait son danseur avec une jambe broyée ? »

Le lieutenant et le caporal furent d'avis qu'il ne fallait pas exposer un novice à une rencontre sérieuse avec la bête féroce ; mais le nom de Marguerite, prononcé là au grand regret de Christian, lui avait fait battre le cœur. Dès ce moment, il mit autant d'ardeur à réclamer la faveur qu'on lui avait octroyée qu'il y avait mis d'abord de modestie ou d'indifférence. « Si je puis tuer l'ours un peu élégamment, pensa-t-il, cette princesse barbare rougira peut-être un peu moins de notre amitié défunte, et si l'ours me tue un peu tragiquement, le souvenir du pauvre histrion sera peut-être arrosé d'une petite larme de pitié versée en secret. »

Quand le major vit que Christian était évidemment contrarié d'avoir à s'en remettre au sort, il engagea ses compagnons à lui rendre son tour de faveur. Seulement il s'approcha du *danneman* et lui dit dans sa langue :

« Ami, puisque tu vas en avant avec notre cher Christian pour lui servir de guide, veille de près sur lui, je te prie. C'est son coup d'essai. »

Le Dalécarlien, étonné, ne comprit pas tout de suite : il se fit répéter l'avertissement, puis il regarda Christian avec attention et secoua la tête.

« Un beau jeune homme, dit-il, et un bon cœur, j'en suis certain ! Il a mangé mon *kakebroë* comme s'il n'eût fait autre chose de sa vie ; il a des dents dalécarliennes, celui-là, et pourtant il est étranger ! C'est un homme qui me plaît. Je suis fâché qu'il ne sache point parler le dalécarlien avec moi, encore plus fâché qu'il aille où de plus fins que lui et moi sont restés. »

Le *kakebroë* auquel le *danneman* faisait allusion n'était autre chose que son pain mêlé de seigle, d'avoine et d'écorce pilée. Comme on ne cuit guère, en ce pays, que deux fois par an, tout au plus, ce pain, qui est déjà très dur par lui-même grâce au mélange de la poudre de bouleau, devient, par son état de dessèchement, une sorte de pierre plate qu'entament difficilement les étrangers. On sait le mot historique d'un évêque danois marchant contre les Dalécarliens au temps de Gustave Wasa : « Le diable lui-même ne saurait venir à bout de ceux qui mangent du bois. »

Comme le *danneman*, malgré son enthousiasme pour l'héroïque mastication de son hôte étranger, ne paraissait pas pouvoir répondre de le préserver, les inquiétudes de Larrson recommencèrent, et il essayait encore de dissuader Christian, lorsque le *danneman* pria tout le monde de sortir, excepté l'étranger. On devina sa pensée, et Larrson se chargea de l'expliquer à Christian.

« Il faut, lui dit-il, que vous vous prêtiez à quelque initiation cabalistique. Je vous ai dit que nos paysans croyaient à toute sorte d'influences et de divinités mystérieuses ; je vois que le *danneman* ne vous conduira pas avec confiance à la rencontre de son ours, s'il ne vous rend invulnérable par quelque formule ou talisman de sa façon. Voulez-vous consentir...

— Je le crois bien ! s'écria Christian. Je suis avide de tout ce qui est un trait de mœurs. Laissez-moi seul avec le *danneman*, cher major, et s'il me fait voir le diable, je vous promets de vous le décrire exactement. »

Lorsque le *danneman* fut tête à tête avec son hôte, il lui prit la main, et lui dit en suédois : « N'aie pas peur. » Puis il le conduisit à un des deux lits qui formaient niche transversale dans le fond de la chambre, et, après avoir appelé par trois fois : « Karine, Karine, Karine ! » il tira un vieux rideau de cuir maculé qui laissa voir une forme anguleuse et une figure d'une pâleur effrayante.

C'était une femme âgée et malade qui parut se réveiller avec effort, et que le *danneman* aida à se soulever pour qu'elle pût regarder Christian. En même temps il répéta à ce dernier : « N'aie pas peur ! » et il ajouta :

« C'est ma sœur, dont tu as pu entendre parler, une *voyante* fameuse, une *vala* des anciens temps ! »

La vieille femme, dont le sommeil avait résisté au bruit du repas et des conversations, parut chercher à rassembler ses idées. Sa figure livide était calme et douce. Elle étendit la main, et le *danneman* y mit celle de Christian ; mais elle retira la sienne aussitôt avec une sorte d'effroi, en disant en langue suédoise :

« Ah ! qu'est-ce donc, mon Dieu ! C'est vous, monsieur le baron ? Pardonnez-moi de ne pas me lever. J'ai eu tant de fatigue dans ma pauvre vie !

— Vous vous trompez, ma bonne dame, répondit Christian, vous ne me connaissez pas ; je ne suis pas baron. »

Le *danneman* parla à sa sœur dans le même sens probablement, car elle reprit en suédois :

« Je sais bien que vous me trompez ; c'est là le *grand iarl* ! Que vient-il faire chez nous ? Ne veut-il pas laisser dormir celle qui a tant veillé ?

— Ne fais pas attention à ce qu'elle dit, repartit le *danneman* en s'adressant à Christian ; son esprit est endormi, et elle continue son rêve. Tout à l'heure elle va parler sagement. »

Et il ajouta pour sa sœur :

« Allons, Karine, regarde ce jeune homme et dis-lui s'il faut qu'il vienne avec moi chasser le *malin*. »

Le paysan dalécarlien appelle ainsi l'ours, dont il ne prononce le nom qu'avec répugnance. Karine se cacha les yeux, et parla avec vivacité à son frère.

« Parlez suédois, puisque vous savez le suédois, lui dit Christian, qui désirait comprendre les pratiques de la voyante. Je vous prie, ma bonne mère, expliquez-moi ce que je dois faire. »

La voyante ferma les yeux avec une sorte d'acharnement et dit :

« Tu n'es pas celui dont je rêvais, ou tu as oublié la langue de ton berceau. Laissez-moi tous les deux, toi et ton ombre ; je ne parlerai pas, j'ai juré de ne jamais dire ce que je sais.

— Aie patience, dit le *danneman* à Christian. Avec elle, c'est toujours ainsi au commencement. Prie-la doucement, et elle te dira ta destinée. »

Christian renouvela sa prière, et la voyante répondit enfin en cachant toujours ses yeux dans ses mains pâles, et en prenant un style poétique qui semblait appris par cœur :

« Le dévorant hurle sur la bruyère, ses liens se brisent ; il se précipite !

Il se précipite vers l'est, à travers les vallées pleines de poisons, de tourbe et de fange. »

— Est-ce à dire qu'il nous échappera ? dit le *danneman*, qui écoutait religieusement sa sœur.

— Je vois, reprit celle-ci, je vois marcher, dans des torrents puants, les parjures et les meurtriers ! *Comprenez-vous ceci ? savez-vous ce que je veux dire ?*

— Non, je n'en sais rien du tout, répondit Christian, qui reconnut le refrain des anciens chants scandinaves de la *Voluspa*, et qui crut reconnaître aussi la voix des galets du Stollborg.

— Ne l'interromps pas, dit le *danneman*. Parle toujours, Karine, on t'écoute.

— J'ai vu briller le feu dans la salle du riche, reprit-elle, mais devant la porte se tenait la mort.

— Est-ce pour ce jeune homme que tu dis cela ? » demanda le *danneman* à sa sœur.

Elle continua sans paraître entendre la question :

« Un jour, dans un champ, je donnai mes habits à deux hommes de bois ; quand ils en furent revêtus, ils semblèrent des héros : l'homme nu est timide.

— Ah ! tu vois ! s'écria Bœtsoï en regardant Christian d'un air de triomphe naïf ; voilà, j'espère, qu'elle parle clairement !

— Vous trouvez ?

— Mais oui, je trouve. Elle te recommande d'être bien vêtu et bien armé.

— C'est un bon conseil, à coup sûr ; mais est-ce tout ?

— Écoute, écoute, elle va parler encore », dit le *danneman*.

Et la voyante reprit :

« L'insensé croit qu'il vivra éternellement s'il fuit le combat ; mais l'âge même ne lui donnera pas la paix : c'est à sa lance de la lui donner. *Comprenez-vous ? savez-vous ce que je veux dire* ?

— Oui, oui, Karine ! s'écria le *danneman* satisfait. Tu as bien parlé, et maintenant tu peux te rendormir ; les enfants veilleront sur toi, et tu ne seras plus troublée.

— Laissez-moi donc, dit Karine ; à présent *la vala retombe dans la nuit.* »

Elle cacha son visage dans sa couverture, et son maigre corps sembla s'enfoncer et disparaître dans son matelas de plumes d'eider [46], riche présent que lui avait fait le *danneman*, plein de vénération pour elle.

« J'espère que tu es content, dit-il à Christian en prenant une longue corde dans un coin de la chambre ; la prédiction est bonne !

— Très bonne, répondit Christian. Cette fois j'ai compris. Rien ne sert aux gens prudents de se cacher, le plus sûr est de marcher droit à l'ennemi. Or donc en route, mon cher hôte ! Mais que voulez-vous faire de cette corde ?

— Donne ton bras, répondit le *danneman*, et il se mit à rouler la corde avec beaucoup de soin autour du bras gauche de Christian. Voilà tout ce qu'il faut pour amuser le malin, dit-il ; pendant qu'il aura ce bras dans ses pattes, de ton autre main tu lui fendras le ventre avec cet épieu ; mais je t'expliquerai en route ce qu'il faut faire. Te voilà prêt, partons.

— Eh bien ! s'écrièrent les officiers qui attendaient Christian dans le vestibule, aurons-nous bonne chance ?

— Quant à moi, dit Christian, il paraît que je suis invulnérable ; mais quant à l'ours, je crains qu'il n'ait aussi bonne chance que moi. La voyante a dit qu'il s'enfuirait du côté de l'est.

— Non, non, répliqua le *danneman*, dont l'air grave et confiant imposait silence à toute plaisanterie ; il a été dit que le dévorant se précipiterait du côté de l'est, mais non pas qu'il ne serait pas tué. Marchons ! »

Avant de suivre Christian à la chasse, nous retournerons pour quelques instants au château de Waldemora, d'où le baron était parti avec tous les hommes valides de sa société, et deux ou trois cents traqueurs, aussitôt après le lever du soleil.

Le point vers lequel se dirigeait cette battue seigneuriale était beaucoup moins élevé sur la montagne que la chaumière du *danneman*. Les dames purent donc s'y rendre, les unes résolues à voir d'aussi près que possible la chasse de l'ours, les autres, moins braves, se promettant bien de ne pas s'aventurer plus loin que la lisière des bois. Parmi les premières était Olga, jalouse de montrer au baron qu'elle s'intéressait à ses prouesses ; parmi les dernières étaient Marguerite qui se souciait peu des prouesses du baron, et Mlle Martina Akerstrom, fille du ministre de la paroisse et fiancée du lieutenant Osburn : excellente personne, un peu trop haute en couleur, mais agréable, affectueuse et sincère, avec qui Marguerite s'était liée de préférence à toute autre. Disons en passant que le ministre Mickelson, dont il a été question dans l'histoire de la baronne Hilda, était mort depuis longtemps, témérairement brouillé, assurait-on, avec le baron Olaüs. Son successeur était un homme très respectable, et, bien que sa cure fût à la nomination du châtelain, ainsi qu'il était de droit pour certains fiefs, il montrait beaucoup de dignité et d'indépendance dans ses relations avec l'homme de neige. Peut-être le baron avait-il compris qu'il valait mieux rester en bons termes avec un homme de bien que d'avoir à ménager les mauvaises passions d'un ami dangereux. Il lui témoignait des égards, et le pasteur plaidait souvent auprès de lui la cause du faible et du pauvre, sans l'irriter par sa franchise.

On se porta en général assez mollement à la chasse du baron. Personne ne pensait qu'on dût rencontrer des ours dans une région aussi voisine du château, surtout après plusieurs jours de bruit et de fêtes. L'ours est défiant et maussade de sa nature. Il n'aime ni les sons de l'orchestre ni les feux d'artifice, et tout le monde se disait à l'oreille que si on en rencontrait un seul, ce ne pouvait être qu'un ours apprivoisé et beau danseur, qui viendrait de lui-même donner la patte au châtelain. Le temps était néanmoins magnifique, les chemins de la forêt fort praticables, et c'était un but de promenade auquel personne ne manqua, même les gens âgés, qui se firent voiturer jusqu'à un pavillon rustique très confortable où l'on devait déjeuner et dîner, soit que l'on eût tué des ours ou des lièvres.

Quand le château fut à peu près désert, Johan, ayant éloigné sous divers prétextes les valets dont il n'était pas sûr, procéda aux fonctions d'inquisiteur qu'il s'était vanté de mener à bien, et tint ainsi qu'il suit avec ponctualité, heure par heure, le compte rendu de sa journée.

« Neuf heures. — L'*Italien* crie la faim et la soif. On le fait taire ; ce n'est pas difficile.

« Personne au Stollborg que Stenson, l'avocat et son petit laquais. Je ne parle pas d'Ulf, l'abruti. Christian Waldo a disparu, à moins qu'il ne soit malade et couché. L'avocat, qui partage sa chambre avec lui, ne laisse entrer personne, et commence à me devenir suspect.

« Dix heures. — Le *capitaine* me fait demander s'il est temps d'agir. Pas encore. L'Italien a encore trop de force. Christian Waldo est décidément à la promenade. Je suis entré dans la fameuse chambre, j'y ai trouvé l'avocat travaillant. Il dit ne pas savoir où est allé l'homme aux marionnettes. J'ai vu le bagage de celui-ci. Il n'est pas loin.

« Onze heures. — J'ai déterré le valet de Christian Waldo dans les écuries du château neuf. Je l'ai fait parler. Il sait le vrai nom de son maître : *Dulac*. Il serait donc Français et non Italien. Une découverte plus intéressante due à ce *Puffo*, c'est que nous avons ici deux Waldo pour un. Puffo n'a pas fait marcher les marionnettes hier soir, et le Waldo à qui j'ai parlé (l'homme à la tache de vin) m'a fait dix mensonges. Son compère dans la représentation est inconnu à Puffo. Ce Puffo était ivre hier, il a dormi. Il ne peut imaginer, dit-il, par qui il a pu être remplacé. J'ai eu envie de l'envoyer au capitaine, mais je crois voir qu'il dit vrai. Je ne le perds pas de vue. Il peut m'être utile.

« Ce second Waldo serait donc le faux Goefle. Alors, en n'ayant pas l'air de nous méfier, nous les tiendrons tous deux ce soir. J'ai cru voir que Stenson était inquiet. J'ai dit qu'on le laissât tranquille. Il faut, à tout événement, qu'il se rassure et ne nous échappe pas.

« Midi. — Je tiens tout : la preuve cachetée, que je vous envoie, et les révélations de l'Italien, que voici. (Il n'y a pas eu la moindre peine à se donner ; la seule vue de la chambre des roses l'a rendu expansif.)

« Christian Waldo est bien celui que vous cherchez. Il est beau et bien fait, son signalement répond exactement à la figure du faux Christian Goefle. L'Italien ne sait rien de l'homme à la tache de vin.

« La fameuse *preuve*, que je vous procure *gratis*, était cachée entre deux pierres, derrière le högar, dans un endroit très bien choisi, que je vous montrerai. Je suis allé la chercher moi-même, et je vous l'envoie sans savoir ce qu'elle vaut. Vous en serez juge. Je fais déjeuner M. l'Italien, dont le vrai nom est Guido Massarelli.

« Ne vous pressez pas de quitter la chasse, et ne faites paraître aucune impatience. S'il y a dans la pièce que je vous envoie quelque chose de sérieux et que ces bateleurs s'entendent avec le Guido, comme ils n'ont pu communiquer avec lui depuis hier, nous les tenons bien. Tous les chemins sont surveillés. Le Guido offre de se mettre contre eux ; mais je ne m'y fie pas. Si tout cela n'est qu'une mystification pour vous faire payer, nous payerons autrement, et nous payerons cher ! »

Ayant clos son bulletin, Johan le lia au portefeuille que Guido avait été forcé de livrer, et expédia le tout bien scellé à l'adresse du baron, au rendez-vous de chasse, par le plus sûr de ses agents.

XIII

Il nous est permis, pendant que cette dépêche court après le baron, de courir nous-mêmes au chalet de Bœtsoï, d'où ce brave *danneman* voulait emmener Christian sans autre arme qu'une corde et un bâton ferré.

« Attendez ! dit le major, il faut que notre ami soit équipé et armé. Votre épieu est bon, maître Joë ; mais un bon coutelas norvégien sera meilleur, et un bon fusil ne sera pas de trop. »

Cédant aux instances du major et du lieutenant, Christian dut endosser une veste de peau de renne et chausser des bottes de feutre sans semelle et sans couture, chaussure souple comme un bas, ne glissant jamais sur la glace ou la neige, et impénétrable au froid. Puis, l'ayant armé et muni de poudre et de balles, les amis de Christian lui mirent sur la tête un bonnet fourré, et l'on tira au sort les places pour la chasse.

« J'ai le numéro un ! s'écria le major tout joyeux ; c'est donc moi qui cède ma place à Christian et qui me poste à cent pas derrière lui ; le lieutenant est à ma gauche, le caporal à ma droite, à cent pas aussi de chaque côté. Partez donc et comptez vos pas, nous suivrons quand vous aurez compté cent, et que vous nous ferez signe. »

Toutes choses ainsi réglées, le *danneman* et Christian ouvrirent la marche, et chacun suivit, en observant les distances convenues. Christian s'étonnait de cet ordre de bataille dès le départ.

« L'ours est-il donc si près, demanda-t-il à son guide, que l'on n'ait pas dix fois le temps de se poster à l'approche de sa tanière ?

— Le *malin* est très près, répondit le *danneman*. Jamais *malin* n'est venu prendre ses quartiers d'hiver si près de ma maison. Je me doutais si peu qu'il fût là, que dix fois je suis passé presque sur son trou sans pouvoir supposer que j'avais un si beau voisin.

— Il est donc beau notre ours ?

— C'est un des plus grands que j'aie vus ; mais commençons à parler bas : il a l'ouïe fine, et avant un quart d'heure il ne perdra pas une de nos paroles.

« — Vos filles n'étaient pas effrayées d'un pareil voisinage ? » dit Christian en se rapprochant du *danneman* et en baissant la voix pour lui complaire, car ses appréhensions lui paraissaient exagérées.

A cette question, Joë Bœtsoï roidit sa grosse tête sur ses larges épaules et regarda Christian de travers.

« *Herr* Christian, mes filles sont d'honnêtes filles, dit-il d'un ton sec.

— Est-ce que j'ai eu l'air d'en douter, *herr* Bœtsoï ? dit Christian étonné.

— Ne sais-tu pas, reprit le *danneman* en faisant un effort pour prononcer un nom qui lui répugnait, ne sais-tu pas que l'*ours*[47] ne peut rien contre une vierge, et que par conséquent une honnête fille peut aller lui arracher des griffes sa chèvre ou son mouton sans rien craindre ?

— Pardon, monsieur le *danneman*, je ne le savais pas ; je suis étranger, et je vois qu'on apprend du nouveau tous les jours. Mais êtes-vous bien sûr que l'ours soit si respectueux envers la chasteté ? Mèneriez-vous une de vos filles avec vous en ce moment ?

— Non ! les femmes ne peuvent pas laisser leur langue en repos ; elles avertissent le gibier par leur caquet. C'est pour cela qu'il ne faut point de filles ni de femmes à la chasse.

— Et si par hasard vous voyiez l'ours poursuivre les vôtres, vous ne seriez pas effrayé ? Vous ne tireriez pas dessus ?

— Je tirerais dessus pour avoir sa peau, mais je ne serais pas inquiet pour mes filles. Je te répète que je suis sûr de leur conduite.

— Mais votre sœur la sibylle, elle a sans doute été mariée ?

— Mariée ? dit le *danneman* en hochant la tête. »

Puis il reprit avec un soupir :

« Mariée ou non, Karine ne craint rien des mauvaises langues.

— Les mauvaises langues viennent-elles jusqu'ici vous tourmenter, maître Joë ? J'aurais cru que dans ce désert... »

Le *danneman* haussa les épaules, et prit, sans répondre, une figure mécontente.

« Vous ai-je encore déplu sans le savoir ? lui demanda Christian quelques instants après.

— Oui, répondit le *danneman*, et comme il n'est pas bon d'aller ensemble où nous allons quand on a quelque chose sur le cœur, je veux savoir pourquoi tu m'as demandé si Karine avait peur de l'ours. Je n'irai pas plus avant que je ne sache si tu as eu une mauvaise pensée contre elle ou contre moi. »

Devant cet appel à sa sincérité, fait avec une sorte de grandeur antique, Christian se sentit embarrassé de répondre. Il avait, en questionnant Bœtsoï sur Karine, cédé à un mouvement de curiosité qui tenait à des causes mystérieuses en lui-même, et qu'il lui était impossible d'expliquer. Il crut s'en tirer par une rectification du fait.

« Maître Joë, dit-il, je n'ai pas demandé si votre sœur avait peur de l'ours, mais si elle avait été mariée, et je ne vois rien d'offensant dans ma question. »

Le paysan le troubla par un regard d'une pénétration extraordinaire.

« La question ne m'offense pas, dit-il, si tu peux me jurer n'avoir écouté, avant de venir chez moi, aucun mauvais propos sur ma famille. »

Et comme Christian, se rappelant les paroles du major, hésitait à répondre, Bœtsoï reprit :

« Allons, allons ! j'aime mieux que tu ne mentes point. Tu n'as pas de raisons pour être mon ennemi, et tu peux me dire ce que l'on t'a raconté de l'enfant du lac.

— L'enfant du lac ! s'écria Christian. Qu'est-ce que l'enfant du lac ?

— Si tu ne sais rien, je n'ai rien à te dire.

— Si fait, si fait ! reprit Christian... Je sais... Je crois savoir... Parlez-moi comme à un ami, maître Joë. L'enfant du lac est-il le fils de Karine ?

— Non, répondit le *danneman*, dont la physionomie s'anima d'une singulière exaltation. Il était bien à elle, mais il n'avait pas été conçu et enfanté comme les autres. Karine a eu du malheur, comme il en arrive aux filles qui apprennent des choses au-dessus de leur état, et qui lisent dans les livres d'une religion que nous ne devons plus connaître ; mais elle n'a pas fait le mal qu'on dit. J'ai été trompé là-dessus comme les autres, moi qui te parle ! Il fut un temps, j'étais encore bien jeune alors, où je voulais envoyer une balle dans la tête d'un homme dont Karine parlait trop dans ses rêves ; mais Karine a juré à notre mère et à moi qu'elle haïssait cet homme-là. Elle l'a juré sur la Bible, et nous avons dû la croire. L'enfant a été nourri dans la montagne par une daine apprivoisée, qui suivait Karine comme une chèvre. Elle demeura plus d'un an seule avec lui dans une autre maison que nous avons, bien plus haut que celle où tu es entré. Quand l'enfant a été sevré, nous l'avions reçu chez nous et nous l'aimions. Il grandissait, il parlait et il était beau ; mais un jour il est parti comme il était venu, et Karine a tant pleuré que son esprit s'est envolé pendant longtemps après lui. Il y a bien du mystère là-dessous. Ne sait-on pas qu'il y a des femmes qui mettent des enfants au monde par la parole seulement, de la même manière qu'elles les ont conçus, en respirant trop l'air que les trolls de nuit agitent sur les lacs ? Karine avait trop demeuré là-bas, et on sait bien que le lac de Waldemora est mauvais. En voilà assez là-dessus. C'est le secret de Dieu et le secret des eaux. Il ne faut pas mal penser de Karine. Elle ne travaille pas, elle ne sert à rien qui se compte et qui se voie dans une maison ; mais elle est de celles qui, par leur savoir et leurs chants, portent bonheur aux familles. Elle voit ce que les autres ne voient pas, et ce qu'elle annonce arrive d'une manière ou de l'autre. C'est assez parlé, je te dis, car nous voilà devant le fourré, et à présent il ne faut plus penser qu'au malin. Écoute-moi bien, et ensuite plus un mot, plus un seul, quand même il irait de la vie...

— Quand même il irait de la vie, dit Christian ému et frappé du mystérieux récit du *danneman*, il faut que vous me parliez de cet enfant qui a été élevé chez vous. N'avait-il pas aux doigts quelque chose de particulier ? »

La figure du *danneman* se colora, malgré le froid, d'une vive rougeur.

« Je vous ai dit, reprit-il d'un ton irrité, tout ce que je voulais dire. Si c'est pour m'insulter dans l'honneur de ma famille que vous êtes venu manger mon pain et tuer mon gibier, prenez garde à vous ou renoncez à la chasse, *herr* Christian, car, aussi vrai que je me nomme Bœtsoï, je vous laisse seul avec le malin.

— Maître Bœtsoï, répondit Christian avec calme, cette menace m'effraye beaucoup moins que la crainte de vous affliger. Je vous permets de me laisser seul avec le malin, si bon vous semble : je tâcherai d'être plus malin que lui ; mais je vous prie de ne pas emporter de moi une mauvaise opinion. Nous reprendrons cet entretien, je l'espère, et vous comprendrez que jamais la pensée d'outrager l'honneur de votre famille n'a pu entrer dans mon esprit.

— C'est bien, reprit le *danneman* ; alors parlons du malin. Ou il fuira lestement avant que nous ayons gagné sa tanière, et alors tu tireras sur lui, ou il acceptera le combat et se lèvera debout. Tu sais bien où est la place du cœur, et, avec ce bon couteau, il faudrait que la main te tremblât pour le manquer. Fais attention à une seule chose, c'est qu'il ne désarme pas ta main droite avant d'avoir saisi ton bras gauche, car il voit très bien les armes, et il a plus de raisonnement qu'on ne pense. Vas-y donc doucement et tranquillement, sans te presser. Tant que le malin n'est pas blessé, il n'est pas insolent, et il ne sait pas bien ce qu'il veut faire. Quelquefois il grogne et se laisse approcher. Quant à moi, j'ai coutume de lui parler et de lui promettre de ne lui faire aucun mal : ce n'est pas mentir que de mentir à une bête. Je te conseille donc de lui dire quelque parole caressante : il a assez d'esprit pour comprendre qu'on le flatte, il n'en a pas assez pour deviner qu'on le trompe. Et maintenant attends que je voie si ces messieurs prennent bien la direction qu'il faut pour cerner la tanière, car, si la bête nous échappait, il ne faudrait pas qu'elle pût échapper aux autres. Je reviens dans cinq minutes. »

Christian resta seul dans un site étrange. Depuis le chalet, il avait fait avec son guide environ une demi-lieue au sein d'une forêt magnifique jetée en ondes épaisses et larges sur le dos de la montagne. La profusion des beaux arbres dans ces régions et la difficulté de les transporter pour l'exploitation sont cause de la prodigalité pour ainsi dire méprisante, on oserait même dire impie, avec laquelle sont traitées ces nobles productions du désert. Pour faire le moindre outil, le moindre jouet (les pâtres dalécarliens, comme les pâtres suisses, taillent et sculptent très adroitement le bois résineux), on sacrifie sans regret une colosse de verdure, et souvent, pour ne pas se donner la peine de l'abattre, on met le feu au pied : tant pis si l'incendie se propage et dévore des forêts entières ! En beaucoup d'endroits, on voit des bataillons de monstres noirs se dresser sur la neige, ou, dans l'été, sur une plaine de cendres. Ce sont des tiges calcinées qui ne servent plus de retraite à aucun animal, et où règnent le silence et l'immobilité de la mort[48]. Ceux qui chassent en Russie s'affligent de trouver dans les splendides forêts du Nord la même incurie et les mêmes profanations.

Le lieu où Christian se trouvait n'avait été ni brûlé ni abattu ; il offrait une scène de bouleversement moins irritante, le spectacle d'un abandon imposant et d'une destruction grandiose, due aux seules causes naturelles : la vieillesse des arbres, les éboulements du sol, le passage des ouragans. C'était l'aspect d'une forêt vierge qui aurait été saisie dans les glaces voyageuses des mers polaires. Les grands pins fracassés s'appuyaient tout desséchés sur leurs voisins verts et debout, mais dont ils avaient brisé la tête ou les maîtresses branches par leur chute. D'énormes rochers avaient roulé sur les pentes, entraînant un monde de plantes qui s'étaient arrangées pour vivre encore, tordues et brisées, ou pour renaître sur ces débris communs. Ce cataclysme était déjà ancien de quelques années, car de jeunes bouleaux avaient poussé sur des éminences qui n'étaient que des amas de détritus et de terres entraînées. Au moindre vent, ces arbres, déjà beaux, balançaient les glaçons au bout de leurs branches légères et pendantes avec un bruit rapide et sec qui rappelait celui d'une eau courant sur les cailloux.

Ce lieu sauvage était sublime. Christian voyait, à mille pieds au-dessous de lui, l'*elf* ou *strœm* (c'est ainsi qu'on appelle tous les cours d'eau) présenter les mêmes couleurs et les mêmes ondulations que s'il n'eût pas été glacé. A cette distance, il eût été impossible à un sourd de savoir s'il ne roulait pas ses flots avec fracas, car l'œil était absolument trompé par sa teinte sombre et métallique, toute boursouflée d'énormes remous blancs comme de l'écume. Pour Christian, dont l'oreille eût pu saisir le moindre bruit montant du fond de l'abîme, l'aspect agité de ce torrent impétueux contrastait singulièrement avec son silence absolu. Rien ne ressemble à un monde mort comme un monde ainsi pétrifié par l'hiver. Aussi le moindre symptôme de vie dans ce tableau immobile, une trace sur la neige, le vol court et furtif d'un petit oiseau, cause-t-il une sorte d'émotion. Cette surprise est presque de l'effroi, quand c'est un élan ou un daim dont la fuite retentissante éveille brusquement les échos endormis de la solitude.

Et cependant Christian ne songeait pas plus à admirer en ce moment la nature qu'à se préparer à combattre le *malin*. Une pensée douloureuse et terrible avait traversé son âme. Le récit bizarre du *danneman*, d'abord très obscur à cause de son langage incorrect et de ses idées superstitieuses, venait de s'éclaircir et de se résumer dans son esprit. Cette sibylle rustique qui avait été séduite par le troll du lac, cet enfant mystérieux élevé dans le chalet du *danneman*, et disparu à l'âge de trois ou quatre ans, ces hallucinations de mémoire que Christian avait éprouvées durant le repas, et qui n'étaient peut-être que des souvenirs tout à coup réveillés...

« Oui, se disait-il, à présent la mémoire ou l'illusion me revient.

Les trois vaches perdues... il y a une vingtaine d'années, le coup de fusil qui a arrêté la quatrième... Il me semble que je l'entends, ce coup mortel, il me semble que je vois tomber la pauvre bête, et que je ressens l'impression de douleur et de regret que je ressentis alors ; ce fut peut-être la première émotion de ma vie, celle qui éveille en nous la vie du sentiment. Mon Dieu, il me semble que tout un monde oublié se ranime et se lève devant moi ! Il me semble que c'est là-bas, au tournant du rocher, sur le bord de ce talus à pic, d'un ton rougeâtre, que la scène s'est passée. Il me semble y être ! Était-ce moi ou mon âme dans quelque existence antérieure ?... Mais si c'est moi, qui donc est mon père ? Quel est cet homme que le *danneman* a failli tuer lorsque le soupçon n'était pas encore endormi par la superstition ? Pourquoi la sibylle... ma mère peut-être !... a-t-elle frissonné tout à l'heure en touchant mes doigts ? Elle était plongée dans une sorte de rêve, elle n'a pas regardé ma figure, mais elle a dit que j'étais le baron !... Et tout à l'heure, quand j'ai demandé au *danneman* si l'enfant n'avait pas aux mains un signe particulier, sa colère et son chagrin ne prouvent-ils pas qu'il avait remarqué et compris ce signe héréditaire, peut-être plus apparent chez l'enfant qu'il ne l'est maintenant chez l'homme ?

D'ailleurs, quand même il l'eût observé aujourd'hui chez moi, son esprit était loin de faire un rapprochement. Il ne lui est pas venu à la pensée de chercher à me reconnaître. Il n'a vu en moi qu'un étranger curieux et railleur qui lui demandait le secret de sa famille, et ce secret, c'est sa honte ; il aime mieux en faire une légende, un conte de fées. On l'offense en doutant du merveilleux qu'il invoque, on l'irrite en lui disant que l'enfant avait peut-être les doigts faits comme ceux du baron Olaüs. Il n'y a, dit-on, que la vérité qui offense, j'avais donc deviné... La pauvre Karine n'a-t-elle pas été effrayée en me prenant pour son séducteur ?

Son séducteur ! qui sait ? Cet homme, haï et méprisé de tous, lui a peut-être fait violence. Elle aura caché son malheur, elle aura exploité la croyance aux esprits de perdition, pour empêcher son jeune frère le *danneman* de s'exposer en cherchant à tirer vengeance d'un ennemi trop puissant. Pauvre femme ! Oui, certes, elle le hait, elle le craint toujours ; elle est devenue voyante, c'est-à-dire folle, depuis son désastre ; elle avait reçu une sorte d'éducation, puisqu'elle sait par cœur les antiques poésies de son pays, et quand elle s'exalte, elle trouve dans le souvenir confus de ces chants tragiques des accents de menace et de haine. Enfin, rêverie spécieuse ou commentaire logique, je crois voir ici le doigt de Dieu qui me ramène à la chaumière d'où j'ai été enlevé... Pourquoi, et par qui ?... Est-ce le *danneman*, voyageur intrépide, qui m'a conduit au loin pour délivrer sa sœur d'un remords vivant, ou sa famille d'une tache brûlante ? dois-je croire plutôt à la jalousie de la femme d'Olaüs, selon l'hypothèse rapportée par le major ? »

Toutes ces pensées se pressaient dans le cerveau de Christian, et son âme était navrée d'effroi et de douleur. L'idée d'être le fils du baron Olaüs ne faisait que redoubler son aversion. En de telles circonstances, il ne pouvait voir en lui qu'un ennemi de l'honneur et du repos de sa mère. « Qui sait encore, se disait-il, si ce n'est pas lui qui m'a fait enlever pour se dérober à quelque promesse, à quelque engagement contracté envers sa victime ? Ah ! s'il en était ainsi, je resterais dans ce pays. Sans chercher à me faire reconnaître, je me mettrais au service du *danneman* ; par mon travail et mon dévouement, certes je me ferais estimer de lui, aimer peut-être de cette famille qui est la mienne, et je pourrais m'efforcer de rendre, sinon la raison, du moins la tranquillité à cette pauvre voyante, comme j'avais réussi à ramener le calme dans les rêves de ma chère Sofia Goffredi. Bizarre destinée que la mienne, qui m'aurait ainsi condamné à avoir deux mères égarées par le désespoir ! Eh bien ! cette condamnation imméritée, c'est un devoir qui m'est tracé pour arriver à quelque mystérieuse récompense. Je l'accepte. Karine Bœtsoï ne se rappelle peut-être pas qu'elle a perdu son enfant, mais elle retrouvera les soins et la protection d'un fils. »

En ce moment, il sembla à Christian qu'on l'appelait. Il regarda devant lui et de tous côtés ; il ne vit personne. Le *danneman* lui avait dit de l'attendre, il devait revenir le chercher : Christian hésita ; mais au bout d'un instant un cri de détresse le fit bondir, saisir ses armes, et s'élancer dans la direction de la voix.

En escaladant avec une prodigieuse agilité les arbres renversés, les monceaux de débris durcis par la glace et les monstrueuses racines entrelacées, Christian arriva sans le savoir à vingt pas de la tanière de l'ours. L'animal terrible était couché entre lui et cet antre, il léchait le sang qui teignait la neige autour de ses flancs. Le *danneman* était debout sur le seuil du repaire, pâle, les cheveux au vent et comme hérissés sur sa tête, les mains désarmées. Son épieu, brisé dans le flanc de l'ours, gisait auprès de l'animal, et, au lieu de songer à ôter son fusil de la bandoulière pour l'achever, Bœtsoï semblait fasciné par je ne sais quelle terreur, ou enchaîné par je ne sais quelle prudence inexplicable.

Dès qu'il aperçut Christian, il lui fit des signes que celui-ci ne put comprendre, mais il devina qu'il ne fallait point parler et visa l'ours. Heureusement, avant de tirer, il leva encore une fois les yeux sur Joë Bœtsoï, qui lui intima par un geste désespéré l'ordre de s'arrêter. Christian imita sa pantomime pour lui demander s'il fallait l'égorger sans bruit, et, sur un signe de tête affirmatif, il marcha droit à l'ours qui, de son côté, se leva tout droit en grondant pour le recevoir. « Vite, vite ! ou nous sommes perdus ! » cria le *danneman*, qui avait pris son fusil et semblait guetter quelque chose d'invisible au fond de la tanière.

Christian ne se le fit pas dire deux fois. Présentant aux étreintes un peu affaiblies de l'ours blessé son bras enveloppé de la corde, il l'éventra proprement, mais sans songer que l'animal pouvait tomber en avant et qu'il fallait se rejeter vivement de côté pour lui faire place. L'ours heureusement tomba de côté et entraîna Christian dans sa chute, mais sans que ses redoutables griffes, crispées par le dernier effort de la vie, pussent saisir autre chose que le pan de sa casaque. Ainsi enfoncé

dans la neige et pour ainsi dire cloué par le poids et les ongles du *malin* sur le bord de son vêtement, Christian eut quelque peine à se débarrasser, et il y laissa une notable partie de la veste de peau de renne que lui avait prêtée le major ; mais il n'y songea guère. Le *danneman* était aux prises avec d'autres ennemis ; il venait de tirer au juger dans l'antre obscur, et un autre *malin* noir, jeune, mais d'assez belle taille, était venu à sa rencontre d'un air menaçant, tandis que deux oursons de la grosseur de deux forts doguins se jetaient dans ses jambes, sans autre intention que celle de fuir, mais d'une manière assez compromettante pour la sûreté de son équilibre. Le *danneman*, résolu à périr plutôt que de livrer passage à sa triple proie, s'était arc-bouté contre les troncs d'arbre qui formaient au repaire une entrée en forme d'ogive naturelle. Il luttait contre le jeune ours que son coup de fusil avait blessé ; mais, ébranlé malgré lui par les petits, il venait de tomber, et le blessé, furieux, se jetait sur lui, quand Christian, sûr de son coup d'œil et de son sang-froid, brisa d'une balle la tête de l'animal, à un pied au-dessus de celle de l'homme.

« Voilà qui est bien, dit le *danneman* en se relevant avec agilité ; mais les deux oursons lui avaient passé sur le corps, et il ne songeait qu'à ne pas les laisser échapper.

— Attendez, attendez ! lui dit Christian en suivant de l'œil les deux fugitifs, voyez ce qu'ils font !... »

Les deux oursons s'étaient dirigés vers le cadavre de leur mère et s'étaient glissés et blottis sous ses flancs ensanglantés.

« C'est juste, dit le *danneman* en frottant son bras, que l'ours noir avait meurtri à travers la corde ; ce n'est pas à nous de les tuer. Nous avons chacun notre proie. Appelle tes camarades, moi, je suis trop essoufflé, et puis j'ai eu peur, je le confesse. Je l'ai échappé belle. Sans toi... Mais appelle donc. Je te dirai ça tout à l'heure. »

Et tandis que Christian appelait de toute la force de ses poumons, le *danneman*, un peu tremblant, mais toujours attentif, rechargeait à la hâte son fusil pour le cas où les oursons abandonneraient le corps de leur mère, et voudraient fuir avant l'arrivée des autres chasseurs.

Ils parurent bientôt, arrivant de trois côtés, avertis déjà par les coups de fusil, Larrson, le premier, criant victoire pour Christian à la vue de l'ourse énorme couchée à ses pieds.

« Prenez garde ! arrêtez-vous ! s'écria Christian. Notre ourse était pleine, elle vient de mettre bas deux beaux petits. Je vous demande grâce pour ces pauvres orphelins. Prenez-les vivants.

— Certes, répondit Larrson. A l'aide, camarades ! Il s'agit ici de faire des élèves ! »

On entoura le cadavre de l'ourse et on le souleva avec précaution, car il y a toujours à se méfier de l'ours qui paraît mort. On s'empara avec quelque peine des deux petits, qui déjà montraient les dents et les griffes, et qui furent liés et muselés avec soin, après quoi on eut le loisir d'admirer l'ample capture qu'avait recélée la tanière, et il y eut des regrets à demi exprimés que le *danneman* s'empressa de prévenir.

« Il faut que vous me pardonniez ce que j'ai fait, dit-il aux jeunes officiers. Je me doutais bien que cette grande bigarrée était une mère : l'ai-je dit qu'elle était bigarrée ? Oh ! je l'avais bien vue ; mais je n'avais pas pu bien voir les petits, et quant à l'*ami*, je ne l'avais pas vu du tout. On m'avait bien dit que souvent la mère emmenait dans son hivernage un jeune malin qui n'était ni le père de ses petits, ni même un individu de son espèce, pour défendre et conduire ses enfants dans le cas où elle serait tuée. Je ne le croyais le pas beaucoup, ne l'ayant jamais vu. A présent je le vois et j'y croirai. Si je l'avais cru, j'aurais emmené deux de vous afin que chacun pût abattre une belle pièce ; mais qui pouvait s'attendre à cela ? Ne comptant pas tirer, je n'avais pris mon fusil que par précaution, dans le cas où le *herr* que je conduisais manquerait son coup et se mettrait en danger. Quant à l'épieu ferré, je croyais si peu m'en servir, que je n'avais pas seulement regardé si celui que je prenais était en bon état... Eh bien ! voici ce qui est arrivé, continua le *danneman* en s'adressant à Christian. J'avais dit que je reviendrais te prendre après avoir posté les autres, et, quand cela a été fait, je pensais revenir droit sur toi ; mais il faut croire que quelque bête avait dérangé mes brisées de la nuit dernière, car, sans m'égarer précisément, j'ai passé devant la tanière et je ne me suis reconnu que quand il était trop tard pour reculer. La maligne m'avait entendu, elle venait sur moi, parce qu'elle avait des petits. J'ai essayé de lui faire peur avec mes bras pour la faire rentrer chez elle ; elle n'a pas voulu avoir peur, elle s'est levée. Je lui ai fendu le ventre, il le fallait bien, et en même temps j'ai appelé par deux fois. Au bruit de ma voix, l'*ami* s'est montré à l'entrée de la maison, et, pour l'empêcher de se sauver, j'ai couru me mettre devant, sans songer que mon épieu était resté brisé auprès de la mère. Je la croyais morte ; mais quand j'ai été là, elle s'est relevée, recouchée et relevée deux fois. Alors le temps m'a paru bien long avant de te voir arriver, *herr* Christian, car d'un côté j'avais la mère qui, d'un moment à l'autre, pouvait retrouver la force de se jeter sur moi, et de l'autre côté l'*ami*, qui s'était reculé au fond du trou et qui attendait ce renfort pour me chercher querelle, sans compter les deux petits que je m'attendais bien à avoir dans les jambes quand la bataille serait engagée. Pour faire face à tout cela, je n'avais qu'un coup de fusil, et ce n'était pas assez ; je n'osais pas seulement coucher en joue, car, à la vue de l'arme braquée, les malins se décident plus vite. J'ai eu peur, je peux bien l'avouer sans honte, puisque je n'ai pas lâché pied, et que voilà les quatre pièces dans nos mains. J'ai attendu, ça m'a paru un an, et pourtant je crois que tu es venu vite, *herr* Christian, puisque tout s'est bien passé,... oui, très bien passé, je dis, et tu es un homme ! Je suis fâché qu'il y ait eu auparavant trois mots de fiel entre nous deux. Cela est oublié, et je te dois mon cœur comme je te dois ma vie. Embrassons-nous, et considère que je t'embrasse comme si tu étais mon fils. »

Christian embrassa avec effusion le Dalécarlien, et celui-ci raconta aux autres comment, après avoir lestement achevé l'ours corps à corps, le jeune homme avait tué l'*ami* fort à propos, à *deux pouces de sa chrétienne figure.* Christian dut défendre sa modestie de l'exagération du *danneman* quant à ce dernier point ; mais comme Bœtsoï, enthousiasmé, n'en voulut rien rabattre et qu'il n'y avait aucun moyen d'aller aux preuves, l'exploit du jeune aventurier prit des proportions colossales dans l'imagination de Larrson et de ses amis. Leur estime pour lui augmenta d'autant, et il n'y a point trop lieu de s'en étonner. La présence d'esprit est la faculté du vrai courage. On plaint celui qui succombe, on admire celui qui réussit. Sans consentir à s'admirer lui-même, Christian éprouvait une vive satisfaction d'avoir acquis des droits à l'amitié du *danneman*, qu'il s'obstinait à regarder désormais comme son proche parent ; mais il se garda bien de revenir à ses imprudentes questions, et il résolut de chercher ailleurs la vérité, dût-il y perdre beaucoup de temps et y dépenser beaucoup de patience.

Les deux ours morts, et surtout la mère, étaient un poids considérable, plus de quatre cents livres entre eux deux. Les traîner dans les aspérités du terrain d'où l'on avait peine à se tirer soi-même semblait impossible. Des chevaux même n'en fussent pas venus à bout. Comme le jour allait bientôt décroître et que l'on voulait rejoindre la chasse du baron, on se trouvait embarrassé de richesses. Les oursons mêmes, qui ne voulaient pas marcher, devenaient fort incommodes.

« Allez-vous-en, dit le *danneman* ; avec mes enfants, j'aurai bientôt abattu deux ou trois jeunes arbres et fabriqué une claie sur laquelle nous chargerons le tout, et que nous ferons glisser jusque chez moi. De là je vous enverrai la prise par mon traîneau et mon cheval, et tout cela vous arrivera dans deux heures à votre bostœlle pour que vous puissiez montrer votre chasse à tous vos amis.

— Et nous renverrons demain les animaux morts, dit Larrson, car c'est à vous seul que nous voulons confier le soin de les écorcher et de les préparer. N'est-ce pas votre avis, Christian ?

— Je n'ai pas d'autre avis que le vôtre, répondit Christian.

— Pardon ! reprit le major, nous avons acheté un ours au *danneman* ; c'est celui que vous avez tué : il vous appartient, comme celui qu'il a tiré est à lui, s'il ne veut nous le vendre.

— Il les a tués tous deux, dit Christian ; je n'ai fait que les achever ; je n'ai droit à rien. »

Il y eut un assaut de délicatesse où le *danneman* se montra aussi scrupuleusement loyal que les autres. Enfin Christian dut céder, et accepter l'ourse femelle pour sa part. Les deux oursons furent payés comme un ours au *danneman*, qui dut accepter en toute propriété *l'ami de madame l'ourse.* Toutes choses ainsi réglées, le major et ses amis voulurent emmener Christian ; mais celui-ci refusa de les suivre.

« Je n'ai que faire, leur dit-il, à la chasse du baron, laquelle, m'avez-vous dit, n'a rien d'intéressant après celle-ci. Je n'ai d'ailleurs pas le temps de m'y rendre. Je dois rentrer au Stollborg le plus tôt possible pour m'occuper de ma représentation. Songez que, pour deux jours encore, je suis lié par un contrat au métier de *fabulator*. Je reste ici pour aider le *danneman* à emporter les *malins*, après quoi je profiterai de son traîneau pour retourner jusqu'au lac. N'oubliez pas que vous avez promis à M. Goefle et à moi de venir me voir au Stollborg.

— Nous irons après le souper et la comédie, répondit le major. Comptez sur nous.

— Et moi, dit le *danneman* à Christian, je vous réponds de vous faire arriver au lac avant la nuit. »

Il n'y avait pas beaucoup de temps à perdre. Les officiers allèrent rejoindre leurs traîneaux de campagne, et le *danneman*, aidé de Christian, son fils Olof et sa fille aînée, qui était venue les rejoindre, procéda avec une grande adresse et une grande promptitude à la confection de son traîneau à bras. Dès que le gibier fut chargé, on le fit descendre promptement, les uns tirant, les autres poussant ou retenant, jusqu'au chalet.

Dès qu'on y fut arrivé, Christian chercha des yeux la voyante. Le rideau du lit était fermé et immobile. Était-elle encore là ? Il eût voulu revoir cette femme mystérieuse et tâcher de lui parler ; mais il n'osa pas approcher de son lit. Il lui sembla que le *danneman* ne le perdait pas de vue, et que toute apparence de curiosité lui eût beaucoup déplu.

La plus jeune des filles du *danneman* apporta de l'eau-de-vie fabriquée dans la maison, cette fameuse eau-de-vie de grains[49], dont plus tard Gustave III fit un monopole de l'État, créant ainsi un impôt onéreux et vexatoire qui lui fit perdre toute sa popularité, et qui de fait replongea dans la misère ce peuple qu'il avait délivré de la tyrannie des nobles. L'usage fréquent de l'eau-de-vie est-il une nécessité de ces climats rigoureux ? Christian ne le pensait pas, d'autant plus que cette boisson, fabriquée par le *danneman* en personne, et dont il était fier, arrachait littéralement le gosier. Le brave homme pressait son hôte d'en boire largement, ne comprenant pas qu'après avoir tué deux ours, il n'éprouvât pas le besoin de s'enivrer un peu. Christian ne pouvait pousser jusque-là l'obligeance, et bien qu'il eût souhaité être de force à griser Bœtsoï sans se griser lui-même, circonstance qui eût peut-être amené la prompte découverte du secret de la famille, il se borna à boire du thé laissé à son intention par le major, et qui lui fut servi bien chaud dans une tasse de bois très délicatement taillée et sculptée par le jeune Olof.

Le jeune homme se sentait un peu humilié d'avoir pris le plaisir princier de tuer un ours aux dépens de ses amis, car en somme cet ours appartenait au *danneman*, comme tout gibier appartient sans conteste à celui qui le découvre sur ses terres. On avait fait présent à Christian de sa capture, c'est-à-dire qu'on l'avait payée pour lui. Il apprit avec plaisir du *danneman* que ce payement n'avait pas encore été effectué, le major et ses amis n'ayant pas prévu que la chasse serait aussi abondante, et n'ayant pas apporté l'argent nécessaire. Christian s'informa du prix.

« C'est selon, dit le *danneman* avec fierté ; si on me laisse la bête, comme il arrive quelquefois, ce n'est rien qu'un remerciement que je dois à celui qui m'a aidé à l'abattre ; mais sans doute, *herr* Christian, tu souhaites garder la peau, les pattes, la graisse et les jambons ?

— Je ne souhaite rien de tout cela, dit en riant Christian. Qu'en ferais-je, bon Dieu ? Je vous prie de garder le tout, *herr* Bœtsoï, et, comme je présume que vous avez le droit de vendre un peu plus cher à ceux qui prennent sur vos terres le plaisir de la chasse qu'à ceux qui achètent purement et simplement une denrée, je vous prie d'accepter trente dalers que j'ai là sur moi... »

Christian acheva sa phrase en lui-même :

« Et qui sont tout ce que je possède.

— Trente dalers ! s'écria le *danneman*, c'est beaucoup ; tu es donc bien riche ?

— Je le suis assez pour vous prier de les accepter. »

Le *danneman* prit l'argent, le regarda, puis il regarda les mains de Christian, mais sans en rien remarquer que la blancheur.

« Ton or est bon, dit-il, et ta main est blanche. Tu n'es pas un homme qui travaille, et pourtant tu manges le kakebroë comme un Dalécarlien. Ta figure est du pays et ton langage n'en est pas... Les habits que tu avais en venant ici ne sont pas plus beaux que les miens. Ce que je vois, c'est que tu es fier ; c'est que tu ne veux pas que tes amis, qui t'ont cédé le plaisir de tuer le malin, dépensent encore leur argent pour toi.

— Précisément, *herr* Bœtsoï, vous y voilà.

— Sois tranquille. Joë Bœtsoï est un honnête homme ; il ne recevra rien de tes amis, puisque tu lui laisses ton gibier. Quant à accepter de toi une récompense... cela dépend. Peux-tu me jurer, sur l'honneur, que tu es un jeune homme riche, un fils de famille ?

— Qu'importe ? dit Christian.

— Non, non, reprit le *danneman* ; tu m'as sauvé la vie, je ne t'en remercie pas, c'est ce que j'aurais fait pour toi ; mais tu es un fin tireur, et de plus tu es un homme qui sait écouter un autre homme. Si, quand je t'ai fait signe là-bas, tu n'avais pas voulu aller comme je voulais, nous étions dans un mauvais pas tous les deux... et moi surtout, sans épieu et le bras mal entouré. Je suis content de toi, et je voudrais que mon fils fût de ta mine et de ton caractère, car tu es un garçon hardi et doux ; donc, si tu n'es pas riche, ne fais pas avec moi semblant d'être riche. A quoi sert ? Je ne suis pas dans la misère, moi ! Je ne manque de rien selon mes besoins, et si tu manquais de quelque chose, tu pourrais t'adresser à Joë Bœtsoï, qui ne serait pas en peine de trouver trente dalers et même cent, pour rendre service à un ami.

— J'en suis bien certain, *herr* Bœtsoï, répondit Christian, et je viendrais à vous avec confiance, non pas pour vous demander cent ni trente dalers, mais de l'ouvrage à votre service. Il n'est pas dit que cela n'arrivera point ; mais si cela arrivait, j'aurais bien plus de plaisir à me présenter après vous avoir payé ce qui vous est dû et ce qu'un riche vous payerait. Je ne suis pas venu ici en qualité de pauvre, vous ne me devez rien.

— Je ne veux rien, dit le *danneman*, reprends ton argent, et viens me trouver quand tu voudras. Que sais-tu faire ?

— Tout ce que vous m'apprendrez, je le saurai vite. »

Le *danneman* sourit.

« C'est-à-dire, reprit-il, que tu ne sais rien ?

— Je sais tuer les malins, au moins !

— Oui, et très bien. Tu sais même manier la hache et tailler le bois. J'ai vu ça. Mais sais-tu voyager ?

— C'est ce que je sais le mieux.

— Dormir sur un banc ?

— Et même sur une pierre.

— Sais-tu le lapon, le samoïède, le russe ?

— Non, je sais l'italien, l'espagnol, le français, l'allemand et l'anglais.

— Ça ne me servira de rien, mais ça me prouve que tu peux apprendre à parler de plusieurs manières. Eh bien ! reviens quand tu voudras, avant la fin du mois de *thor* (janvier), et si tu veux aller à Drontheim, et même plus loin, je serai content de ne pas voyager seul... Ou bien, si j'emmène Olof, qui me tourmente pour commencer à courir, tu garderas ma maison. Mes deux filles sont fiancées, je t'en avertis. Évite de donner de la jalousie à leurs fiancés, ce serait à tes risques. Soigne la tante Karine ; elle est douce, mais il ne faut pas la contrarier : je l'ai défendu une fois pour toutes.

— Je la soignerai comme ma mère, répondit Christian ému ; mais, dites-moi, est-elle malade ou infirme ? Pourquoi...

— On te dira cela, si tu restes à la maison. Que veux-tu gagner à mon service ?

— Rien.

— Comment, rien ?

— Le pain et l'abri, n'est-ce pas assez ?

— *Herr* Christian, dit le *danneman* en fronçant le sourcil, tu es donc un paresseux ou un mauvais sujet, que tu ne songes pas à l'avenir ? »

Christian vit qu'en montrant trop de désintéressement, il avait fait naître la méfiance.

« Connaissez-vous M. Goefle ? dit-il.

— L'avocat ? Oui, très bien, c'est moi qui lui ai vendu son cheval, un bon cheval, celui-là, et un brave homme, l'avocat !

— Eh bien ! il vous répondra de moi. Aurez-vous confiance ?

— Oui, c'est convenu. Reprends ton argent.

— Et si je vous priais de me le garder ?

— C'est donc de l'argent volé ? » s'écria le *danneman*, redevenu méfiant.

Christian se mit à rire en s'avouant à lui-même qu'il était un diplomate très maladroit.

« Croyez-moi, dit-il au *danneman*, je suis un homme simple et sincère. Je ne suis pas habitué à être cru sur parole ; ma figure paraît bonne à tout le monde. Si vous ne prenez pas mes trente dalers aujourd'hui, le major voudra vous les donner demain, et c'est ce qui me blesse.

— Le major ne me donnera rien, parce que je n'accepterai rien, répondit le *danneman* avec vivacité. C'est donc toi qui doutes de moi, à présent ? »

Christian dut renoncer à laisser sa mince fortune dans cette maison qui servait peut-être d'asile à sa mère. Ce débat de délicatesse eût pu dégénérer en querelle, vu que le *danneman* arrosait largement d'eau-de-vie son naïf orgueil de paysan libre. D'ailleurs le traîneau était prêt, et Christian devait partir. Pour rien au monde, il n'eût voulu manquer les deux représentations qui devaient le mettre à la tête de cent dalers, et lui permettre par conséquent d'embrasser, sans rien devoir à personne, le nouveau genre de vie qu'il rêvait.

Il croyait que le *danneman* comptait l'accompagner ; mais, au lieu de monter dans le traîneau, Bœtsoï remit les rênes à son fils, en lui recommandant d'aller prudemment et de revenir de bonne heure.

« J'espérais avoir le plaisir de votre compagnie jusqu'à Waldemora, dit Christian au *danneman*.

— Non ! répondit celui-ci, je ne vais pas à Waldemora, moi ! Il faut que j'y sois forcé ! Adieu, et à revoir ! »

Il y avait tant de hauteur et de dédain dans le ton du *danneman* en parlant de Waldemora, que Christian, en lui serrant la main, craignit qu'il ne s'aperçût de la conformation de ses doigts, et que cette ressemblance, fortuite ou fatale, ne détruisît toute leur amitié ; mais la difformité était si légère, et le *danneman* avait la main si rude, qu'il ne s'aperçut de rien et envoya encore plusieurs fois de loin un adieu cordial à son hôte.

Malgré les recommandations de son père, Olof gagna le fond de la vallée au triple galop de son petit cheval, debout, lui, sur l'avant du véhicule et les rênes entortillées autour du bras, au risque d'être lancé au loin dans une chute et d'avoir tout au moins les deux poignets démis.

XIV

Le traîneau du *danneman*, moins léger que celui dont le major s'était servi pour conduire Christian au chalet, était heureusement plus solide, car le jeune Dalécarlien ne daignait éviter aucune roche ni aucun trou. Au lieu de laisser au cheval, plus intelligent que lui, le soin de se diriger selon son instinct, il le frappait et le contrariait au point de rendre la course stupidement téméraire. Christian, couché au milieu des quatre ours, les deux morts et les deux vivants, se disait qu'il tomberait assez mollement, s'ils n'étaient pas lancés d'un côté et lui de l'autre. Impatienté enfin de voir maltraiter le cheval du *danneman* sans aucun profit pour personne, il prit les rênes et le fouet assez brusquement, en disant au jeune garçon qu'il voulait s'amuser à conduire, et d'un ton qui ne souffrait guère de réplique.

Olof était assez doux, il ne faisait le terrible que par amour-propre, pour se poser en homme. Il se mit à chanter en suédois, autant pour se désennuyer que pour montrer à son compagnon qu'il prononçait la langue mère plus purement que les autres membres de sa famille. Cette circonstance détermina Christian à le faire causer.

« Pourquoi, lui dit-il, n'es-tu pas venu avec nous quand nous sommes partis pour la chasse ? N'as-tu encore jamais vu l'ours debout ?

— La tante ne l'a jamais voulu, répondit le jeune gars en soupirant.

— La tante Karine ?

— Il n'y en a pas d'autre chez nous.

— Et on fait tout ce qu'elle veut ?

— Tout.

— Elle avait fait sur toi quelque mauvais pronostic ?

— Elle dit que je suis trop jeune.

— Et elle a raison peut-être ?

— Il faut bien qu'elle ait raison, puisqu'elle le dit.

— C'est une femme qui en sait plus long que les autres, à ce qu'il paraît ?

— Elle sait tout, puisqu'elle cause avec...

— Avec qui cause-t-elle ?

— Il ne faut pas que je parle de cela ; mon père me l'a défendu.

— Dans la crainte que l'on ne se moque de sa sœur ; mais il n'a pas craint cela de moi, puisqu'il m'a dit de lui demander mon destin à la chasse.

— Et elle vous l'a dit ?

— Elle me l'a dit. Où a-t-elle pris sa science ?

— Elle l'a prise où elle la prend encore : dans les cascades où pleurent les filles mortes d'amour, et sur les lacs où les hommes du temps passé reviennent.

— Elle marche donc encore ?

— Elle n'est pas vieille, elle a cinquante ans.

— Mais je la croyais infirme ?

— Elle marcherait plus vite et plus loin que vous.

— Alors elle est malade dans ce moment-ci, puisqu'elle reste couchée pendant que l'on se met à table ?

— Elle n'est pas malade. Elle est fatiguée souvent comme cela, quand elle a été debout pendant trop longtemps.

— Je croyais qu'elle ne travaillait pas ?

— Elle ne travaille pas ; elle parle ou elle marche, elle chante ou elle prie, et, que ce soit la nuit ou le jour, elle veille jusqu'à ce que la fatigue la fasse tomber. Alors elle dort si longtemps qu'on la croirait morte ; mais quelquefois on est bien étonné le matin, quand on va à son lit, de ne plus la trouver ni là, ni dans la maison, ni sur la montagne, ni nulle part où l'on puisse aller.

— Et où pensez-vous qu'elle soit quand elle disparaît ainsi ?

— Les mauvaises gens disent qu'elle va à Blaakulla ; mais il ne faut pas les croire !

— Qu'est-ce donc que Blaakulla ? Le rendez-vous des sorcières ?

— Oui, la montagne noire où ces méchantes femmes portent les petits enfants qu'elles enlèvent pendant qu'ils dorment, et qu'elles mènent à Satan sur le cheval *Skjults*, qui est fait comme une vache volante. Alors Satan les prend et les marque en les mordant, soit au front, soit aux petits doigts, et ils conservent cette marque toute leur vie. Mais je sais bien pourquoi on dit cela de ma tante Karine.

— Pourquoi donc ?

— Parce que dans le temps, avant que je sois venu au monde, il paraît qu'elle avait apporté à la maison un petit enfant qui avait eu les doigts mordus par le diable, et que mon père ne voulait pas regarder ; mais mon père s'est mis à l'aimer plus tard, et il dit que ma tante est une bonne chrétienne, et que tout ce que l'on raconte est faux. Le pasteur de la paroisse ne trouve rien de mauvais en elle, et dit que, puisqu'elle a besoin de courir en dormant, il faut la laisser courir. D'ailleurs elle a dit elle-même qu'elle mourrait, et qu'il arriverait de grands malheurs si on la renfermait. Voilà pourquoi elle va où elle veut, et mon père dit encore qu'il vaut mieux ne pas savoir où elle va, parce qu'elle a des secrets qu'on lui ferait manquer, si on la suivait et si on la regardait.

— Et il ne lui est jamais arrivé d'accidents quand elle court ainsi dehors tout endormie ?

— Jamais, et peut-être ne dort-elle pas en courant ; comment le saurait-on ? Ce qu'il y a de sûr, c'est qu'on est quelquefois trois jours et trois nuits sans savoir si elle reviendra ; mais elle revient toujours, quelque temps qu'il fasse, et aussitôt qu'elle a dormi et rêvé, elle n'est plus malade, et prophétise des choses qui arrivent. Tenez, ce matin... Mais mon père m'a défendu de le répéter !

— Si tu me le dis, Olof, c'est comme si tu le disais à ces pierres.

— Jurez-vous sur la Bible de ne pas le répéter ?

— Je le jure sur tout ce que tu voudras.

— Eh bien ! reprit Olof, qui, peu habitué dans la solitude de sa montagne à trouver à qui parler, était heureux d'être écouté par une personne sérieuse, voilà ce qu'elle a dit en s'éveillant au point du jour : « le grand *iarl* va partir pour la chasse. Pour la chasse, le *iarl* et sa suite vont partir ». Le *iarl* ! vous savez bien ? c'est le baron de Waldemora.

— Ah ! ah ! il est allé à la chasse en effet ; mais votre tante pouvait l'avoir appris.

— Oui, mais le reste, vous allez voir : « Le *iarl* laissera son âme à la maison ; à la maison, il laissera son âme. » Attendez,... attendez que je me rappelle le reste, ...elle chantait cela,... je sais l'air, l'air me fera retrouver les mots. »

Et Olof se mit à chanter sur un air à porter le diable en terre. « Et quand le *iarl* reviendra à la maison pour reprendre son âme, l'âme du *iarl* ne sera plus à la maison. »

Au moment où le jeune Dalécarlien achevait ces mots mystérieux, un traîneau lancé à fond de train venait derrière le sien, et la voix retentissante d'un cocher criait : « Place ! place ! » d'un ton impérieux, tandis que sa main fouettait ses quatre chevaux, que l'odeur des ours emportés par Christian épouvantait de loin. On était sorti de la montagne, et on se trouvait sur le chemin étroit qui se dirigeait vers le lac. Christian, pressentant qu'on le culbuterait s'il ne se rangeait pas, et ne voyant aucun moyen de se ranger sans se culbuter lui-même dans le talus qui bordait l'Elf, fouetta le cheval du *danneman* pour le lancer en avant, et parvint ainsi à un endroit où il lui était possible de faire place ; mais au moment où il réussissait à prendre sa droite, le traîneau de derrière, conduit par des chevaux impétueux et par un cocher brutal, le rasa de si près que les deux traîneaux furent culbutés simultanément.

Christian se trouva par terre avec Olof et ses quatre ours, et si bien enfoncé dans la neige amoncelée au bord du chemin, qu'il lui fallut quelques instants pour savoir où et avec qui il se trouvait enterré de la sorte. La première voix qui frappa son oreille, le premier visage qui réjouit son regard furent le visage et la voix de l'illustre professeur Stangstadius. Le savant n'avait aucun mal, mais il était furieux, et, s'en prenant à tout hasard à Christian, qui n'était pas masqué et avec qui, en se relevant, il se trouvait face à face, il l'accabla d'injures et le menaça de la colère céleste et des malédictions de l'univers.

« — Là, là, tout doux ! lui répondit Christian en l'aidant à se remettre sur ses jambes inégales : vous n'avez rien de cassé, monsieur le professeur, Dieu soit loué ! L'univers et le ciel sont témoins du plaisir que j'en ressens ; mais si c'est vous qui conduisez si follement l'équipage, vous n'êtes guère aimable pour les gens qui n'ont pas d'aussi bons chevaux que les vôtres. Ah çà, laissez-moi, ajouta-t-il en repoussant doucement le géologue, qui faisait mine de le prendre au collet, ou bien, la première fois que je vous rencontrerai sur le lac, je vous y laisserai geler, au lieu de me meurtrir les épaules à vous rapporter. »

Le professeur, sans chercher à reconnaître Christian, continuait à déclamer pour lui prouver que l'accident était arrivé par sa faute, lorsque Christian, qui ne songeait qu'à ramasser son gibier avec Olof, aperçut, au milieu des quatre ours, un homme de haute taille, étendu sans mouvement, la face tournée contre terre. En même temps un jeune homme vêtu de noir et pâle de terreur arrivait du talus opposé, où il avait été lancé, et accourait en s'écriant :

« M. le baron ! où est donc M. le baron ?

— Quel baron ? » dit Christian, qui venait de relever l'homme évanoui et qui le soutenait dans ses bras.

En ce moment, le fils du *danneman* poussa l'épaule de Christian avec la sienne, en lui disant : « Le *iarl* ! voyez le *iarl* ! »

Et tandis que le jeune médecin du baron s'empressait d'ôter le bonnet de fourrure que la chute avait enfoncé sur le visage de son malade de manière à l'étouffer, Christian faillit ouvrir ses bras robustes et laisser retomber le moribond dans la neige, en reconnaissant avec une horreur insurmontable, dans l'homme auquel il portait secours, le baron Olaüs de Waldemora.

On l'étendit sur le monceau d'ours : c'était le meilleur lit possible dans la circonstance, et le médecin épouvanté supplia Stangstadius, lequel avait été autrefois reçu docteur en médecine, de l'aider de ses conseils et de son expérience dans un cas qui lui paraissait extrêmement grave. Stangstadius, qui était en train d'éprouver toutes ses articulations pour s'assurer qu'il n'était pas plus endommagé que de coutume, consentit enfin à s'occuper de la seule personne que la chute semblait avoir sérieusement compromise.

« Eh ! parbleu ! dit-il en regardant et en touchant le baron, c'est bien simple : le pouls inerte, la face violacée, les lèvres tuméfiées, un râle d'agonie, ...et point de lésion pourtant... C'est clair comme le jour, c'est une attaque d'apoplexie. Il faut saigner, saigner vite, et abondamment. »

Le jeune médecin chercha sa trousse et ne la trouva pas. Christian et Olof l'aidèrent dans sa recherche et ne furent pas plus heureux. Le traîneau du baron, emporté par ses chevaux fougueux, était loin ; le cocher, pensant que son maître le ferait périr sous le bâton pour sa maladresse, courait après son attelage, la tête perdue, et remplissait le désert de ses imprécations.

Comme le docile cheval du *danneman* s'était arrêté court, on parla de mettre le malade dans le traîneau du paysan et de le transporter au château le plus vite possible. Stangstadius protesta que le malade arriverait mort. Le docteur, hors de lui, voulait courir après l'équipage du baron pour chercher sa trousse dans le traîneau. Enfin il la retrouva dans sa poche, où, grâce à son trouble, il l'avait touchée dix fois sans la sentir ; mais quand vint le moment d'ouvrir la veine, la main lui trembla tellement, que Stangstadius, parfaitement indifférent à tout ce qui n'était pas lui-même, et satisfait d'ailleurs d'avoir à prouver sa supériorité en toutes choses, dut prendre la lancette et pratiquer la saignée.

Christian, debout et fort ému intérieurement, contemplait ce tableau étrange et sinistre, éclairé des reflets livides du soleil couchant : cet homme aux formes puissantes et à la physionomie terrible, qui s'agitait convulsivement sur les cadavres des bêtes féroces bizarrement entassés ; ce bras gras et blanc d'où coulait pesamment un sang noir qui se figeait sur la neige ; ce jeune médecin à la figure douce et pusillanime, à genoux auprès de son redoutable client, partagé entre la crainte de le voir mourir entre ses mains et la terreur puérile que lui causait le grognement des oursons vivants à côté de lui ; le traîneau renversé, les armes éparses, la mine effarée et pourtant malignement satisfaite du jeune *danneman* ; le maigre cheval fumant de sueur qui mangeait la neige avec insouciance, et par-dessus tout cela la fantastique figure de Stangstadius, illuminée d'un sourire de triomphe passé à l'état chronique, et sa voix aiguë pérorant sur la circonstance d'un ton tranchant et pédantesque. C'était une scène à ne jamais sortir de la mémoire, un groupe à la fois bouffon et tragique, peut-être incompréhensible à première vue.

« Mon pauvre docteur, disait Stangstadius, il ne faut pas vous le dissimuler, si votre malade en réchappe, il aura une belle chance ! Mais ne vous imaginez pas que la chute soit pour beaucoup dans son état, le coup de sang était imminent depuis vingt-quatre heures. Comment n'aviez-vous pas prévu cela ?

— Je l'avais tellement prévu, répondit le jeune médecin avec quelque dépit, que je vous le disais, il y a une heure, monsieur Stangstadius, quand il a reçu au pavillon de chasse cette lettre qui a bouleversé ses traits. Si vous l'avez oublié, ce n'est pas ma faute. J'ai fait tout au monde pour empêcher M. le baron d'aller à la chasse ; il n'a rien voulu écouter, et tout ce que j'ai pu obtenir, c'est de l'accompagner dans son traîneau.

— Pardieu ! c'est une belle ressource qu'il s'était assurée là ! Si je ne me fusse offert à rentrer avec vous deux, quand j'ai vu qu'il n'était pas en état de chasser, il aurait bien pu étouffer ici. Vous n'auriez pas eu la présence d'esprit...

— Vous êtes très dur pour les jeunes gens, monsieur le professeur, reprit le médecin de plus en plus piqué. On peut manquer de présence d'esprit, quand on vient d'être lancé à dix pas, et que, à peine relevé, on se voit appelé à juger du premier coup d'œil un cas peut-être désespéré.

— La belle affaire qu'une chute dans la neige ! dit M. Stangstadius en haussant celle de ses épaules qui voulut bien se prêter à ce mouvement. Si vous étiez tombé comme moi au fond d'un puits de mine ! Une chute de cinquante pieds, sept pouces et cinq lignes, un évanouissement de six heures cinquante trois...

— Eh ! mordieu ! monsieur le professeur, il s'agit de l'évanouissement de mon malade, et non pas du vôtre ! Ce qui est passé est passé. Veuillez soutenir le bras, pour que je cherche une ligature.

— Non, c'est qu'il y a des gens qui se plaignent de tout », poursuivit Stangstadius en allant et venant, sans écouter son interlocuteur. Puis oubliant qu'il venait de se mettre dans une terrible colère contre Christian, le bonhomme vif, mais sans rancune, ajouta gaiement en s'adressant à lui :

« Ai-je seulement pâli tout à l'heure, quand je me suis trouvé sous ces quatre animaux... sans compter les deux autres, vous et votre camarade ? Deux insignes maladroits ! Mais qu'est-ce, au bout du compte, que quelques contusions de plus ou de moins ? Je n'ai pas seulement songé à moi ! Je me suis trouvé tout prêt à juger l'état du malade, à faire la saignée. Le coup d'oeil rapide et sûr, la main ferme !... Ah çà ! où diable vous ai-je vu ? continua-t-il en s'adressant toujours à Christian, sans songer davantage au malade. Est-ce vous qui avez tué toutes ces bêtes ? Voilà une belle chasse, une ourse de la grande espèce, l'espèce bise aux yeux bleus ! Quand on pense que cet imbécile de Buffon... Mais où avez-vous rencontré cela ? C'est rare dans le pays !

— Permettez que je vous réponde une autre fois, dit Christian, le docteur réclame mon aide.

— Laissez, laissez le sang couler, reprit tranquillement le géologue.

— Non, non, c'est assez ! s'écria le médecin. La saignée fait bon effet, venez, venez voir, monsieur le professeur ; mais il ne faut pas abuser du remède : il est en ce moment aussi sérieux que le mal.»

Christian avait pris dans ses mains, non sans une mortelle et inexplicable répugnance, le bras pesant et froid du baron, tandis que le médecin fermait la saignée. Le malade ouvrait les yeux, et il chercha bientôt à se reconnaître. Son premier regard fut pour l'étrange lit où il était couché, le second pour son bras ensanglanté, et le troisième pour son médecin tremblant.

« Ah ! lui dit-il d'une voix faible et d'un ton méprisant, vous m'ôtez du sang ! Je vous l'avais défendu.

— Il le fallait, monsieur le baron ; vous voilà beaucoup mieux, grâce au ciel », répondit le docteur.

Le baron n'avait pas la force de discuter. Il promenait avec effort autour de lui des regards éteints où se peignait une sombre inquiétude. Il rencontra la figure de Christian, et ses yeux dilatés s'arrêtèrent sur lui comme hébétés ; mais, au moment où Christian se penchait vers lui pour aider le médecin à le soulever, il le repoussa d'un geste convulsif, et la faible coloration qui lui était revenue fit place à une nouvelle pâleur bleue.

« Rouvrez la saignée, s'écria Stangstadius au docteur. Je voyais bien que vous la fermiez trop tôt. Ne l'ai-je pas dit ? Et puis, laissez ensuite cinq minutes de repos au malade !

— Mais le froid, monsieur le professeur, dit le médecin en obéissant machinalement à Stangstadius : ne craignez-vous pas que le froid ne soit un agent mortel en de pareilles circonstances ?

— Bah ! le froid ! reprit Stangstadius ; je me moque bien du froid de l'atmosphère ! Le froid de la mort est bien pire ! Laissez saigner, vous dis-je, et ensuite laissez reposer. Il faut faire ce qui est prescrit, advienne que pourra.»

Et il ajouta en se tournant vers Christian :

« Il est dans de mauvais draps, tenez, le gros baron ! Je ne voudrais pas être dans sa peau pour le moment... Ah çà ! où diable vous ai-je donc vu ? »

Puis, ramassant quelque chose sur la neige et changeant d'idée :

« Qu'est-ce, dit-il, que cette pierre rouge ? Un fragment de porphyre ? Dans une région de gneiss et de basaltes ? Vous avez apporté cela de là-haut ? ajouta-t-il en montrant les cimes de l'ouest. C'était dans vos poches ? Ah ! vous voyez que je ne serais pas facile à égarer, moi ! Je connais toutes les roches à la forme, et à deux lieues de distance ! »

Le traîneau du baron était enfin de retour, et, quelques moments après, une nouvelle amélioration dans son état s'étant manifestée, on put arrêter le sang et remettre le malade dans son équipage, qui le ramena au pas jusqu'au château, tandis que Christian partait en avant avec le fils du *danneman*.

« Eh bien ! lui dit le jeune garçon quand ils eurent dépassé l'équipage lugubre, qu'est-ce que je vous disais quand la chose est arrivée ? Qu'est-ce qu'elle avait dit la tante Karine ?

— Je n'ai pas bien compris la chanson, répondit Christian, absorbé dans ses pensées. Elle n'était pas gaie, ce me semble.

— "Il laisse son âme à la maison, repartit Olof, et quand il viendra la reprendre, il ne la retrouvera plus." N'est-ce pas bien clair cela, *herr* Christian ? Le *iarl* était malade. Il a voulu secouer le mal ; mais l'âme n'a pas voulu aller à la chasse, et peut-être bien qu'à présent elle est en route pour un vilain voyage !

— Vous haïssez le *iarl* ? dit Christian. Vous pensez que son âme est destinée à l'enfer ?

— Cela, Dieu le sait ! Quant à le haïr, je ne le hais pas plus que ne font tous les autres. Est-ce que vous l'aimez vous ?

— Moi ? Je ne le connais pas, répondit Christian, frémissant intérieurement de sentir cette haine en lui-même plus vive peut-être que chez tout autre.

— Eh bien ! s'il en réchappe, reprit l'enfant, vous le connaîtrez ! Il apprendra bien par qui il a été culbuté, et vous serez sage si vous quittez le pays.

— Ah ! c'est donc l'opinion de tout le monde qu'il ne faut pas lui déplaire ?

— Dame ! il a fait mourir son père par le poison, son frère par le poignard et sa belle-sœur par la faim, et tant d'autres personnes que ma tante Karine sait bien, et que tout le monde saurait, si elle voulait parler ; mais elle ne veut pas !

— Et vous ne craignez pas que la colère du baron ne se tourne contre vous, quand il apprendra que c'est le traîneau de votre père qui l'a fait verser ?

— Ce n'est pas la faute du traîneau, et encore moins la mienne. Vous avez voulu conduire ! Si j'avais conduit, ça ne serait peut-être pas arrivé ; mais ce qui doit arriver arrive, et quand le mal tombe sur les méchants hommes, c'est que Dieu le veut ainsi ! »

Christian, toujours obsédé de la supposition qui l'avait frappé si cruellement, frissonna encore à l'idée qu'il venait d'être l'instrument parricide de la destinée.

« Non, non ! s'écria-t-il en se répondant à lui-même plus qu'il ne songeait à répondre au fils du *danneman*, ce n'est pas moi qui suis la cause de son mal ; les médecins ont dit qu'il était condamné depuis vingt-quatre heures !

— Et ma tante Karine aussi, elle l'a dit ! reprit Olof. Soyez donc tranquille, allez, il n'en reviendra pas. »

Et Olof se remit à chanter entre ses dents son triste refrain, qui de plus en plus rappelait à Christian l'air monotone entendu la veille dans les galets du lac.

« Est-ce que la tante Karine ne va pas quelquefois au Stollborg ? demanda-t-il à Olof.

— Au Stollborg ! dit le jeune garçon. Je ne le croirais que si je le voyais.

— Pourquoi ?

— Parce qu'elle n'aime pas cet endroit-là ; elle ne veut pas seulement qu'on le nomme devant elle.

— D'où vient cela ?

— Qui peut savoir ? Elle y a pourtant demeuré autrefois, du temps de la baronne Hilda ; mais je ne peux pas vous en dire davantage, parce que je n'en sais que ce que je vous dis là : on ne parle jamais chez nous du Stollborg ni de Waldemora ! »

Christian sentit qu'il y aurait quelque chose d'indélicat à questionner le jeune *danneman* sur les rapports que sa tante pouvait avoir eus avec le baron. D'ailleurs son esprit devenait si triste et si sombre qu'il ne se sentait plus le courage de chercher à en savoir davantage pour le moment.

Le changement brusque survenu dans l'atmosphère ne contribuait pas peu à sa mélancolie. Le soleil, couché ou non, avait entièrement disparu dans un de ces brouillards qui enveloppent parfois soudainement son déclin ou son apparition dans les jours d'hiver. C'était un voile lourd, morne, d'un gris de plomb, qui s'épaississait à chaque instant, et qui bientôt ne laissa plus rien de visible que le fond de la gorge, où il n'était pas encore tout à fait descendu. A mesure qu'il en approchait, il se développait en ondes plus ou moins denses, et refusait de se mêler à la fumée noire qui partait de grands feux allumés dans les profondeurs pour préserver quelques récoltes ou pour conserver libre quelque mince courant d'eau.

Christian ne demanda même pas à Olof quel était le but de ces feux ; il se laissait aller au morne amusement de regarder poindre leurs spectres rouges, comme des météores sans rayonnement et sans reflet, sur les bords du *stream*, et à suivre la lutte lente et triste de leurs sombres tourbillons avec la brume blanchie par le contraste. Le torrent glacé se montrait encore ; mais, par d'étranges illusions d'optique, tantôt il paraissait si près du chemin, que Christian s'imaginait pouvoir le toucher du bout de son fouet, tantôt il s'enfonçait à des profondeurs incommensurables, tandis qu'en réalité il était infiniment moins loin ou infiniment moins près que les jeux du brouillard ne le faisaient paraître.

Puis vint la nuit avec son long crépuscule des régions du Nord, ordinairement verdâtre, et ce soir-là incolore et livide. Pas un être vivant dans la nature qui ne fût caché, immobile et muet. Christian se sentit oppressé par ce deuil universel, et peu à peu il s'y habitua avec une sorte de résignation apathique. Olof avait mis pied à terre pour descendre, en tenant le cheval par la bouche, presque à pic au bord du lac, lequel ne présentait qu'une masse de vapeurs sans limites. Christian s'imaginait descendre d'un versant escarpé du globe dans les abîmes du vide. Deux ou trois fois le cheval glissa jusqu'à s'asseoir sur ses jarrets, et Olof faillit lâcher prise et l'abandonner à son destin avec le traîneau et le voyageur. Celui-ci se sentait envahi par une mortelle indifférence. Le fils du baron ! ces quatre mots étaient comme écrits en lettres noires dans son cerveau, et semblaient avoir tué en lui tout rêve d'avenir, tout amour de la vie. Ce n'était pas du désespoir, c'était le dégoût de toutes choses, et dans cette disposition il ne se rendait compte que d'un fait immédiat : c'est qu'il se sentait accablé de sommeil, et qu'il consentait à s'endormir pour jamais en roulant sans secousse au fond du lac. Il s'était même assoupi au point de ne plus savoir où il était, lorsqu'une voix aussi faible que le crépuscule, aussi voilée que le ciel et le lac, chanta près de lui des paroles qu'il écouta et comprit peu à peu.

Voilà le soleil qui se lève, beau et clair, sur la prairie émaillée de fleurs. Je vois les fées toutes blanches, couronnées de saule et de lilas, qui dansent là-bas sur la mousse argentée de rosée. L'enfant est au milieu d'elles, l'enfant du lac, plus beau que le matin.

Voilà le soleil au plus haut du ciel. Les oiseaux se taisent, les moucherons bourdonnent dans une poussière d'or. Les fées sont entrées dans un bosquet d'azalées pour trouver la fraîcheur au bord du *stream*. L'enfant sommeille sur leurs genoux, l'enfant du lac, plus beau que le jour.

« Voilà le soleil qui se couche. Le rossignol chante à l'étoile de diamant qui se mire dans les eaux. Les fées sont assises au bas du ciel, sur l'escalier de cristal rose ; elles chantent pour bercer l'enfant qui sourit dans son nid de duvet, l'enfant du lac, plus beau que l'étoile du soir. »

C'était encore la voix des galets qu'entendait Christian, mais plus douce qu'il ne l'avait encore entendue, et chantant cette fois, sur un air agréablement mélodieux, des paroles correctes. Ceci était une chanson moderne que la sibylle pouvait avoir comprise et retenue exactement. C'est en vain cependant que Christian essaya de voir une figure humaine. Il ne voyait même pas le cheval qui le conduisait, ou qui, pour mieux dire, ne le conduisait plus, car le traîneau restait immobile, et Olof n'était plus là. Loin de songer à s'inquiéter de sa situation, Christian écouta jusqu'au bout les trois couplets. Le premier lui parut chanté à quelques pas derrière lui, le second plus près, et le troisième plus loin, en se perdant peu à peu en avant du lieu où il se trouvait.

Le jeune homme avait failli s'élancer hors du traîneau pour saisir au passage la chanteuse invisible ; mais, au moment de poser le pied à terre, il n'avait trouvé que le vide, et l'instinct de la conservation lui étant revenu avec les suaves paroles de la chanson, il avait allongé les mains pour savoir où il était. Il sentit la croupe humide du cheval et appela Olof à voix basse à plusieurs reprises, sans recevoir de réponse. Alors, comme il lui sembla que la chanteuse s'éloignait, il l'appela aussi en lui donnant le nom de *Vala Karina*, mais elle ne l'entendit pas ou ne voulut pas répondre. Il se décida alors à sortir du traîneau par le côté opposé à celui qu'il avait tâté d'abord, et se trouva sur le chemin rapide, qu'il explora pendant une vingtaine de pas, appelant toujours Olof avec une vive inquiétude. Pendant le court sommeil de Christian, l'enfant avait-il roulé dans le précipice ? Enfin il vit poindre, dans le brouillard, un imperceptible point lumineux qui venait à sa rencontre, et bientôt il reconnut Olof portant une lanterne allumée.

« C'est vous, *herr* Christian ? dit l'enfant effrayé en se trouvant face à face avec lui tout à coup, sans l'avoir entendu approcher. Vous êtes sorti du traîneau sans voir clair, et vous avez eu tort ; l'endroit est bien dangereux, et je vous avais dit de ne pas bouger pendant que j'irais allumer ma lanterne au moulin qui est par là. Vous ne m'avez donc pas entendu ?

— Nullement ; mais vous, n'avez-vous pas entendu chanter ?

— Oui, mais je n'ai pas voulu écouter. On entend souvent des voix au bord du lac, et il n'est pas bon de comprendre ce qu'elles chantent, car alors elles vous emmènent dans des endroits d'où l'on ne revient jamais.

— Eh bien ! moi, j'ai écouté, dit Christian, et j'ai reconnu la voix de votre tante Karine. Elle doit être par ici. Cherchons-la, puisque vous avez de la lumière, ou appelez-la, elle vous répondra peut-être.

— Non, non ! s'écria l'enfant, laissons-la tranquille. Si elle est dans son rêve, et que nous venions à la réveiller, elle se tuera !

— Mais elle risque également de se tuer en courant ainsi au bord de ce ravin qu'on ne voit pas !

— Ce que nous ne voyons pas, elle le voit ; soyez en paix, à moins que vous ne vouliez lui porter malheur et l'empêcher de rentrer à la maison, où je suis bien sûr qu'elle sera de retour avant moi, comme à l'ordinaire. »

Christian dut renoncer à chercher la voyante, d'autant plus que la clarté de la lanterne perçait si peu le brouillard, qu'à peine servait-elle à voir où l'on posait les pieds. Il aida Olof à descendre le traîneau avec précaution jusqu'au bord du lac, et là l'enfant, qui se dirigeait fort habilement au juger, lui demanda s'il voulait remonter en traîneau pour aller au bostœlle du major.

« Non, non, lui dit Christian, c'est au Stollborg que je dois aller. N'est-ce pas à droite qu'il faut prendre ?

— Non, répondit Olof, tâchez de marcher droit devant vous en comptant trois cents pas. Si vous en faites deux de plus sans trouver le rocher, c'est que vous vous serez trompé.

— Et alors que faudra-t-il faire ?

— Regardez de quel côté marchent les bouffées du brouillard. Le vent est du midi, et il fait presque chaud. Si le brouillard passe à votre gauche, il faudra marcher sur votre droite. Au reste, il n'y a pas de danger sur le lac, la glace est bonne partout.

— Mais vous, mon enfant, vous tirerez-vous d'affaire tout seul ?

— Pour aller au bostœlle ? j'en réponds. Le cheval reconnaît son chemin à présent, et vous voyez qu'il s'impatiente.

— Mais vous ne retournerez pas ce soir chez votre père ?

— Si fait ! le brouillard ne tiendra peut-être pas, et d'ailleurs la lune se lèvera, et, comme elle est pleine, on verra à se conduire. »

Christian donna une poignée de main avec un daler au jeune *danneman*, et, se conformant à ses instructions, il arriva au Stollborg sans faire fausse route et sans rencontrer personne.

XV

M. Goefle était en présence des apprêts de son quatrième repas, sérieusement occupé à donner une leçon de bonne tenue à M. Nils, qui, debout, la serviette sous le bras, ne montrait pas trop de mauvaise volonté.

« Eh ! arrivez donc, Christian ! s'écria le docteur en droit, j'allais prendre mon café tout seul ! Je l'ai fait moi-même pour nous deux. Je le garantis excellent, et vous devez avoir besoin de vous réchauffer l'estomac.

— J'arrive, j'arrive, mon cher docteur, répondit Christian en se débarrassant de sa veste déchirée et en se disposant à laver ses mains couvertes de sang.

— Eh ! bon Dieu ! reprit M. Goefle, n'êtes-vous pas blessé ? ou bien auriez-vous par hasard égorgé tous les ours du Sevenberg ?

— Il y a un peu de cela, répondit Christian, mais je crois qu'il y a aussi du sang humain sur moi. Ah ! monsieur Goefle, c'est toute une histoire !

— Vous êtes pâle ! s'écria l'avocat ; il vous est arrivé quelque chose de plus grave qu'un exploit de chasse... Une querelle,... un malheur ?... parlez donc vite... Vous m'ôtez l'appétit !

— Il ne m'est rien arrivé qui doive avoir ce résultat pour vous. Mangez, monsieur Goefle, mangez. J'essayerai de vous tenir compagnie, et je parlerai français à cause de...

— Oui, oui, répondit M. Goefle en français, à cause des oreilles rouges de ce petit imbécile ; dites, j'écoute. »

Pendant que Christian racontait avec détail et précision à M. Goefle ses aventures, ses imaginations, ses commentaires et ses émotions, on entendait au loin les sons des bruyantes fanfares. La disparition du baron s'était accomplie dans la forêt comme elle s'accomplissait si fréquemment dans ses salons. Après avoir tué un daim, se sentant réellement incapable de résister au froid et à la fatigue, et surtout à l'impatience de donner suite à l'affaire dont l'entretenait la missive de Johan, il était remonté en traîneau, sous prétexte d'aller se poster plus loin, en faisant dire aux autres chasseurs qu'ils n'eussent pas à s'occuper de lui, mais à poursuivre leur divertissement comme ils l'entendraient. Larrson et le lieutenant étaient venus se joindre à cette chasse, où, conformément à leurs prévisions, on n'avait pas aperçu la moindre trace d'ours, mais où l'on avait abattu quelques daims blancs et force lièvres de grandes tailles.

A l'approche du brouillard, les gens prévoyants s'étaient hâtés de reprendre le chemin du château ; mais une partie de la jeunesse, escortée de tous les paysans des environs, employés comme traqueurs, s'attarda en descendant les collines, et dut s'arrêter au pied du högar, où Larrson émit le conseil d'attendre que la lune se montrât ou que les vapeurs du lac fussent enlevées par le coup de vent qui précède souvent son apparition. Quelques personnes firent allumer le fanal de leurs traîneaux et préférèrent rentrer tout de suite ; une douzaine seulement demeura. Les paysans reçurent une abondante distribution d'eau-de-vie, et se dispersèrent dans la campagne. Les valets et piqueurs sonnèrent de la trompe et allumèrent un grand feu sur le tumulus, à côté des débris informes de la statue de neige, et la brillante jeunesse rassemblée dans la grotte, devant laquelle s'élevait une pyramide de gibier, se livra à des conversations animées, entremêlées de récits et de discussions sur les divers épisodes de la chasse.

Mais les narrations du major l'emportaient si bien sur toutes les autres en ce jour, que bientôt tout le monde fit silence pour l'écouter. Au nombre des auditeurs des deux sexes se trouvaient Olga, Martina et Marguerite, à qui sa tante avait permis de rester sur le högar en compagnie de Mlle Potin et de la fille du ministre.

« Ainsi, messieurs, disait Olga au major et au lieutenant, vous avez été en sournois faire des exploits périlleux dont vous promettez de nous montrer la preuve demain, si nous acceptons une promenade à votre demeure ?

— Dites *les preuves* ! répondit le major : une pièce énorme, une ourse blanchâtre aux yeux bleus, un assez grand ours noir et deux oursons, que nous avons l'intention de faire élever pour avoir le plaisir de les lâcher et de les chasser quand ils seront grands.

— Mais qui a tué ou pris tout cela ? demanda Martina Akerström, la blonde fiancée du lieutenant.

— Le lieutenant a pris un ourson, répondit le major avec un sourire expressif adressé à son ami. Le caporal Duff et moi avons pris l'autre, le paysan qui nous conduisait a blessé la grosse ourse et attaqué l'ours noir ; mais ces deux bêtes furieuses l'auraient infailliblement mis en pièces, si un autre de mes amis, arrivant là tout seul, n'eût éventré la première et cassé d'une balle la tête de l'autre à un demi-pouce de la tête du pauvre diable. »

On voit que, si le coup de fusil de Christian eût été raconté une troisième fois, la distance entre sa balle et la tête du *danneman* eût été inappréciable. Certes le major ne croyait pas mentir ; cependant les auditeurs se récrièrent, mais le lieutenant frappa du point sur la table en faisant serment que, si le major exagérait la distance, c'était en plus, et non en moins. Le lieutenant ne croyait certainement pas mentir non plus : son cher Osmund pouvait-il se tromper ?

« Quoi qu'il en soit, dit Marguerite, le tueur de monstres dont vous parlez a beaucoup de courage et de présence d'esprit, à ce qu'il paraît, et je serais aise de lui en faire mon sincère compliment. Est-ce par excès de modestie qu'il garde l'anonyme, ou n'est-il point ici ?

— Il n'est point ici, répondit le major.

— Est-ce bien vrai ? reprit Martina Akerström en regardant naïvement son fiancé.

— Ce n'est que trop vrai, répondit le gros garçon avec un soupir non moins ingénu.

— Mais a-t-il exigé, reprit Marguerite, que son nom fût un mystère pour nous ?

— Nous n'aurions pas consenti à le lui promettre, répondit le major, nous l'aimons trop pour cela ; mais quand on tient un petit secret qui, par bonheur, excite la curiosité des dames, on se fait valoir, et nous ne dirons rien, n'est-ce pas, lieutenant, si l'on ne fait pas quelques efforts pour deviner le nom de notre héros ?

— C'est peut-être M. Stangstadius ! dit en riant Mlle Potin.

— Non, répondit quelqu'un, le professeur était à notre chasse, et il l'a quittée avec le baron de Waldemora.

— Eh bien ! dit Olga, c'était peut-être pour se rendre à la chasse de ces messieurs. Qui sait si ce n'est pas le baron en personne ?...

— Ces exploits-là ne sont plus de son âge, dit avec affectation un jeune homme qui eût volontiers fait la cour à Olga.

— Eh ! pourquoi donc ? reprit-elle.

— Je ne dis pas, observa Larrson, que de tels exploits ne seraient plus de son âge, mais je crois qu'ils n'ont jamais été de son goût. Je n'ai jamais ouï dire que le baron eût chassé l'ours à la nouvelle mode, c'est-à-dire sans être retranché derrière un filet de cordes solides et bien tendues.

— Comment, reprit Marguerite, vous avez chassé sans filets ?

— A la manière des paysans de la montagne, répondit le major ; c'est la bonne manière.

— Mais alors c'est très dangereux !

— Le danger n'a pas été aujourd'hui pour nous, mais pour notre ami, dont nous vous montrerons demain le caftan de cuir de renne ; la façon dont les griffes de l'ours ont fait de cette espèce de cuirasse une espèce de dentelle vous prouvera de reste qu'il a vu l'ennemi de près.

— Mais s'exposer ainsi est une chose insensée ! s'écria Marguerite. Pour rien au monde je ne voudrais voir un pareil spectacle !

— Et le nom de ce Méléagre ! reprit Olga ; on ne pourra donc pas le savoir ?

— Avouez, dit le major, que vous n'avez pas fait beaucoup d'efforts pour le deviner.

— Si fait ; mais je vois ici tous ceux des hôtes du château que je crois capables des plus hautes prouesses, et vous dites que votre héros n'est point parmi nous ?

— Vous avez oublié quelqu'un qui était du moins au château hier soir, reprit le lieutenant.

— J'ai beau chercher, répondit Olga, j'y renonce, et, à moins que ce ne soit le masque noir, l'homme mystérieux, le bouffon lettré, Christian Waldo !...

— Eh bien ! pourquoi ne serait-ce pas lui ? dit le major en regardant à la dérobée Marguerite, qui avait beaucoup rougi.

— Est-ce lui ? s'écria-t-elle avec une vivacité candide.

— Eh ! mon Dieu ! lui dit la jeune Russe avec plus de brutalité que de malice, car ce n'était point une méchante personne, on dirait, ma chère enfant, que cela vous intéresse beaucoup...

— Vous savez bien, répondit avec à-propos la bonne Potin, que la comtesse Marguerite a peur de Christian Waldo.

— Peur ? dit le major avec surprise.

— Eh ! mais sans doute, reprit la gouvernante, et j'avoue que je suis un peu dans le même cas ; un masque me fait toujours peur.

— Mais vous n'avez pas même vu le masque de Christian.

— Raison de plus, répondit-elle en riant. On n'a réellement peur que de ce que l'on n'a jamais vu. Tous les récits que l'on fait sur ce spirituel comédien sont si étranges... Et la tête de mort qu'on lui attribue ! croyez-vous qu'il n'y ait pas là de quoi rêver la nuit et trembler quand on entend son nom ?

— Eh bien ! dit le major, ne tremblez plus, mesdames ; nous avons vu toute la journée la figure de Christian Waldo, et quoi qu'en ait dit hier soir M. le baron, sa prétendue tête de mort est la tête du jeune Antinoüs[50]. N'est-il pas vrai, lieutenant, que c'est le plus beau jeune homme qu'on puisse imaginer ?

— Aussi beau qu'il est aimable, instruit et brave, répondit le lieutenant. » Et le caporal Duff, qui se tenait dehors, la pipe à la bouche, écoutant la conversation, éleva la voix, comme malgré lui, pour vanter la cordialité, la noblesse et la modestie de Christian Waldo.

Marguerite ne fit ni questions, ni réflexions ; mais, tout occupée qu'elle semblait être d'agrafer sa pelisse, car on s'était levé pour partir, elle ne perdit pas un mot des éloges décernés à son ami de la veille.

« D'où vient donc, dit Olga, qui s'apprêtait à la suivre, qu'un homme instruit et distingué fasse un métier, je ne veux pas dire honteux, mais frivole, et qui, après tout, ne doit guère l'enrichir ?

— Ce n'est pas un métier qu'il fait, répondit le major avec vivacité, c'est un amusement qu'il se donne.

— Ah ! permettez, on le paye !

— Eh bien ! nous autres militaires, on nous paye aussi pour servir l'État. Est-ce que nos terres et nos revenus ne sont pas le salaire de nos services ?

— Il y a *salaire* et *récompense*, dit Marguerite avec une mélancolique douceur ; mais le froid se fait bien sentir : est-ce que nous ne partons pas ? Il me semble qu'il n'y aurait aucun danger sur le lac. »

Le major comprit ou crut comprendre que Marguerite avait un grand désir de causer avec lui, et il lui offrit le bras jusqu'à son traîneau, où il demanda à Mlle Potin de lui permettre de prendre place pour retourner au château. Quelques mots rapidement adressés au lieutenant firent comprendre à celui-ci qu'il serait agréable au major de voir Olga monter dans un autre traîneau avec lui et Martina Akerström, et le bon lieutenant, sans s'inquiéter de savoir pourquoi, obéissant comme à une consigne, fit accepter son offre à sa fiancée et à la jeune Russe.

Osmund put donc en toute liberté disculper chaudement Christian Waldo de la mauvaise opinion que Marguerite et Mlle Potin, sa discrète confidente, semblaient avoir de lui. Pour y parvenir, il n'eut qu'à raconter sa conversation avec Waldo et la résolution excentrique et généreuse que celui-ci avait prise d'embrasser une vie rude et misérable plutôt que de continuer une vie d'aventures qu'il condamnait lui-même. Marguerite écoutait avec une apparence de tranquillité, comme s'il se fût agi d'une appréciation générale sur une situation quelconque ; mais elle n'était pas habile comédienne, et le major, qui eut la délicatesse de prendre la chose comme elle désirait qu'elle fût prise, ne se trompa guère sur l'intérêt qu'elle y portait dans le secret de son âme.

Cependant le baron Olaüs avait été porté dans son lit, où il paraissait calme ; le médecin, interrogé par les héritiers, avait, selon sa coutume et conformément à sa consigne, éludé les questions. On savait bien que le *respectable et cher oncle* était arrivé si faible, qu'il avait fallu le porter, le déshabiller et le coucher comme un enfant ; mais, selon le médecin, ce n'était qu'un nouvel accident, passager comme les autres. Johan donnait des ordres pour que les *ris et les jeux* allassent leur train. La comédie de marionnettes était annoncée pour huit heures. Le docteur Stangstadius eût pu révéler la gravité de la situation ; mais il n'était rentré de la chasse que pour monter dans l'observatoire du château, afin d'étudier à loisir le phénomène du *brouillard sec*[51], qu'il attribuait, peut-être avec raison, à un passage d'exhalaisons volcaniques venant du lac de Wettern.

La seule personne réellement inquiète, c'était Johan. Resté seul avec son maître, que le médecin avait bien recommandé de laisser reposer, pendant que lui-même allait changer de toilette et prendre quelque nourriture, Johan résolut de savoir à quoi s'en tenir sur l'état mental du baron.

« Voyons, mon maître, lui dit-il avec sa familiarité accoutumée, privilège exclusif dont il ne craignait jamais d'abuser, et pour cause, sommes-nous morts, cette fois ? Et votre vieux Johan ne réussira-t-il pas à vous arracher un de ces bons petits sourires qui signifient : Je nargue la maladie, et j'enterrerai tous les sots qui voudraient me voir au diable ? »

Le baron essaya en vain ce victorieux sourire, qui n'aboutit qu'à une grimace lugubre accompagnée d'un soupir profond.

« Vous m'entendez ? reprit Johan ; c'est déjà quelque chose.

— Oui, répondit le baron d'une voix faible ; mais je suis bien mal cette fois ! Cet âne de docteur... »

Et il essaya de montrer son bras.

« Il vous a saigné ? reprit Johan. Il dit vous avoir sauvé par là. Espérons-le ; mais il faut que vous le vouliez... Vous savez bien que votre seul remède à vous, c'est votre volonté, qui fait des miracles !

— Je n'en ai plus !

— De volonté ?... Allons donc ! Quand vous dites cela, c'est que vous voulez fortement quelque chose, et ce que vous voulez, je vais vous le dire : c'est que ces deux *ou* trois Italiens...

— Oui, oui, tous ! reprit le baron avec un éclair d'énergie.

— A la bonne heure ! reprit Johan. Je savais bien que je vous ferais revenir !... Vous avez vu la preuve ?...

— Sans réplique !

— L'écriture de Stenson ?

— Et sa signature... tous les détails !... C'est étrange, c'est étrange ! mais cela est.

— Où est-elle donc, cette preuve ?

— Dans mon habit de chasse.

— Je ne la trouve pas.

— Tu ne cherches pas bien. Elle y est. N'importe ! écoute : la fatigue m'accable... Stenson à la tour !

— Tout de suite ?

— Non, pendant les marionnettes.

— Et les autres ?

— Après.

— Dans la tour aussi ?

— Oui, un prétexte ?

— Bien facile. Un plat de vermeil glissé dans le bagage de ces bateleurs... Ils l'auront volé.

— Bien.

— Mais s'ils se méfient ? si le vrai et le faux Christian ne viennent pas ?

— Où sont-ils ?

— Qui peut le savoir par ce brouillard ? J'ai donné des ordres ; mais on n'avait encore vu rentrer personne, il y a une heure, au Stollborg, qui est épié et cerné de tous côtés.

— Alors... que feras-tu ?

— Morte la preuve, c'est-à-dire le portefeuille et l'homme qui vous l'a livré, mort est le secret. Puisque Christian Waldo ignore tout...

— Est-ce bien sûr ?

— Quand nous le tiendrons, nous le confesserons.

— Mais nous ne le tenons pas !

— Peut-être... à présent. Je vais moi-même au Stollborg m'en assurer.

— Va vite... Mais s'il refuse de venir ce soir au château ?

— Alors le capitaine Chimère ira là-bas, avec...

— Très bien. Et l'avocat ?

— Je lui dirai d'avance que vous le demandez. Seulement il faut tout prévoir... S'il n'obéit pas ?

— Ce sera la preuve...

— Qu'il s'entend avec vos ennemis. Et alors...

— Tans pis pour lui !

— C'est grave ; un homme si connu !

— Qu'on ne lui fasse rien ; qu'on l'empêche de s'en mêler.

— Oui, si c'est possible. N'importe, j'essayerai. Je vais tous de suite au Stollborg glisser votre gobelet d'or dans le bât de l'âne. Ce sera le prétexte pour là-bas ; mais tout cela fera peut-être du bruit, le Christian est batailleur, et le Stollborg est bien près.

— Tant mieux ! on fera taire plus vite...

— Le major et son lieutenant ont pris ce bateleur en amitié. Il s'agit de bien saisir le moment. On va faire beaucoup de musique de cuivre dans le château ; on tirera des pétards et des boîtes dehors à chaque instant.

— Bien vu !

— Comment vous sentez-vous ?

— Mieux... et même je crois me rappeler... Attends donc, Johan, j'ai revu aujourd'hui cette figure... Où donc ? Attends, te dis-je !... Ai-je rêvé cela ?... Malheur !... Je ne puis, Johan, ma tête refuse... mon cerveau se trouble comme avant-hier.

— Eh bien ! ne vous tourmentez pas, je trouverai, moi, c'est mon affaire. Allons, soyez calme, vous surmonterez encore cette crise-là. Je vous envoie Jacob. »

Johan sortit. Le baron, épuisé de l'effort qu'il venait de faire, perdit connaissance dans les bras de Jacob, et le médecin, précipitamment rappelé, eut beaucoup de peine à le faire revenir. Puis le malade recouvra une énergie fébrile.

« Ôtez-vous de là, docteur, dit-il, votre figure m'ennuie... Vous êtes laid ! tout le monde est laid !... Il est beau, *lui*, à ce qu'on prétend ; mais cela ne lui servira de rien... Quand on est mort, on devient vite affreux, n'est-ce pas ?... Si je meurs avant *lui* pourtant... J'ai envie de lui léguer ma fortune... Ce serait drôle ! mais si je vis, il faut bien qu'il meure, il n'y a pas à dire ! Répondez-moi donc, docteur, est-ce que vous me croyez fou ? »

Le baron, après avoir encore divagué pendant quelques instants, tomba dans une somnolence brûlante. Il était alors six heures du soir. La société du château venait de se mettre à table pour l'*aftonward*, ce léger repas qui précède le souper.

Nous sommes désolé de faire passer nos lecteurs par tant de repas, mais nous ne serions point dans la réalité si nous en supprimions un seul. Nous sommes forcé de leur rappeler que c'est l'usage général du pays de manger ou de boire de deux en deux heures, et qu'au siècle dernier personne ne s'en écartait, surtout à la campagne et dans la saison froide. Les jolies femmes ne perdaient rien de leur poésie, aux yeux de leurs admirateurs, pour montrer un excellent appétit. La mode n'était pas d'être pâle et d'avoir les yeux cernés. L'éclatante et fine carnation des belles Suédoises n'ôtait rien à leur empire sur les cœurs et sur les imaginations, et, pour n'être pas romantique, la jeunesse des deux sexes[52] n'en était pas moins romanesque. Donc la petite Marguerite et la grande Olga, la blonde Martina et plusieurs autres nymphes de ces lacs glacés, après avoir pris le café dans la grotte du högar, mangèrent du fromage à la crème dans la grande salle dorée du château, chacun rêvant l'amour à sa manière, aucune n'admettant le jeûne comme une condition du sentiment.

Les hôtes du château neuf n'étaient déjà plus aussi nombreux que dans les premiers jours de Noël. Plusieurs mères avaient emmené leurs filles en voyant que le baron Olaüs n'y faisait aucun attention. Les diplomates des deux sexes qui avaient avec lui des relations d'intérêt, et les héritiers présomptifs, que le baron avait coutume d'appeler, quand il plaisantait en français sur leur compte, ses héritiers *présomptueux*, tenaient bon, en dépit de la tristesse qui se répandait autour de lui. La comtesse Elvéda s'impatientait de ne pouvoir avancer aucune affaire avec le mystérieux amphitryon ; mais elle s'en dédommageait en établissant l'empire de ses charmes sur l'ambassadeur de Russie. Quant aux dames âgées, les matinées et les après-midi se passaient pour elles en visites reçues et rendues dans les appartements respectifs avec beaucoup de cérémonie et de solennité. Là, on s'entretenait toujours des mêmes choses : du beau temps de la saison, de la magnifique hospitalité du châtelain, de son grand esprit *un peu malicieux*, de son *indisposition*, qu'il supportait avec un si grand courage pour ne pas troubler *les plaisirs* de ses convives, et, en disant cela, on étouffait d'homériques bâillements. Et puis on parlait politique et on se disputait avec aigreur, ce qui n'empêchait pas que l'on ne parlât religion d'une manière édifiante. Le plus souvent on disait aux personnes qui venaient d'entrer tout le mal possible de celles qui venaient de sortir.

Les seuls esprits qui pussent lutter avec succès contre le froid de cette atmosphère morale, c'était une vingtaine de jeunes gens des deux sexes, qui, avec ou sans l'agrément de leurs familles, avaient vite noué entre eux des liaisons de cœur plus ou moins tendres, et qui, par leur libre réunion à presque toutes les heures du jour, se servaient de chaperons ou de confidents les uns aux autres. A cette bonne jeunesse se joignaient quelques personnes plus âgées, mais bienveillantes et d'un caractère gai, les gouvernantes comme Mlle Potin, la famille du pasteur, groupe choyé et considéré dans toutes les réunions champêtres, quelques vieux campagnards sans prétention et sans intrigue, le jeune médecin du baron, quand il pouvait s'échapper des griffes de son tyrannique et rusé malade ; enfin l'illustre Stangstadius, quand on pouvait s'emparer de lui et le retenir par des taquineries sous forme de compliments hyperboliques, dont il ne suspectait jamais la sincérité, même quand ils s'adressaient aux agréments de sa personne.

La collation de l'*aftonward* fut donc aussi enjouée que les autres jours, bien que le géologue n'y parût pas, et le jeune monde, comme disaient les matrones, ne s'aperçut pas de la figure soucieuse et agitée des valets, lesquels n'étaient pas aussi dupes de la légère indisposition de leur maître qu'ils voulaient bien le laisser croire à ceux d'entre eux qui faisaient métier d'espionner les autres.

Après la collation, on déclara que c'était assez écouter les exploits des chasseurs, et Martina proposa de reprendre un amusement qui avait eu beaucoup de succès la veille, et qui consistait à se cacher et à se chercher les uns les autres dans une partie des bâtiments du château. Instinctivement on fuyait certain pavillon réservé aux appartements isolés du châtelain, et peut-être, sans en rien faire paraître, n'était-on pas fâché d'avoir le prétexte de respecter son repos pour s'éloigner également des appartements de cérémonie occupés par les grands-parents. Dans les longues galeries sombres et peu fréquentées qui couronnaient les bâtiments d'enceinte, et qui ouvraient diverses communications avec les étages inférieurs, consacrés à divers usages domestiques, celliers, blanchisseries, etc., on avait un libre parcours pour se chercher et beaucoup de recoins pour se cacher. On tira au sort les groupes qui devaient se donner la chasse les uns aux autres à tour de rôle ; Marguerite se trouva avec Martina et son fiancé le lieutenant.

XVI

Pendant que le jeune monde du château neuf se livrait à d'innocents ébats, M. Goefle et Christian se livraient à tous les commentaires imaginables sur les découvertes que ce dernier croyait avoir faites relativement à sa naissance. M. Goefle ne partageait pas les idées de son jeune ami. Il les disait écloses dans une imagination plus ingénieuse que logique, et il paraissait plus que jamais tourmenté d'une idée sur laquelle il avait à la fois envie et crainte de s'expliquer.

« Christian, Christian, dit-il en secouant la tête, ne vous affligez pas à creuser ce cauchemar. Non, non ! vous n'êtes pas le fils du baron Olaüs, j'en mettrais ma main au feu !

— Et pourtant, reprit Christian, est-ce qu'il n'y a pas des traits de ressemblance entre lui et moi ? Pendant qu'il était évanoui et que son sang coulait sur la neige, je le regardais avec effroi ; sa figure cruelle et sardonique avait pris l'expression de calme suprême que donne la mort. Il me semblait, il est vrai, que nul homme, à moins qu'il n'ait passé sa vie devant une glace, ou qu'il ne soit peintre de portraits, ne se fait une idée certaine de sa propre physionomie ; mais enfin il me semblait que ce type était vaguement tracé dans ma mémoire, et que c'était précisément le mien. J'ai éprouvé la même chose en regardant cet homme pour la première fois. Je ne me suis pas dit : Je l'ai vu quelque part ; je me suis dit : Je le connais, je l'ai toujours connu.

— Eh bien ! eh bien ! dit M. Goefle, moi aussi, parbleu ! en vous voyant pour la première fois, et en vous regardant encore en ce moment-ci, où vous avez la figure sérieuse et absorbée, je trouve, sinon une ressemblance, du moins un rapport de type extraordinaire, frappant ! et c'est justement là, mon cher, ce qui me fait vous dire : Non, vous n'êtes pas son fils !

— Pour le coup, monsieur Goefle, je ne vous comprends pas du tout.

— Oh ! vous n'êtes pas le seul ! je ne me comprends pas moi-même. Et pourtant j'ai une idée, une idée fixe !... Si ce diable de Stenson avait voulu parler ! mais c'est en vain que je l'ai tourmenté

123

aujourd'hui pendant deux heures, il ne m'a rien dit que d'insignifiant. Ou il commence à divaguer par moment, ou il fait résolument le sourd et le distrait quand il ne veut pas répondre. Si j'avais su que cette Karine existât et qu'elle fût mêlée à nos affaires, j'aurais peut-être tiré quelque chose de lui, au moins à propos d'elle. Vous dites que le fils du *danneman* prétend qu'elle dirait bien des secrets si elle voulait ? Malheureusement c'est encore, à ce qu'il paraît, une tête fêlée, ou un esprit terrifié qui ne veut pas se confesser ! Pourtant il faut que nous venions à bout d'éclaircir nos doutes, car ou je suis fou, mon cher Christian, ou vous êtes ici dans votre pays, et peut-être sur le point de découvrir qui vous êtes. Voyons, voyons ! cherchons donc, aidez-moi, c'est-à-dire, écoutez-moi. Votre figure est également un grand sujet de trouble et d'inquiétude au château neuf, et il faut que vous sachiez... »

En ce moment, on frappa à la porte, après avoir essayé d'entrer sans frapper ; mais le verrou était poussé en dedans, précaution que M. Goefle avait prise sans que Christian y fît attention. Christian allait ouvrir, M. Goefle l'arrêta. « Mettez-vous sous l'escalier, lui dit-il, et laissez-moi faire. »

Christian, préoccupé, obéit machinalement, et M. Goefle alla ouvrir, mais sans laisser le survenant entrer dans la chambre. C'était Johan.

« C'est encore vous ? lui dit-il d'un ton brusque et sévère. Que voulez-vous, monsieur Johan ?

— Pardon, monsieur Goefle, je désirerais parler à Christian Waldo.

— Il n'est pas ici.

— Il est rentré pourtant, je le sais, monsieur Goefle.

— Cherchez-le, mais non pas chez moi. Je travaille et je veux être tranquille. C'est la troisième fois que vous me dérangez.

— Je vous demande mille pardons, monsieur Goefle ; mais, comme vous partagez votre chambre avec lui, je croyais pouvoir m'y présenter pour transmettre à ce comédien les ordres de M. le baron.

— Les ordres, les ordres ? Quels ordres ?

— D'abord l'ordre de préparer son théâtre, ensuite celui de se rendre au château neuf à huit heures précises, comme hier, enfin celui de jouer quelque chose de très gai.

— Vous vous répétez, mon cher ; vous m'avez déjà dit deux fois aujourd'hui la même chose, dans les mêmes termes... Mais êtes-vous certain de bien savoir ce que vous dites ? Le baron n'est-il pas gravement malade ce soir, et pendant que vous rôdez comme une ombre dans le vieux château, savez-vous bien ce qui se passe dans le château neuf ?

— Je viens de voir M. le baron il y a un instant, répondit Johan avec son éternel sourire d'impertinente humilité. M. le baron est tout à fait bien, et c'est parce qu'il m'envoie ici que je me vois forcé, à mon grand regret, d'être excessivement importun. Je dois cependant ajouter que M. le baron désire vivement causer avec l'honorable monsieur Goefle pendant la comédie des marionnettes.

— J'irai, c'est bien. Je vous souhaite le bonsoir. »

Et M. Goefle ferma la porte au nez de Johan désappointé.

« Pourquoi donc ces précautions ? lui dit Christian, sortant de sa retraite, d'où il avait écouté ce dialogue.

— Parce qu'il se passe ici quelque chose que j'étais en train de vouloir vous dire, et que je ne comprends pas, répondit le docteur en droit. Toute la journée, ce Johan, qui est bien, si j'en juge par sa mine et par l'opinion de Stenson, la plus détestable canaille qui existe, n'a fait autre chose que de rôder dans le Stollborg, et c'est vous qui êtes l'objet de sa curiosité. Il a interrogé sur votre compte d'abord Stenson, qui ne vous connaît pas, et qui ne sait que d'aujourd'hui (précisément par ce Johan) que nous demeurons ici, vous et moi. Ledit Johan a ensuite causé longtemps dans l'écurie avec votre valet Puffo, et dans la cuisine du *gaard* avec Ulphilas. Il eût fait causer Nils, si je ne l'eusse tenu près de moi toute la journée. Je crois même que ce mouchard a essayé de confesser votre âne !

— Heureusement ce brave Jean est la discrétion même, dit Christian. Je ne vois pas ce qui vous inquiète dans les manœuvres de ce laquais pour voir ma figure : je suis habitué à exciter cette curiosité depuis que j'ai repris le masque ; mais je vais me débarrasser pour toujours de ce mystère puéril et de ces puériles persécutions. Puisqu'il faut retourner ce soir au château, j'y retourne à visage découvert.

— Non, Christian, ne le faites pas, je vous le défends. Encore deux ou trois jours de prudence ! Il y a ici un gros secret à découvrir : je le découvrirai, ou j'y perdrai mon nom ; mais il ne faut pas qu'on voie votre figure. Il ne faut même plus la montrer à Ulf. Je ne vous quitte pas, je vous garde à vue. Un danger vous menace très certainement. L'oblique regard de Johan n'est pas le seul que j'ai vu briller dans les couloirs du Stollborg. Aujourd'hui, à la nuit tombée, ou je me trompe fort, ou j'ai aperçu un certain escogriffe, décoré par le baron son maître du nom fantastique de capitaine Chimère[53], qui se promenait autour du donjon sur la glace. Avec notre comédie d'hier soir, nous avons peut-être mis, sans nous en douter, le feu aux poudres. Le baron se doute de quelque chose relativement à vous, et si vous m'en croyez, vous allez vous faire malade, et vous n'irez pas au château neuf.

— Oh ! pour cela, je vous demande pardon, monsieur Goefle, mais rien de la part du baron ne saurait m'effrayer. Si j'ai le bonheur de ne point lui appartenir, je me sens tout disposé à le braver et à tordre vigoureusement la main qui se permettrait de soulever seulement la tapisserie de mon théâtre pour me voir, s'il me plaît encore de garder l'incognito. Songez donc que j'ai tué deux ours aujourd'hui, et que cela m'a un peu excité les nerfs. Allons, allons, pardon, cher oncle, mais il se fait tard, j'ai à peine deux heures pour préparer ma représentation. Je vais chercher un canevas dans ma bibliothèque, c'est-à-dire au fond de ma caisse, et vous me ferez bien le plaisir de le jouer tel quel avec moi.

— Christian, je n'y ai pas la tête aujourd'hui. Je ne me sens plus *fabulator*, mais avocat, c'est-à-dire chercheur de faits réels jusqu'à la moelle des os ! Votre valet Puffo n'est pas trop gris, à ce qu'il m'a semblé ; il doit être par là dans le *gaard*. Tenez, je sors, et je vais en passant l'appeler pour qu'il vous aide. Puisque vous voulez encore *fabulare* aujourd'hui,... il n'y a peut-être pas de mal,... ça vous occupera, et ça peut détourner les soupçons. Puffo vous est dévoué, n'est-ce pas ?

— Je n'en sais rien.

— Mais si l'on vous cherchait querelle, il ne vous planterait pas là ? Il n'est pas lâche ?

— Je ne crois pas ; mais soyez donc tranquille, monsieur Goefle. J'ai là le couteau norvégien que l'on m'a prêté pour la chasse, et je vous réponds que je me ferai respecter sans l'aide de personne.

— Méfiez-vous d'une surprise. Je ne crains que cela pour vous ; moi, je ne peux plus rester en place ! Depuis que vous m'avez parlé d'un enfant élevé en secret chez le *danneman*,... d'un enfant qui avait les doigts faits comme les vôtres...

— Bah ! dit Christian, j'ai peut-être rêvé tout cela, et il faut à présent que tout cela se dissipe. Je vois au fond de leur boîte mes pauvres petites marionnettes que je vais faire parler pour la dernière ou l'avant-dernière fois, car il n'y a que cela de réel et de sage dans les réflexions de ma journée, monsieur Goefle. Je quitte la marotte, je prends le marteau du mineur, la cognée du bûcheron, ou le fouet de voyage du paysan forain. Je me moque de tout le reste ! Que je sois le fils d'un aimable sylphe ou celui d'un méchant *iarl*, peu importe ? Je serai le fils de mes œuvres, et c'est trop se creuser la cervelle pour arriver à un résultat aussi simple et aussi logique.

— C'est bien, Christian, c'est bien ! s'écria M. Goefle. J'aime à vous entendre parler ainsi ; mais, moi, j'ai mon idée, je la garde, je la creuse, je la nourris,... et je vais lui faire prendre l'air. Qu'elle soit absurde, c'est possible ; je veux toujours voir Stenson, je lui arracherai son secret ; cette fois je sais comment m'y prendre. Je reviendrai dans une heure au plus, et nous irons ensemble au château. J'observerai le baron, j'irai chez lui savoir ce qu'il me veut. Il se croit fin ; je le serai plus que lui. C'est cela, courage ! A revoir, Christian. Allons, Nils, éclairez-moi. Ah ! tenez, Christian, voilà maître Puffo, à ce qu'il me semble. »

M. Goefle en effet se croisa en sortant avec Puffo.

« Voyons, toi ! dit Christian à son valet. Ça va-t-il mieux aujourd'hui ?

— Ça va très bien, patron, répondit le Livournais d'un ton plus rude encore que de coutume.

— Alors, mon garçon, à l'œuvre ! nous n'avons pas une minute à perdre. Nous jouons le *Mariage de la Folie*[54], la pièce que tu sais le mieux, que tu sais par cœur ; tu n'as pas besoin de répétition.

— Non, si vous n'y mettez pas trop de votre cru nouveau.

— Pour cela, je ne te réponds de rien ; mais je serai fidèle aux répliques, sois tranquille. Cours au château neuf avec l'âne et le bagage ; monte le théâtre, place le décor. Tiens, le choix est fait : emporte ce ballot ; moi j'habille les personnages, et je te suis. S'il faut absolument relire le canevas, nous aurons encore le temps là-bas. Tu sais bien que le beau monde met un quart d'heure à se placer et à faire silence. »

Puffo fit quelques pas pour sortir, et s'arrêta hésitant. Johan, tout en le retenant prisonnier à son insu au Stollborg, l'avait, en causant avec lui, excité contre son maître, et Puffo était impatient de chercher querelle à celui-ci ; mais il le savait agile et déterminé, et peut-être aussi que, dans un recoin très inexploré de son âme grossière et corrompue, il s'était glissé un sentiment d'affection involontaire pour Christian. Cependant il prit courage.

« Ce n'est pas tout, patron Cristiano, dit-il ; mais je voudrais bien savoir quel est le maroufle qui a tenu les marionnettes hier soir avec vous ?

— Ah ! ah ! répondit Christian, tu commences à t'en inquiéter ? Je croyais que tu ne soupçonnais pas qu'il y eût eu hier soir une représentation ?

— Je sais qu'il y en a eu une, et que je n'en étais pas !

— En es-tu bien sûr ?

— J'étais un peu gris, dit Puffo, élevant la voix, j'en conviens ; mais on m'a dit la vérité aujourd'hui, et je la sais, la vérité.

— La vérité ! dit Christian en riant ; ne dirait-on pas que je l'ai cachée à votre excellence ? Je n'ai pas eu l'honneur de vous voir aujourd'hui, signor Puffo, et quand je vous aurais vu, je ne sache pas avoir à vous rendre compte...

— Je veux savoir qui s'est permis de toucher à mes marionnettes !

— *Vos* marionnettes, qui sont à moi, vous avez l'air de l'oublier, vous le diront peut-être ; questionnez-les.

— Je n'ai pas besoin de les questionner pour savoir qu'un *individu* s'est permis de me remplacer, et de gagner apparemment mon salaire à ma place.

— Quand cela serait ? Étiez-vous en état de dire un mot hier soir ?

— Il fallait au moins m'essayer ou me prévenir.

— C'est un manque d'égards dont je me confesse, répondit Christian impatienté, mais je l'ai fait exprès pour résister à la tentation de vous corriger, comme vous le méritiez, de votre ivrognerie.

— Me corriger ! s'écria Puffo en s'avançant sur lui d'une manière menaçante. Allons-y donc un peu ! Voyons ! »

Et en même temps il brandit sur la tête de son patron une marionnette en guise de massue. L'arme, pour être comique, n'en était pas moins dangereuse, la tête du *burattino* étant faite d'un bois très dur[55], pour résister aux batailles de la scène. En tenant la figurine par son jupon de peau et en la faisant voltiger comme un fléau, Puffo, en colère, pouvait et voulait peut-être briser le crâne de son adversaire.

Christian saisit la marionnette au vol, et, de l'autre main, prenant Puffo à la gorge, il le renversa à ses pieds.

« Maudit ivrogne, lui dit-il en le tenant sous son genou, tu mériterais un solide châtiment ; mais il me répugne de te frapper. Va-t'en, je te donne ton congé, je ne veux jamais plus entendre parler de toi. Je t'ai payé ta semaine d'avance et ne te dois rien ; mais comme tu l'as peut-être déjà bue, je vais te donner de quoi retourner à Stockholm. Lève-toi, et n'essaye plus de faire le méchant, ou je t'étrangle. »

Puffo, un peu meurtri, se releva en silence. Ce n'était pas une nature d'assassin. Il était humilié et abattu. Peut-être sentait-il son tort ; mais il avait surtout une préoccupation qui frappa Christian : c'était de ramasser une douzaine de pièces d'or qui s'étaient échappées de sa ceinture, et qui avaient roulé avec lui sur le plancher.

« Qu'est-ce que cela ? dit Christian en lui saisissant le bras : de l'argent volé !

— Non ! s'écria le Livournais en élevant la main avec un geste héroïque assez burlesque, je n'ai rien volé ici ! Cet argent-là est à moi, on me l'a donné !

— Pourquoi faire ? Allons, parle, je le veux !

— On me l'a donné, parce qu'on a voulu me le donner. Ça ne regarde personne.

— Qui te l'a donné ? N'est-ce pas ?... » Christian s'arrêta, craignant de montrer des soupçons qu'il était prudent de cacher.

« Va-t'en, dit-il, va-t'en vite, car si je découvrais que tu es quelque chose de pis qu'un ivrogne, je t'assommerais sur la place. Va-t'en, et que je ne te revoie jamais, ou malheur à toi ! »

Puffo, effrayé, se retira précipitamment. Christian, pour le tenir à distance, avait mis exprès la main sur le large couteau norvégien du major. La vue de cette arme terrible suffit pour effrayer le bohémien, qui craignait surtout de voir Christian lui arracher son or, pour se livrer à une enquête sur la source de cette richesse inexpliquée.

Le Livournais sortit très indécis du donjon. Johan, qui outrepassait quelquefois de son chef les intentions secrètes du baron, ne lui avait pas précisément donné de l'argent pour faire ce qu'en style de grands chemins Puffo appelait, un peu en tremblant, un *mauvais coup*, mais pour le décider à se tenir tranquille si son maître était provoqué et entraîné dans une rixe fâcheuse. Johan l'avait confessé ; il savait par lui que Christian était bouillant et intrépide. Il lui avait fait entendre, sans compromettre le baron, que Christian avait déplu au château à quelqu'un de très puissant, qu'on avait découvert en lui un espion français, un personnage dangereux, que sais-je ? Puffo n'avait pas compris un mensonge qui n'était peut-être point encore assez grossier pour lui. Ce qu'il avait compris, c'était la somme glissée dans sa poche. Son intelligence s'était élevée jusqu'au raisonnement suivant : Si l'on me paye pour laisser faire, on me payerait bien plus pour agir. Il avait donc eu l'idée de prendre les devants ; il avait cru trouver Christian sans armes et sans défiance : le courage lui avait manqué, et un peu aussi la scélératesse. Christian était si bon que la main avait tremblé au misérable : à présent qu'il était vaincu et humilié, qu'allait-il faire ?

Tandis que Puffo se livrait à la somme très minime de réflexion dont il était capable, Christian, ému et fatigué au moral plus qu'au physique, s'était assis sur son coffre, perdu dans une rêverie mélancolique. « Triste vie ! se disait-il en contemplant machinalement la marionnette étendue par terre, qui avait été si près de lui entamer le crâne. Triste société que celle des hommes sans éducation ! Il faut pourtant, plus que jamais, que je m'y habitue : si je rentre dans les derniers rangs du peuple, d'où je suis probablement sorti, et dont j'ai vainement essayé de me séparer, il me faudra certainement plus d'une fois avoir raison, par la force du poignet, de certaines natures grossières que la douceur et le sentiment ne sauraient convaincre. O Jean-Jacques ! avais-tu prévu cela pour ton Émile[56] ? Non, sans doute, et pourtant tu as été assailli à coups de pierres dans ton humble chalet, et forcé de fuir la vie champêtre pour n'avoir pas su te faire craindre de ceux dont tu ne pouvais te faire comprendre !

Voyons, qui es-tu, toi qui as failli me tuer ? dit encore Christian en parlant tout haut cette fois, pour se mettre en verve, et en ramassant la marionnette, qui gisait la face contre terre. O Jupiter ! c'est toi, mon pauvre petit Stentarello ? toi, mon favori, mon protégé, mon meilleur serviteur ? toi, le plus ancien de ma troupe, toi, perdu à Paris et retrouvé si miraculeusement dans les sentiers de la Bohême ? Non, c'est impossible, tu ne m'aurais pas fait de mal, tu te serais plutôt retourné contre les assassins. Tu vaux mieux que bon nombre de ces grandes marionnettes stupides et méchantes qui prétendent appartenir à l'espèce humaine, et dont le cœur est plus dur que la tête. Viens, mon pauvre petit ami, viens mettre une collerette blanche et recevoir un coup de brosse sur ton habit couvert de poussière. Toi, je jure de ne plus t'abandonner !... Tu voyageras avec moi, en cachette, pour ne pas faire rire les gens sérieux, et quand tu t'ennuieras trop de ne plus voir les feux de la rampe, nous causerons tous les deux tête à tête ; je te confierai mes peines, ton joli sourire et tes yeux brillants me rappelleront les folies de mon passé... et les rêves d'amour éclos et envolés dans les sombres murs du Stollborg ! »

Un rire d'enfant fit retourner Christian : c'était M. Nils qui était rentré sur la pointe du pied, et qui sautait de joie en battant des mains à la vue de la marionnette animée et comme vivante dans les doigts agiles de Christian, qui s'exerçait avec elle.

« Oh ! donnez-moi ce joli petit garçon ! s'écria l'enfant enthousiasmé ; prêtez-le moi un moment que je m'amuse avec lui !

— Non, non, dit Christian, qui se hâtait d'arranger la toilette de Stentarello ; mon petit garçon ne joue qu'avec moi, et puis il n'a pas le temps. Est-ce que M. Goefle ne revient pas ?

— Oh ! faites-moi voir tout ça ! reprit Nils avec transport en jetant un regard ébloui dans la boîte que Christian venait d'ouvrir, et où brillaient pêle-mêle les chapeaux galonnés, les épées, les turbans à aigrette et les couronnes de perles de son monde en miniature. Christian essaya de se débarrasser de Nils par la douceur ; mais l'enfant était si acharné dans son désir de toucher toutes ces merveilles, qu'il fallut lui parler fort et rouler de gros yeux pour l'empêcher de s'emparer des acteurs et de leur vestiaire. Il se mit alors à faire la moue, et s'en alla auprès de la table en disant qu'il se plaindrait à M. Goefle de ce que personne ne voulait l'amuser. Sa tante Gertrude lui avait promis qu'il s'amuserait en voyage, et il ne s'amusait pas du tout.

« Mais je me moque de toi, grand vilain ! dit-il en faisant la grimace à Christian ; je sais faire de jolis bateaux en papier, et tu ne verras pas ceux que je vais faire !

— C'est bien, c'est bien ! répondit Christian, qui, comptant sur l'aide de M. Goefle, continuait lestement sa besogne de costumier ; fais des bateaux, mon garçon, fais-en beaucoup, et laisse-moi tranquille. »

Tout en clouant les chapeaux et les manteaux sur la tête et autour du cou de ses petits personnages, Christian regardait la pendule, et s'impatientait de ne pas voir revenir M. Goefle. Il essaya d'envoyer Nils au *gaard* pour le prier de se hâter ; Nils boudait et faisait semblant de ne pas entendre.

« Pourvu, se dit Christian, que nous ayons le temps de lire le canevas !... C'est tout au plus si je me le rappelle, moi ! J'ai eu tant d'autres soucis aujourd'hui... Ah ! j'ai promis au major une scène de chasseurs... Où la placerai-je ? N'importe où ! Un intermède pillé de la scène de Moron[57] avec l'ours dans *la Princesse d'Élide*. Stentarello fera le brave ; il sera charmant ;... il se moquera des gens qui tuent l'ours à travers un filet,... comme M. le baron ! Mais pourvu que Puffo n'ait pas emporté le canevas de la pièce ?... Je le lui avais mis dans les mains !... »

Christian se mit à chercher son manuscrit autour de lui. En faire un autre, c'était encore une demi-heure de travail, et sept heures sonnaient à la pendule. Il fouilla dans la boîte qui contenait tout son petit répertoire. Il dérangea et retourna tout ; il avait la fièvre. L'idée de ne pas aller au château neuf à l'heure dite et de paraître vouloir se soustraire à la haine du baron lui était insupportable. Il se sentait pris de rage contre son ennemi, et l'amour se mettait peut-être aussi de la partie. Il brûlait de braver ouvertement *l'homme de neige* en présence de Marguerite, et de lui montrer qu'un histrion avait plus de témérité que beaucoup des nobles hôtes du château.

En ce moment il regarda Nils, qui faisait avec beaucoup de gravité et d'attention ce qu'il lui plaisait d'appeler des petits bateaux, c'est-à-dire des papillotes de diverses formes avec du papier plié, replié, déchiré, puis chiffonné, roulé et jeté par terre quand l'objet n'était pas réussi à son gré.

« Ah ! maudit bambin, s'écria Christian en lui arrachant des mains une poignée de paperasses, tu mets mon répertoire en bateaux ! »

Nils se mit à pleurer et à crier en jurant que ces papiers n'étaient pas à Christian et en essayant de lutter avec lui pour les ravoir.

Tout à coup Christian, qui dépliait précipitamment les *bateaux* pour tâcher de rassembler les feuillets de son manuscrit, devint sérieux et s'arrêta immobile. Ces papiers en effet n'étaient pas les siens, cette écriture n'était pas la sienne ; mais son nom, ou plutôt un de ses noms, tracé par une main inconnue, lui avait, pour ainsi dire, sauté aux yeux, et cette phrase écrite en italien : *Cristiano del Lago a aujourd'hui quinze ans,...* éveillait vivement sa curiosité.

« Tiens, tiens, dit-il à l'enfant qui continuait à le tirailler en réclamant ce qu'il appelait *son papier* ; joue avec les marionnettes, et laisse-moi en paix ! »

Nils, voyant une poignée de petits hommes sur la table, se plongea avec délices dans l'occupation de les regarder et de les toucher, tandis que Christian, prenant la chaise que l'enfant venait de quitter et attirant à lui la bougie, se mit à déchiffrer une écriture détestable, avec un style italien et une orthographe à l'avenant, mais dont chaque mot, lu ou deviné, était pour lui une surprise extraordinaire.

« Où as-tu pris ces papiers-là ? dit-il à l'enfant tout en continuant de déchiffrer et de rassembler les fragments déchirés et chiffonnés.

— Ah ! monsieur, que vous êtes donc beau avec vos grandes moustaches, disait Nils à la marionnette qu'il contemplait avec extase.

— Répondras-tu, s'écria Christian ; où as-tu trouvé ces papiers-là. Sont-ils à M. Goefle ?

— Non, non, répondit enfin Nils après avoir été sourd à plusieurs questions réitérées. Je ne les ai pas pris à M. Goefle ; c'est lui qui les a jetés, et les papiers qu'on jette, c'est pour moi. C'est pour faire des bateaux, M. Goefle l'a dit ce matin.

— Tu mens ! M. Goefle n'a pas jeté ces papiers-là ! Ce sont des lettres, on ne jette pas des lettres, on les brûle. Tu as pris ça dans les tiroirs de cette table ?

— Non !

— Ou dans la chambre à coucher ?

— Dame non !

— Dis la vérité ! vite !

— Non !

— Je te tire les oreilles !

— Eh bien ! moi, je vais me sauver ! »

Christian arrêta Nils, qui voulait fuir avec les marionnettes.

« Si tu veux me dire la vérité, lui dit-il, je te donne un beau petit cheval avec une housse rouge et or.

— Voyons-le !

— Tiens, dit Christian en cherchant le jouet qui faisait partie de son matériel ; parleras-tu, coquin ?

— Eh bien ! dit l'enfant, voici ce qui est arrivé. J'ai été tout à l'heure éclairer M. Goefle chez M. Stenson, vous savez bien, le vieux qui n'entend pas ce qu'on lui dit, et qui demeure dans l'autre cour ?

— C'est bon, je sais ; dis vite, et ne mens pas, ou je reprends mon cheval.

— Eh bien ! je suis resté à attendre M. Goefle dans la chambre de M. Stenson, où il y avait du feu, pendant que M. Goefle parlait fort avec lui dans le cabinet qui est à côté.

— Que se disaient-ils ?

— Je ne sais pas, je n'ai pas écouté ; je jouais à arranger le feu dans la cheminée. Et puis tout d'un coup il est venu dans le cabinet des hommes qui disaient comme ça : « Monsieur Stenson, il y a une heure que M. le baron vous attend. Pourquoi est-ce que vous ne venez pas ? Il faut venir avec nous tout de suite. » Et puis on s'est disputé. M. Goefle disait : « M. Stenson n'ira pas, il n'a pas le temps. » Et M. Stenson disait : « Il faut que j'y aille, je ne crains rien. Je vais y aller. » Et puis M. Goefle a dit : « J'irai avec vous. » Alors je suis entré dans le cabinet, parce que j'avais peur qu'on ne fît du mal à M. Goefle, et il y avait là trois... ou six hommes bien habillés en domestiques.

— Trois... ou six ?

— Ou quatre, je n'ai pas pu compter, j'avais peur ; mais M. Goefle m'a dit : *Va-t-en*, et il m'a poussé dans l'escalier en me jetant dans les jambes ce paquet de papiers sans que personne le voie. Peut-être qu'il ne voulait pas qu'on sache qu'il me donnait cela, et moi j'ai ramassé ; je me suis sauvé, et voilà tout !

— Et tu ne me dis pas imbécile, si M. Goefle... »

Christian, jugeant bien inutile de formuler sa pensée, rassembla les papiers à la hâte, les enferma dans sa caisse, dont il prit la clé, et s'élança dehors, inquiet de la situation de l'avocat, au milieu des événements incompréhensibles qui se pressaient autour de lui.

Nils criait déjà en se voyant seul avec les marionnettes, qui l'effrayaient un peu, malgré l'attrait qu'elles avaient pour lui, lorsque M. Goefle arrêta Christian au passage et rentra avec lui dans la salle de l'ourse. Il était pâle et agité.

« Oui, oui, dit-il à Christian, qui le pressait de questions, fermons les portes. Il se passe ici des choses graves. Où est Nils ? Ah ! te voilà, petit ! Où as-tu mis les papiers ?

— Il les mettait en bateaux, répondit Christian ; je les ai sauvés, ils sont là, tout déchirés, mais rien ne manque. J'ai tout ramassé. Qu'est-ce donc, monsieur Goefle, que ces lettres singulières qui me concernent ?

— Elles vous concernent ? Vous en êtes sûr ?

— Parfaitement sûr.

— Vous les avez lues ?

— Je n'ai pas eu le temps. M. Nils a rendu la besogne difficile, outre que l'écriture est d'un maître chat ; mais je vais les lire. Monsieur Goefle, le secret de ma vie est là !

— En vérité ? Oui, je m'en doutais, j'en étais sûr, Christian, qu'il s'agissait de vous ! Mais j'ai donné ma parole à Stenson, en recevant ce dépôt, de ne pas en prendre connaissance avant la mort du baron ou la sienne.

— Mais moi, monsieur Goefle, je n'ai rien promis. Le hasard a mis les papiers dans mes mains, je les ai sauvés de la destruction : ils sont à moi.

— Vraiment ? s'écria en souriant M. Goefle. Eh bien ! moi, au bout du compte, je n'avais pas achevé mon serment quand on est entré... Non, non, j'ai bien juré hier quant à un autre dépôt mais quant à celui-ci, je n'avais pas fini de jurer, je m'en souviens. J'allais d'ailleurs obtenir toute la confiance de Sten. J'écrivais mes questions pour ne pas avoir à élever la voix avec le pauvre sourd. Je lui parlais de vous, de mes doutes, et je sentais que nous étions espionnés. Vous avez dû trouver des fragments de mon écriture au crayon sur des feuilles volantes ?

— Oui, il m'a semblé que ce devait être cela. Lisez donc les lettres alors.

— Ce sont des lettres ? Donnez... Mais non, il faudrait plutôt les cacher. Nous sommes entourés, surveillés, Christian. En ce moment, je suis sûr qu'on fouille et pille le cabinet de Stenson. On a emmené Ulphilas. Qui sait si on ne va pas nous attaquer ?

— Nous attaquer ? Eh bien ! au fait, c'est possible ! Puffo vient de me chercher une querelle d'Allemand. Il a levé la main sur moi, et il avait de l'or dans ses poches. J'ai été obligé de jeter ce manant à la porte.

— Vous avez eu tort. Il fallait le lier et l'enfermer ici. Il est peut-être maintenant avec les coupe-jarrets du baron. Voyons, Christian, une cachette avant tout pour ces papiers !

— Bah ! une cachette ne sert jamais de rien.

— Si fait !

— Cherchez, monsieur Goeffle ; moi, j'apprête mes armes, c'est le plus sûr. Où sont-ils, ces coupe-jarrets ?

— Ah ! qui sait ? J'ai vu sortir Johan et ses acolytes avec Stenson, et j'ai fermé la porte du préau ; mais on peut venir par le lac, qui est une plaine solide en ce moment ; on est peut-être déjà venu. N'entendez-vous rien ?

— Rien. Pourquoi donc viendrait-on chez vous ? Raisonnons, monsieur Goefle, raisonnons la situation avant de nous alarmer.

— Vous ne pouvez pas raisonner, vous, Christian, vous ne savez rien !... Moi, je sais... ou je crois savoir que le baron veut absolument découvrir qui vous êtes, et, quand il l'aura découvert... qui peut dire ce qui lui passera par la tête ? Il est possible qu'on nous retienne prisonniers jusqu'à nouvel ordre. On vient d'arrêter Stenson, oui, arrêter est le mot. C'était d'abord comme une invitation polie par la bouche de cette canaille de Johan, et puis, comme le vieillard effrayé hésitait, comme je voulais le retenir, d'autres laquais sont entrés et l'eussent emmené de force, s'il eût résisté. Alors j'ai voulu le suivre. Je me disais qu'en ma présence on n'oserait rien contre lui, que je l'accompagnerais même devant le baron, que j'ameuterais, s'il le fallait, tous ses hôtes contre lui. J'étais même parti en avant ; mais, à la faveur du brouillard, je suis revenu sur mes pas, parce que, d'un autre côté, vous laisser seul... je n'ai pu m'y décider. Je me suis dit que si le baron voulait arracher quelque révélation à Stenson, il commencerait par l'amadouer, et que nous aurions le temps d'aller à son secours. Donc... allons-y, Christian ; mais comme il nous faut savoir absolument le mot de l'énigme avant d'agir... eh bien ! faites le guet, gardez la porte, on n'osera pas l'enfoncer, que diable ! Je suis chez moi ici ; vous aviez raison. On n'a pas le droit de me conduire devant le maître, comme ce pauvre vieux intendant. Quel prétexte pourrait-on prendre ?

— Soyez donc tranquille, monsieur Goefle. Cette grande porte est solide, celle de la chambre à coucher ne l'est pas moins. Je vous réponds de celle de l'escalier dérobé, j'y veille. Lisez, lisez vite. Nous aurons toujours un prétexte, nous autres, pour aller au château : on n'a pas décommandé les marionnettes.

— Oui, oui, certainement, il faut savoir où nous en sommes et *qui nous sommes* ! s'écria M. Goefle, exalté par l'esprit d'investigation qui est la question d'art dans le métier de l'avocat. J'aurai plus tôt fait que vous, Christian, pour rassembler ces fragments et déchiffrer ce grimoire : c'est mon état. Cinq minutes de patience, je ne vous demande que cela. Quant à vous, monsieur Nils, silence, parlez bas avec les marionnettes. »

Et M. Goefle, avec une promptitude remarquable, se mit à rajuster les déchirures, à ranger les lettres par ordre de date, lisant à mesure, et complétant le sens avec un véritable coup d'oeil d'aigle, explorant chaque sillon, chaque détour de ce mystérieux dossier, tantôt questionnant Christian, tantôt s'interrogeant lui-même comme pour se rappeler certains faits.

« ... Le jeune homme est fort heureux dans la maison Goffredi... on l'aime beaucoup... » J'espère que c'est bien de vous qu'il s'agit. Pourtant en de certains endroits il est dit : « Mon neveu », et c'est de vous qu'il s'agit encore, « mon neveu est parti pour la campagne, sur le lac de Pérouse, avec les Goffredi. Le jeune homme a aujourd'hui quinze ans... Il est grand et fort... Il ressemble à son père... » Oh ! oui, certes, Christian, vous lui ressemblez !

— Mon père ? Qui donc est mon père ? s'écria Christian. Vous le savez donc ?

— Tenez, dit M. Goefle ému en lui tendant un médaillon qu'il tira de sa poche, regardez ! Voilà ce que Stenson vient de me confier. Ceci est un portrait ressemblant, authentique... N'est-ce pas vous à s'y méprendre ?

— Ciel ! dit Christian effrayé en regardant une fort belle miniature ; je n'en sais rien, moi ! Mais ce jeune homme richement habillé, n'est-ce pas là le baron Olaüs dans sa jeunesse ?

— Non, non, vive Dieu ! ce n'est pas lui !... Mais ne me dites rien, Christian, je lis, je commence à comprendre ! Dans une autre lettre, vous êtes désigné sous le nom de *votre neveu*, et non plus *mon neveu* ; dans une autre encore, *notre neveu*. Il devient évident pour moi que c'est une précaution pour détourner les soupçons dans le cas où les lettres seraient interceptées, car vous n'avez de parenté ni avec l'homme qui a écrit ces lettres, ni avec Stenson à qui elles sont adressées.

— Stenson ! c'est donc à lui que l'on rendait ainsi un compte sommaire de ma santé, de mes progrès, de mes voyages ? car j'ai vu cela en feuilletant. On parle de mon duel, voyez, à la date de Rome, juin mil sept cent...

— Attendez !... Oui, oui, j'y suis. Il y a une lettre par année. « Il a eu le malheur de tuer Marco Melfi, qui était... » Des réflexions !... « Le cardinal ne voudra pas se venger... J'espère découvrir ce que notre pauvre enfant est devenu... » Ah ! voici une lettre de Paris... « Impossible de le retrouver... Je pourrais vous tromper mais je ne le veux pas. Je crains qu'il n'ait été arrêté en Italie. Pendant que je le cherche ici, il est peut-être enfermé au château Saint-Ange !... » Attendez, Christian ; ne vous impatientez pas. Voici une lettre qui doit être la plus récente ! Elle est datée du six août dernier de Troppau, en Moravie. « J'étais bien cette fois sur sa trace... C'est lui qui avait pris le nom de Dulac à Paris ; mais il est parti pour un voyage, où malheureusement il a péri tout dernièrement. Je viens de dîner à l'auberge avec un nommé Guido Massarelli, que j'ai connu à Rome, qui le connaissait et qui m'a dit qu'on l'avait assassiné dans la forêt de... » Illisible ! « Je renonce donc à le chercher, et comme mon petit commerce me rappelle en Italie, je vais partir demain avant le jour. Ne m'envoyez plus d'argent pour m'aider dans mes voyages. Vous n'êtes pas riche... pour avoir été un honnête homme. C'est comme moi, votre serviteur et ami, Ma... Mancini... Manucci ? »

— Inconnu ! dit Christian.

— Manassé ! s'écria M. Goefle, celui que M. Guido a nommé hier le petit juif qui prenait à vous un intérêt inexplicable ?

— Il ne s'appelait pas ainsi, reprit Christian.

— C'est le même, j'en suis certain, dit M. Goefle. Il s'appelait Taddeo Manassé. Stenson me l'a dit aujourd'hui. C'est la première fois que, dans cette correspondance, il a signé en entier un de ses noms et c'est peut-être la dernière fois que le pauvre malheureux a trempé une plume dans l'encre, car il est mort, au dire de Massarelli, et je mettrais ma main au feu que Massarelli l'a assassiné... Attendez ! ne dites rien, Christian ! En annonçant cette mort à Stenson, Massarelli se disait en possession d'une preuve terrible qu'il voulait lui vendre, et qu'il menaçait de porter au baron ; nul doute que... Se laissait-il aller à boire ce pauvre juif ?

— Non pas, que je sache.

— Eh bien ! Guido l'aura assassiné pour lui prendre le peu d'argent qu'il pouvait avoir, et aura trouvé sur lui quelque lettre de Stenson, dont la signature et la date l'auront amené ici tout droit pour exploiter l'aventure. D'ailleurs ce Massarelli aura pu verser au juif quelque narcotique lorsqu'il a dîné avec lui à l'auberge... Non, pourtant, puisque Manassé a écrit depuis... Mais le soir ou le lendemain...

— Qu'importe, hélas ! monsieur Goefle. Il est bien certain que Massarelli a tout découvert et tout révélé au baron ; mais, moi, je ne découvre encore rien sur mon compte, sinon que M. Stenson s'intéressait à moi, que Manassé ou Taddeo était son confident et lui a donné assidûment de mes nouvelles, enfin que mon existence est fort désagréable au baron Olaüs. Qui suis-je donc, au nom du ciel ? Ne me faites pas languir davantage, monsieur Goefle !

— Ah ! patience, patience, mon enfant, répondit l'avocat, tout en cherchant une cachette pour les précieuses lettres. Je ne puis vous le dire encore. J'ai une certitude depuis vingt- quatre heures, une certitude d'instinct, de raisonnement ; mais il me faut des preuves, et celles-ci ne suffisent pas. Il faut que j'en acquière... Où ? comment ? Laissez-moi réfléchir... si je peux ! car il y a ici de quoi perdre la tête... Des papiers à cacher, Stenson en danger... Nous aussi peut-être ! Pourtant... Ah ! oui, tenez, Christian, je voudrais bien être sûr que c'est à vous que l'on en veut, car alors je saurais bien positivement qui vous êtes.

— Il est facile de s'assurer des intentions que vous supposez au baron. Je vais sortir, comme si de rien n'était, pour ma représentation, et si l'on m'attaque, comme aujourd'hui je suis bien armé, je tâcherai de confesser mes adversaires.

— Je crois, en effet, dit M. Goefle, qui avait enfin réussi à cacher les lettres, qu'il vaut mieux courir la chance d'une mauvaise rencontre sur le grand espace du lac que d'attendre ici qu'on nous prenne au gîte. Il est déjà neuf heures ; nous devions être là-bas à huit ! Et on ne vient pas savoir pourquoi nous sommes si en retard ! C'est singulier ! Attendez, Christian ! Votre fusil est-il chargé ? Prenez-le. Moi, je prends mon épée. Je ne suis ni un Hercule, ni un spadassin ; mais j'ai su autrefois me servir de cela comme tout autre étudiant, et si on nous cherche noise, je ne prétends pas me laisser saigner comme un veau ! Promettez-moi, jurez-moi d'être prudent, c'est tout ce que je vous demande.

— Je vous le promets, répondit Christian ; venez.

— Mais ce maudit enfant qui s'est endormi là en jouant, qu'allons-nous faire de lui ?

— Portez-le sur son lit, monsieur Goefle ; ce n'est pas à lui qu'on en veut, j'espère !

— Mais on assomme un enfant qui crie, et celui-ci criera, je vous en réponds, s'il est réveillé par quelque figure inconnue.

— Eh bien ! que le diable soit de lui ! Il nous faut donc l'emporter ? Rien de plus facile, si nous ne rencontrons pas de gens malintentionnés ; mais, s'il faut se battre, il nous gênera fort, et il pourra bien attraper quelque éclaboussure.

— Vous avez raison, Christian ; il vaut encore mieux le laisser dans son lit. Si on surveille nos mouvements, on saura bien que nous sortons, et on n'aura que faire d'entrer ici. Gardez toujours la porte. Cette fois, le petit coucher de M. Nils ne sera pas long. Il dormira tout habillé. »

XVII

M. Goefle venait à peine de porter son valet de chambre sur son lit qu'il appela Christian.

« Écoutez ! lui dit-il. C'est par notre chambre que l'on vient. On frappe à cette porte.

— Qui va là ? dit Christian en armant son fusil et en se plaçant devant la porte de la chambre de garde, qui donnait, on s'en souvient, sur la galerie intérieure du préau.

— Ouvrez, ouvrez, c'est nous ! répondit en dalécarlien une grosse voix.

— Qui, vous ? dit M. Goefle. »

Et, comme on ne répondait plus, Christian ajouta :

« Avez-vous peur de vous nommer ?

— Est-ce vous, monsieur Waldo ? répondit alors une voix douce et tremblante.

— Marguerite ! s'écria Christian en ouvrant la porte et en voyant la jeune comtesse et une autre jeune personne qu'il avait vue au bal, mais dont il ne se rappelait pas le nom, escortées du fidèle domestique Péterson.

— Où sont-ils ? demanda Marguerite en tombant oppressée et défaillante sur un fauteuil.

— Qui donc ? De qui parlez-vous ? lui dit-il, effrayé de sa pâleur et de son émotion.

— Du major Larrson, du lieutenant et des autres militaires, répondit l'autre jeune fille, tout aussi essoufflée et non moins émue que Marguerite. Est-ce qu'ils ne sont pas arrivés ?

— Non... Ils doivent venir ici ?

— Ils sont partis du château il y a plus de deux heures.

— Et... vous craignez qu'il ne leur soit arrivé quelque accident ?

— Oui, répondit Martina Akerström, car c'était elle ; nous avons craint... Je ne sais pas ce que nous avons craint pour eux, puisqu'ils sont partis tous ensemble ; mais...

— Mais pour qui craignez-vous alors ? dit M. Goefle.

— Pour vous, monsieur Goefle, pour vous, répondit avec vivacité Marguerite. Nous avons découvert que vous couriez ici de grands dangers. Ne vous en doutiez-vous pas ? Si fait, je vois que vous êtes armés. Est-on venu ? Vous a-t-on attaqués ?

— Pas encore, répondit M. Goefle. Il est donc certain que l'on doit nous attaquer ?

— Oh ! nous n'en sommes que trop sûres !

— Comment ! on me menace aussi, moi ? reprit M. Goefle sans aucune intention malicieuse. Répondez donc, chère demoiselle : vous en êtes sûre ? Cela devient fort étrange !

— Je ne suis pas sûre de ce dernier point, dit Marguerite, dont la pâleur se dissipa tout à coup, mais dont les yeux évitèrent ceux de Christian.

— Alors, reprit M. Goefle, sans vouloir remarquer l'embarras de la jeune fille, c'est à lui, c'est bien à lui qu'on en veut ? »

Et il montrait Christian, que Marguerite s'obstinait à ne pas voir et à ne pas nommer, ce qui ne l'empêcha pas de répondre :

« Oui, oui, c'est bien à lui, monsieur Goefle. On veut se défaire de lui.

— Et le major avec ses amis, en sont-ils sûrs aussi ? Comment ne viennent-ils pas ?

— Ils en sont sûrs, dit Martina, et s'ils n'arrivent pas, c'est qu'ils auront fait comme nous, ils se seront perdus dans le brouillard, qui va toujours en augmentant.

— Vous vous êtes perdues dans le brouillard ? dit Christian, ému de la sollicitude généreuse de Marguerite.

— Oh ! pas bien longtemps, répondit-elle : Péterson est du pays, il s'est vite retrouvé ; mais il faut que ces messieurs aient pris une rive du lac pour l'autre.

— Mettons une lumière sur la fenêtre de la salle de l'ourse, dit M. Goefle, cela servira à les diriger.

— Oh ! oui-da, dit Péterson, ils ne la verront pas plus qu'on ne voit les étoiles.

— N'importe, essayons toujours, dit Martina.

— Non, ma chère, répondit Marguerite ; les assassins sont probablement égarés aussi, puisqu'ils ne sont pas encore venus. Ne les aidons pas à se retrouver avant que MM. les officiers...

— MM. les officiers seront les bienvenus, à coup sûr, reprit M. Goefle ; mais à présent, nous voilà trois hommes bien armés : je connais Péterson, c'est un vigoureux compère... Et puis, chères demoiselles, n'auriez-vous pas pris des curieux pour des assassins ? Où les avez-vous vus ?

— Racontez, Martina, dit Marguerite ; racontez ce que nous avons entendu !

— Oui, oui, écoutez, monsieur Goefle, reprit Martina en prenant un petit air d'importance plein d'ingénuité. Il y a deux heures,... deux heures et demie peut-être, le jeune monde du château, comme on nous appelle là-bas, jouait à se cacher dans les bâtiments de l'enceinte du château neuf. J'étais avec Marguerite et le lieutenant ; on avait tiré au sort, et puis deux femmes, nous eussions eu trop peur pour courir dans les corridors sombres et dans les chambres que nous ne connaissions pas ; il nous fallait bien un cavalier pour nous accompagner ! Le lieutenant ne connaissait pas plus que nous la partie du château où nous nous étions aventurés. C'est si grand ! Nous avions traversé une longue galerie déserte et descendu au hasard un petit escalier presque tout noir. Le lieutenant marchait le premier, et, ne trouvant rien d'assez embrouillé dans cet endroit-là pour nous bien cacher, il allait toujours, si bien qu'on ne voyait plus du tout, et que nous commencions à craindre de tomber dans quelque précipice, quand il nous dit : "Je me reconnais, nous sommes devant la grosse tour qui sert de prison. Il n'y a pas de prisonniers, car voici la porte ouverte. Si nous descendions dans les cachots, je vous réponds qu'on aurait de la peine à nous trouver là." Mais l'idée de s'enfoncer dans les souterrains, qu'on dit si grands et si affreux, fit peur à Marguerite : "Non, non, n'allons pas plus loin, dit-elle ; restons à l'entrée. Voilà une petite embrasure masquée par des planches, restons là et ne parlons plus car vous savez bien qu'il y a des joueurs qui trichent et qui rôdent pour avertir les autres." Nous avons fait comme voulait Marguerite ; mais à peine étions-nous là, que nous avons entendu venir, et, pensant qu'on était déjà sur nos traces, nous nous retenions de rire et même de respirer. Alors nous avons entendu les propres paroles que je vais vous redire. C'étaient deux hommes qui sortaient de la tour et qui s'en allaient par la galerie qui nous avait amenés là. Ils parlaient bas, mais quand ils ont passé devant nous, ils ont dit :

"Est-ce que je vais encore être de faction pour garder l'Italien ? Ça m'ennuie.

— Non, tu viens avec nous au vieux château. A présent l'Italien est des nôtres.

— Ah ! qu'est-ce qu'il y a donc à faire ?"

Alors l'autre a répondu des mots que nous n'avons pas compris et que je ne pourrais pas vous redire, des mots de brigand, à ce qu'il paraît ; mais on a dit le nom de Christian Waldo à plusieurs reprises, et on a parlé aussi de l'avocat, en disant : "L'avocat, ça ne fait rien ; un avocat, ça se sauve !"

— C'est ce que nous verrons ! s'écria M. Goefle. Et après ?

— Après, on a parlé d'un âne, d'une coupe d'or, d'une querelle à engager, c'était de plus en plus incompréhensible. Et puis ces deux hommes, qui s'étaient arrêtés pour s'expliquer, s'en allaient en disant :

"C'est à huit heures, sur le lac, le rendez-vous.

— Mais s'il ne passe pas ? disait l'autre.

— Eh bien ! on ira au Stollborg ; nous aurons des ordres."

Aussitôt que ces deux coquins ont été partis, le lieutenant nous a fait sortir de notre cachette en nous disant tout bas : "Pas un mot ici !" Et avec précaution il nous a ramenées dans la grande galerie des chasses, en nous disant alors : "Permettez-moi de vous quitter et de courir chercher le major." Le lieutenant avait compris l'argot de ces bandits : on devait attaquer M. Christian Waldo en l'accusant d'avoir volé quelque chose, l'emmener à la tour, le tuer même s'il se défendait, et on avait ajouté : "Ce serait le mieux !" Le lieutenant était indigné. Il nous disait en nous quittant : "Tout cela vient peut-être de plus haut qu'on ne pense. Il y a de la politique là-dessous, il faut que Christian Waldo ait quelque secret d'État."

— Ah ! je vous jure que non, répondit Christian, que la simplicité du lieutenant fit sourire.

— Je ne vous le demande pas, monsieur Christian, reprit l'ingénue et bonne Martina : ce que je sais, c'est que le lieutenant et le major, ainsi que le caporal Duff, ont juré de faire leur devoir et de vous protéger, quand même cela déplairait beaucoup à M. le baron ; mais ils ont pensé qu'il fallait agir avec beaucoup de prudence, et, nous recommandant le plus profond secret, ils sont partis à pied, bien armés, sans bruit, et séparément, en se donnant rendez-vous ici, afin de se cacher et de s'emparer des assassins et de leur secret. "Continuez les jeux, nous ont-ils dit, tâchez que l'on ne s'aperçoive pas de notre absence." En effet, nous avons fait semblant de les chercher, Marguerite et moi, jusqu'au moment où l'on s'est séparé pour aller faire la toilette du soir ; mais, au lieu de songer à nous faire belles, nous n'avons pensé qu'à regarder par la fenêtre de ma chambre et à tâcher de voir à travers le bouillard ce qui se passait sur le lac. Hélas ! c'était bien impossible ; on ne distinguait pas seulement la place du Stollborg. Alors nous écoutions de toutes nos oreilles : dans le brouillard épais on entend quelquefois les moindres bruits ; mais on faisait, au château et autour des fossés, un vacarme de fanfares et de boîtes d'artifice, comme si on eût voulu justement nous empêcher d'entendre les bruits d'une querelle ou d'une bataille. Et le temps s'écoulait,... lorsque tout à coup la peur a pris Marguerite...

— Et vous aussi, chère Martina, dit Marguerite confuse.

— C'est vous, chère amie, qui m'avez communiqué cette peur-là, reprit la fiancée du lieutenant avec candeur. Enfin, comme deux folles, nous voilà parties avec Péterson, persuadées que nous rencontrerions le major et ses amis qui nous rassureraient, et que, grâce à Péterson, qui ne se perd jamais, nous les remettrions sur la route du vieux château, s'ils l'avaient perdue. Nous sommes donc venues à pied, et nous n'avons pas trop erré au hasard, si ce n'est que nous nous sommes trouvées arriver par le côté du *gaard*, au lieu de pouvoir marcher droit par celui du préau. Péterson nous a dit : "C'est égal, nous entrerons bien par ici." Et en effet nous voilà, sans trop savoir par où nous sommes entrées ; mais dans tout cela nous n'avons rencontré personne, et, rassurées sur votre compte, nous devons, je crois, commencer à nous inquiéter sérieusement du major... et des autres officiers.

— Ah ! Marguerite ! dit Christian bas à la jeune comtesse, pendant que M. Goefle, Martina et Péterson se consultaient pour savoir ce qu'il y avait à faire, vous êtes venue ainsi...

— Devais-je, répondit-elle, laisser assassiner un homme comme M. Goefle, sans essayer de lui porter secours ?

— Non, certes, reprit Christian, dont la reconnaissance était trop sincère et trop vive pour manquer à la délicatesse par un mouvement de fatuité, vous ne le deviez pas ; mais votre courage n'en est pas moins grand. Vous pouviez les rencontrer, ces bandits ! Bien peu de femmes auraient poussé le dévouement, l'humanité... jusqu'à venir elles-mêmes...

— Martina est venue avec moi, répondit vivement Marguerite.

— Martina est la fiancée du lieutenant, reprit Christian. Elle n'aurait peut-être pas pu se résoudre à venir pour... M. Goefle ?

— Je vous demande pardon, monsieur Christian, elle serait venue pour... n'importe qui, du moment qu'il s'agit de la vie de son semblable ! Mais occupez-vous donc de savoir si ces messieurs arrivent, car enfin je ne vois pas que le danger soit passé.

— Oui, oui, dit Christian, rassemblant ses idées, il y a du danger. J'y songe à présent que vous êtes ici. Mon Dieu ! pourquoi êtes-vous venue ? »

Et le jeune homme, en proie à des sentiments contraires, était à la fois bien heureux qu'elle fût venue et bien tourmenté de la voir exposée à quelque scène fâcheuse. D'ailleurs la présence de ces deux jeunes filles au Stollborg n'était-elle pas faite pour aggraver la situation sous un autre rapport ? Ne pouvait-elle pas précisément servir de prétexte à une invasion déclarée ? La comtesse d'Elvéda, toute mauvaise gardienne qu'elle était de sa nièce, pouvait bien s'apercevoir, ou s'être déjà aperçu de son absence, la faire chercher ou l'avoir fait suivre. Que savait-on ? « Ce qu'il y a de certain, se disait Christian, c'est qu'il ne faut pas qu'elle soit vue ici. »

Il pensa bien à la conduire avec sa compagne au *gaard* de Stenson, où personne n'aurait sans doute l'idée de la chercher ; mais la demeure de Stenson servait peut-être, en ce moment, de poste d'observation à l'ennemi... Au milieu de toutes ces perplexités, Christian, qui ne répondait qu'avec distraction aux interpellations agitées de M. Goefle, prit une résolution dont il ne fit part à personne. Ce fut de sortir de l'appartement et d'aller, soit dans les cours du vieux château, soit sur le lac, affronter des périls dont, en somme, il était l'unique point de mire. Dans ce dessein, il se munit d'une lumière, afin de se faire voir autant que possible dans le brouillard, et sortit sans rien dire, espérant que M. Goefle ne ferait pas attention tout de suite à son absence ; mais avant qu'il eût franchi la porte principale de la chambre de l'ourse, Marguerite se leva en s'écriant :

« Où allez-vous donc ?

— Où allez-vous, Christian ? s'écria aussi M. Goefle en s'élançant vers lui ; ne sortez pas seul !

— Je ne sors pas, répondit Christian en se glissant rapidement dehors, je vais voir si la seconde porte, celle qui ouvre par ici, sur le préau, est fermée.

— Que fait-il ? dit Marguerite à M. Goefle ; vous ne craignez pas...

— Non, non, répondit l'avocat, il m'a promis d'être prudent.

— Mais je l'entends qui tire les verrous de la seconde porte ; il les ouvre !

— Il les ouvre ? ah ! nos amis arrivent !

— Non, non, je vous jure qu'il s'en va ! »

Et Marguerite fit le mouvement involontaire de suivre Christian. M. Goefle l'arrêta, et, faisant signe à Péterson de ne pas quitter les femmes, il voulut s'élancer sur les traces de Christian. Déjà celui-ci avait fermé la porte en dehors pour l'empêcher de le suivre, et il courait vers la porte extérieure du préau, appelant Larrson à haute voix, et se tenant prêt à se défendre, s'il réussissait à attirer à lui les assassins, lorsqu'une balle dirigée sur lui vint faire sauter de sa main le flambeau qu'il tenait et le replonger dans les blanches ténèbres que ne pouvait percer l'éclat de la lune, et qui dormaient comme un linceul sur la terre.

Au bruit du coup de pistolet, M. Goefle, épouvanté pour son jeune ami, laissa échapper un juron terrible ; Martina fit un cri, Marguerite tomba sur une chaise ; Péterson courut à M. Goefle. Leurs efforts combinés eussent peut-être réussi à ouvrir la porte ; mais ils ne s'entendirent pas. Péterson, tout dévoué à sa jeune maîtresse, ne songeait qu'à empêcher les malfaiteurs d'entrer, et ne soupçonnait pas que M. Goefle voulût au contraire sortir pour voler au secours de Christian.

Durant ce malentendu, où le bon avocat se donnait à tous les diables, Christian, enchanté d'avoir enfin la liberté d'agir, s'était élancé sur le premier qui s'était trouvé devant lui ; mais celui-ci, qui, trompé par le brouillard, ne le croyait pas sans doute si près, prit la fuite, et Christian le poursuivit en le bravant et en l'injuriant, tandis qu'un autre bandit le suivait rapidement sans rien dire. Christian entendit derrière lui le bruit sec des pas de l'assassin sur la neige durcie, et il lui sembla entendre aussi, à travers le sang que la colère faisait gronder dans ses oreilles, d'autres pas et d'autres voix venant sur lui à droite et à gauche. Il comprit rapidement qu'il était traqué, et conservant assez de présence d'esprit pour savoir ce qu'il faisait, il s'acharna à la poursuite du premier assaillant, jugeant qu'il ne devait pas se retourner avant de s'être débarrassé de celui-ci, qui pouvait venir l'attaquer par derrière lorsqu'il aurait à faire face aux autres. En outre, il ne perdait pas de vue la résolution d'éloigner l'affaire du Stollborg.

Christian descendit ainsi le roidillon du préau, dont il trouva la porte ouverte, et, à vrai dire, la pente rapide que ses pieds rencontrèrent fut le seul indice certain qu'il put avoir de la direction qu'il prenait. Mais au moment où il se sentit sur la glace unie du lac, d'autres détonations partirent de derrière lui, des balles sifflèrent à ses oreilles, et il vit tomber à deux pas devant lui l'homme qu'il poursuivait. Le fugitif avait été pris pour lui par ses complices, ou bien ceux-ci avaient tiré au hasard sur tous deux, sans se soucier d'atteindre celui qui avait lâché pied.

L'homme que les balles venaient d'atteindre était Massarelli ; Christian reconnut sa voix, qui exhalait un rugissement d'agonie au moment où il enjamba son cadavre. Il courut encore afin de se donner le temps de se reconnaître pendant que les assassins ramasseraient ou tout au moins regarderaient Massarelli pour savoir qui ils avaient abattu. Puis il s'arrêta pour écouter, et il entendit seulement ces mots : « Laissez-le là ; il est bien. »

De quoi s'agissait-il ? Prenait-on Massarelli pour lui, et les assassins allaient-ils se retirer ? ou bien avait-on reconnu la méprise et allait-on continuer la poursuite ? En faisant de rapides zigzags dans le brouillard, Christian espéra se défaire d'eux un à un. Il essayait de compter les voix et les pas. Il avait un immense avantage, qui était d'avoir gardé, sans y songer, les bottes de feutre sans couture et sans semelles qu'on lui avait prêtées le matin pour la chasse. Cette souple chaussure ne gênait pas plus ses mouvements que s'il eût couru nu-pieds, et lui permettait en outre de ne faire sur la neige qu'un bruit extrêmement léger, tandis qu'il entendait le moindre pas de ses adversaires, chaussés avec moins de luxe et de précaution.

Il écouta encore. On venait à lui, mais on ne le voyait pas ; la marche était incertaine. Il entendit, à dix pas de lui, ces mots rapides : « Hé ! c'est moi ! » Les bandits se rencontrant inopinément dans le brouillard, leur ordre était rompu. Rien de plus facile désormais que de leur échapper. Christian n'y songea pas. Il avait la rage au cœur ; il ne voulait pas que ces scélérats pussent retourner le chercher au Stollborg. Il les appela d'une voix forte en se nommant et en les défiant, reculant peu, mais courant comme des bordées pour les irriter et les désunir, espérant en joindre un, puis un autre, sans se laisser envelopper par tous. Sa présence d'esprit était si complète, qu'il put bientôt les compter ; ils étaient encore trois, Massarelli avait été le quatrième.

Malgré cette étonnante possession de lui-même, Christian éprouvait une surexcitation violente, mais qui n'était pas sans mélange d'un plaisir âpre comme l'ivresse de la vengeance. Aussi fut-il presque désappointé lorsque d'autres pas se firent entendre derrière lui, des pas aussi moelleux que les siens, et qui lui firent tout de suite reconnaître les bottes de feutre dont étaient chaussés ses compagnons de chasse. Il craignait que les bandits ne prissent la fuite sans combattre. Il courut au devant de ses amis et leur dit bas et rapidement : « Ils sont là, ils sont trois, il faut les prendre !... Suivez-moi et taisez-vous ! »

Et aussitôt, retournant en droite ligne à la rencontre des ennemis, il s'arrêta au lieu où il les jugea à peu près rassemblés en se nommant de nouveau et en raillant leur maladresse et leur poltronnerie. A l'instant même, un des bandits l'atteignit au bras d'un coup de poignard, et tomba à ses pieds, étourdi et suffoqué par un coup du manche du couteau norvégien que Christian lui porta en pleine poitrine. Christian n'avait été que blessé légèrement, grâce à sa veste de peau de renne ;

il remercia le ciel de n'avoir pas cédé au désir d'éventrer le bandit comme il avait éventré l'ours de la montagne. Il était très important de prendre vivant un des *bravi* du baron. Les deux autres, le croyant mort, jugèrent qu'avec leur chef, ils avaient perdu la partie, et, se rapprochant l'un de l'autre à l'instant même, ils échangèrent, en un seul mot de leur argot, la formule désespérée du sauve-qui-peut ; mais ils avaient compté sans le major et le lieutenant, qui les guettaient et qui s'emparèrent de l'un tandis que l'autre prenait la fuite.

« Pour l'amour du ciel ! êtes-vous blessé, Waldo ? dit le major, que Christian aidait à désarmer les bandits.

— Non, non, répondit Christian, qui ne sentait sa blessure qu'à la chaleur du sang qui remplissait sa manche. Avez-vous des cordes ?

— Oui, certes, de quoi les pendre tous, si nous en avions le droit. Nous avions bien compté les faire prisonniers, ces beaux messieurs ! Mais, si vous n'êtes pas trop essoufflé, Christian, donnez donc un son de trompe pour tâcher d'amener ici nos autres amis que nous attendons et cherchons depuis une heure. Tenez, voici l'instrument.

— Mieux vaut décharger vos armes, dit Christian.

— Non pas, il y a eu assez de coups de feu comme cela ; sonnez la trompe, vous dis-je. »

Christian fit ce qu'on lui demandait ; mais on ne fut rejoint que par le caporal.

« Voyez-vous, dit le major à Christian, il faut que ceci ait l'air d'une partie de promenade durant laquelle nous nous serions perdus et retrouvés.

— Je ne vous comprends pas.

— Il faut qu'il en soit ainsi, vous dis-je, pendant quelques heures, afin que le baron ne se doute pas trop tôt de l'issue de l'affaire et ne soit pas en mesure de mettre sur pied, contre nous, les autres coquins qu'il a sans doute en réserve. Quant à lui, ajouta-t-il en baissant la voix, son tour viendra, soyez tranquille !

— Son tour est tout venu, répondit Christian, je m'en charge.

— Doucement, doucement, cher ami ! vous n'avez pas mission pour cela. Ce soin me regarde, et je suis bien décidé à sévir, maintenant que nous avons une certitude et des preuves. Seulement nous ne pouvons agir contre un noble et un membre de la diète qu'en vertu d'ordres supérieurs ; nous les obtiendrons, n'en doutez pas. Ce que nous avons à faire pour le moment, c'est que vous m'obéissiez, mon ami, car je vous requiers, au nom des lois et au nom de l'honneur, de me prêter main forte comme je l'entends et selon les ordres que j'aurai à vous donner. »

En ce moment, M. Goefle accourait tête nue, le flambeau d'une main, l'épée de l'autre. Il avait fait le tour par la porte de la chambre à coucher, après avoir décidé, non sans peine, les deux femmes à se tenir enfermées sous la garde de Péterson, car toutes deux montraient un égal courage pour elles-mêmes et une égale sollicitude pour les absents.

« Christian ! Christian ! s'écria-t-il, est-ce ainsi que vous gardez votre parole ?

— J'ai tout oublié, monsieur Goefle, répondit Christian à voix basse : c'était plus fort que moi... Pouvais-je attendre que l'on vînt enfoncer les portes et tirer sur les femmes ?... Tenez, nous sommes délivrés ; retournez auprès de Marguerite, rassurez-la.

— J'y cours, répondit l'avocat en éternuant, d'autant plus que je m'enrhume affreusement... J'espère, ajouta-t-il tout haut, que ces messieurs vont venir nous voir ?

— Oui certes, c'était convenu, répondit le major ; mais il nous faut d'abord vaquer à nos devoirs. »

M. Goefle alla rassurer les dames, et les autres hommes procédèrent à l'enlèvement du cadavre de Massarelli, que l'on fit transporter par les deux prisonniers, le pistolet sur la gorge, dans un des celliers du *gaard*. Ceux-ci, bien liés, furent conduits ensuite dans la cuisine de Stenson, où le lieutenant et le caporal rallumèrent le feu et s'installèrent pour les garder à vue, tandis que le major se préparait à les interroger en confrontation avec Christian.

Christian s'impatientait de voir procéder si régulièrement dans une affaire que le major paraissait connaître mieux que lui-même ; mais le major, qui lui parlait en français, lui fit comprendre qu'avec un adversaire comme le baron, il n'était pas aussi facile qu'il le pensait de prouver même un fait patent et avéré.

« Et puis, ajouta-t-il, je vois avec regret que nous manquons un peu de témoins. M. Goefle n'a rien vu que le résultat de l'affaire. On ne retrouve ici ni M. Stenson, ni son neveu, ni votre valet. J'espérais que nous serions plus nombreux pour vous défendre à temps et constater les faits *de visu*. Le sous-lieutenant et les quatre soldats que j'avais envoyé chercher n'ont pas encore paru. Malgré le rapprochement de nos bostœlles et des *torps* des soldats, il se passera peut-être, grâce au brouillard, plusieurs heures avant que nous ayons ici huit homme sous les armes.

— Mais qu'est-il besoin de huit hommes pour en garder deux ?

— Croyez-vous donc, Christian, que le baron, en voyant, pour la première fois, échouer une de ses diaboliques combinaisons, va se tenir tranquille ? Je ne sais pas ce qu'il pourra imaginer, mais à coup sûr il imaginera quelque chose, dût-il essayer de faire mettre le feu au Stollborg. C'est pourquoi je suis résolu à y passer la nuit, afin de m'emparer, avec votre aide, des autres bandits qui nous seront probablement dépêchés soit avec des offres de service, soit autrement. C'est toute une bande de voleurs et d'assassins que la majeure partie de cette valetaille étrangère, et il faut tâcher de les prendre tous en flagrant délit. Alors je vous réponds que la magistrature osera sévir contre le seigneur, réduit à invoquer en vain l'assistance de ses paysans. Si nous ne procédons pas ainsi, soyez sûr que c'est nous qui perdrons la partie. Tout le monde aura peur, le baron trouvera le moyen de désavouer la responsabilité de l'événement, ou de nous faire enlever les prisonniers.

Vous passerez pour un assassin, et nous passerons pour des visionnaires, ou tout au moins pour de jeunes officiers sans expérience, prenant parti pour le coupable et arrêtant les honnêtes gens, car vous pouvez bien compter que les deux *bravi* que nous tenons sont bien stylés. Je vais les interroger, et vous verrez qu'ils sauront arranger leur affaire. Je parie bien que la leçon leur est faite on ne peux mieux. »

En effet, les deux bandits répondirent avec impudence qu'ils étaient venus, par l'ordre du majordome, avertir *l'homme aux marionnettes*, qui était en retard pour la représentation ; que celui-ci, en voyant parmi eux un de ses anciens camarades, à qui il en voulait, s'était élancé à sa poursuite, et l'avait tué. Il avait ensuite injurié et provoqué les autres, et celui qui avait blessé Christian jura qu'il l'avait blessé par mégarde en voulant s'emparer d'un furieux.

« Tellement furieux, ajoutait-il, qu'il m'a enfoncé la poitrine et que je crache le sang !

— Vous verrez, dit Christian au major, que c'est moi qui ai manqué d'égards envers monsieur en ne me laissant pas assassiner !

— Et vous verrez, répondit Larrson, que les assassins se sauveront de la corde ! Nos lois n'appliquent la peine capitale qu'aux criminels qui avouent. Ceux-ci le savent bien, et, quelque absurde que soit leur défense, ils s'y tiendront. Votre cause sera peut-être moins bonne que la leur. Voilà pourquoi, de notre côté, nous tiendrons ferme pour vous et auprès de vous, Christian, n'en doutez pas.

— Oh ! la cause de Christian est très bonne ! dit M. Goefle, qui était venu écouter l'interrogatoire, et qui ramenait ses hôtes vers ce qu'il appelait son manoir de l'ourse. Nous aurons bien des armes contre le baron, si nous pouvons venir à bout de délivrer le vieux Stenson, qui a été emmené, bon gré mal gré, au château. Il faut, messieurs, que vous en trouviez le moyen avec nous.

— Quant à cela, monsieur Goefle, dit le major, il n'y faut pas songer. Le châtelain est justicier sur son domaine, et par conséquent dans sa propre maison. J'ignore ce que l'affaire de M. Stenson peut avoir de commun avec celle de Christian, mais mon avis n'est pas de compliquer celle-ci. Avant tout, je voudrais savoir si en effet Christian a trouvé dans le bât de son âne un gobelet d'or, que le baron avait ordonné de glisser là, comme autrefois Joseph[58] voulant éprouver ses frères, mais, je suppose, dans des intentions beaucoup moins pacifiques.

— Ma foi, dit Christian, je n'en sais rien. Venez avec moi vous en assurer. »

On se porta à l'écurie, où l'on trouva Puffo dans un coin, pâle et demandant grâce. On le fouilla ; le gobelet d'or était sur lui. Il se confessa à sa manière. Il avait vu, une heure auparavant, maître Johan apporter là cet objet précieux dans des intentions qu'il avait devinées, et, ne se croyant pas surveillé, il avait résolu de s'en emparer pour le reporter au château, disait-il, et empêcher que l'on accusât son maître d'un vol dont il était innocent ; mais, au moment où il allait fuir, il s'était trouvé enfermé dans l'écurie, dont la porte avait résisté à tous ses efforts, lorsqu'au bruit du combat il avait essayé de porter secours à Christian. En raison de ces aveux fort suspects, le major fit lier maître Puffo comme les autres, et on le conduisit au *gaard*, où Péterson, requis de prêter main-forte, fut chargé de seconder le caporal dans le soin de garder les trois prisonniers. La coupe d'or[59] fut portée en triomphe par M. Goefle sur la table de la salle de l'ourse.

Cependant Martina Akerström était accourue au devant de son fiancé, sans la moindre crainte du « qu'en dira-t-on ? » et sans éprouver aucun embarras de la présence du major et du caporal. La bonne et candide personne ne se tourmentait plus que de deux choses : l'inquiétude que son absence devait commencer à inspirer à ses parents, et le manque de sucre pour offrir le thé « à ces pauvres messieurs qui devaient avoir si froid ! » Elle demandait à envoyer quelqu'un au château neuf pour rassurer les auteurs de ses jours et pour rapporter du sucre.

Quant au dernier point, Nils, que le mouvement fait autour de lui avait réveillé, et que la présence des officiers rassurait, put satisfaire la bonne Martina, vu qu'il savait très bien, et pour cause, où se trouvait la provision de sucre apportée par Ulphilas le matin, mais, quant au premier, on manquait de courriers, et le major tenait d'ailleurs à enregistrer, séance tenante, la déposition de Martina avec celle du lieutenant Osburn, relativement aux paroles des bandits, entendues, deux heures auparavant, à l'entrée de la tour du château neuf. Comme pour lui tout le nœud de l'affaire était là, il se fit rendre un compte détaillé du fait, écrivant à mesure, et regrettant que le troisième témoin, la comtesse Marguerite, ne fût pas présente pour y apposer sa signature.

Marguerite était dans la chambre de garde, où Christian l'avait à la hâte priée de rentrer, pour qu'elle ne fût pas vue des jeunes officiers, vis-à-vis desquels elle n'avait pas l'excuse, plausible et sacrée en Suède, d'être venue par sollicitude pour les jours d'un fiancé ; mais la comtesse, qui se tenait près de la porte, entendit que l'on réclamait son concours, et s'étant assurée, à l'audition des voix, qu'elle n'avait rien à craindre de la médisance des personnes présentes, elle ouvrit vivement et se montra. Elle avait à cœur de jurer et de signer, elle aussi, que le vol infâme imputé à Christian, dans les conseils et desseins du baron, avait été annoncé d'avance devant elle.

En la voyant, le major et le lieutenant ne purent retenir une exclamation de surprise ; mais M. Goefle, avec sa présence d'esprit accoutumée, se chargea de tout expliquer.

« Mlle Akerström, dit-il, n'eût pas pu venir seule. Elle n'avait personne pour l'accompagner, et vous lui aviez tellement recommandé le silence, qu'elle ne pouvait choisir d'autre escorte que le domestique de la comtesse Marguerite, initiée au même secret. Naturellement la comtesse Marguerite a voulu accompagner son amie, à laquelle Péterson eût peut-être fait quelques objections sur le mauvais temps... » M. Goefle trouva encore de bonnes raisons pour démontrer combien le fait s'était *naturellement* accompli. Martina eût pu dire, avec sa simplicité primitive, que les choses ne s'étaient pas absolument passées comme les expliquait M. Goefle, et elle était si loin de soupçonner la prédilection de Marguerite pour Christian, qu'elle n'y eût même pas manqué, si elle n'eût été absorbée par le soin de servir le thé et même le gruau avec Nils, qui avait en outre découvert au *gaard* les mets destinés par Ulphilas absent au souper de son oncle et des hôtes du Stollborg. La lugubre salle de l'ourse offrait donc en ce moment une de ces scènes tranquilles que, par suite des nécessités de la nature et des éternels contrastes de la destinée, notre vie présente à chaque instant : tout à l'heure des angoisses, des luttes, des périls ; l'instant d'après, un intérieur, un repas, une causerie. Cependant M. Goefle et Martina furent les seuls qui s'assirent pour manger. Les autres ne firent qu'avaler debout et à la hâte, attendant avec impatience, ou de nouveaux événements, ou un renfort qui leur permît de prendre de nouvelles résolutions.

Certes chacun des personnages d'une réunion si insolite avait un vif sujet d'inquiétude. Marguerite se demandait si, à la suite du changement nécessité dans le programme des plaisirs du château neuf par l'absence des *burattini*, sa tante ne se mettrait pas à sa recherche, et si Mlle Potin elle-même ne partagerait pas son étonnement et sa frayeur en constatant l'absence de Martina, avec qui elle l'avait laissée. Martina se tourmentait moins des angoisses de sa famille. Positive en ses raisonnements, elle se disait que le château était bien grand, que sa mère, parfaitement sûre d'elle et aimant le jeu, n'avait pas l'habitude de la chercher quand elle courait avec ses jeunes compagnes de salle en salle, qu'enfin d'un instant à l'autre l'arrivée des autres officiers allait la délivrer ; mais quand elle songeait au petit nombre des défenseurs du Stollborg, elle s'inquiétait pour son fiancé et trouvait le secours bien lent à venir.

Christian s'inquiétait pour Marguerite, sans trop songer désormais à sa propre destinée. Le major s'inquiétait pour Christian et pour lui-même ; il ne cessait de répéter tout bas au lieutenant qu'il trouvait l'affaire mal engagée pour être portée devant un tribunal. Le lieutenant s'inquiétait de voir le major inquiet. Quant à M. Goefle, il s'alarmait pour le vieux Stenson, et cela le conduisait à retomber dans ses commentaires intérieurs sur la naissance et la destinée de Christian.

La situation n'était en somme rassurante pour personne, lorsqu'enfin on entendit sonner et frapper à la porte du préau. Ce pouvait être l'officier avec les soldats attendus ; mais ce pouvait être aussi une nouvelle bande dépêchée pour assister ou délivrer la première. Le major et le lieutenant armèrent leurs pistolets et s'élancèrent dehors, en ordonnant à Christian, avec le droit et l'autorité dont ils étaient revêtus en cette circonstance, de rester derrière eux, et de n'attaquer qu'à leur commandement. Puis Larrson, ayant ouvert lui-même résolument la porte du préau sans faire de questions, et au risque de tomber sous les coups de ceux dont ils voulaient s'emparer, reconnut avec joie le sous-lieutenant son ami et les quatre soldats les plus voisins de son cantonnement. Dès lors pour lui tout était sauvé. Il était bien impossible que le baron, ne recevant pas de nouvelles de l'événement, dont il devait attendre l'issue avec impatience, n'envoyât pas une partie de son *mauvais monde* à la découverte.

Le sous-lieutenant fit son rapport, qui ne fut pas long. Il s'était perdu avec ses hommes ; il n'avait trouvé le Stollborg que par hasard, après avoir longtemps erré dans la brume. Il n'avait rencontré personne, ou s'il avait rencontré quelqu'un, il n'en savait absolument rien.

« Cependant, ajoutait-il, le brouillard commence à s'éclaircir sur les bords du lac, et avant un quart d'heure il sera possible de faire une ronde. Le bruit des fanfares et des boîtes avait entièrement cessé du côté du château. On pourra désormais se rendre compte des moindres bruits du dehors.

— La ronde sera d'autant plus possible, répondit le major, que nous avons ici un homme du pays, un certain Péterson, qui a le sens divinatoire des paysans, et qui dès à présent saurait vous mener partout ; mais attendons encore un peu. Postez-vous autour des deux entrées, dans le plus profond silence et en vous cachant bien. Fermez les portes du pavillon du *gaard*. Que les prisonniers soient toujours gardés à vue et menacés de mort s'ils disent un seul mot, mais que ce soit une simple menace ! Nous n'avons que trop d'un mort, qui nous sera peut-être bien reproché !... »

XVIII

Le brave et prudent major venait à peine de prendre ces disposi-
tions qu'une ombre passa près de lui, au moment où il retournait à
tâtons à la salle de l'ourse pour continuer son instruction à laquelle
manquait l'avis très important de M. Goefle sur tout ce qui s'était passé
relativement à Christian. Cette ombre semblait incertaine, et le major
se décida à la suivre jusqu'à ce que, rencontrant le mur du donjon,
elle se mît à jurer d'une voix assez douce, que Christian, alors sur le
seuil du vestibule, reconnut aussitôt pour celle d'Olof Bœtsoï, le fils
du *danneman*.

« A qui en avez-vous, mon enfant ? lui dit-il en lui prenant le bras.
Et comment se fait-il que vous veniez ici au lieu de retourner chez
vous ?

— Entrez, entrez, dit à voix basse le major, ne causez pas dans
la cour. »

Et ils entrèrent tous trois dans la salle de l'ourse.

« Ma foi, si vous ne vous étiez pas trouvé là, dit Olof à Christian,
j'aurais cherché longtemps la porte. Je connais bien le dehors du Stollborg, j'y viendrais les yeux fermés ; mais le dedans, non ! je n'y étais
jamais entré. Vous pensez bien que par ce temps maudit je ne pouvais
pas retourner tout de suite dans la montagne. Enfin j'ai vu un peu
d'éclaircie, et, après deux heures passées au bostœlle de M. le major,
j'y ai laissé mon cheval, et me voilà parti à pied pour ne pas causer
de crainte à mon père ; mais auparavant, j'ai voulu vous rapporter un
portefeuille que vous avez oublié dans le traîneau, *herr* Christian. Le
voilà. Je ne l'ai pas ouvert. Ce que vous avez mis dedans y est comme
vous l'avez laissé. Je n'ai voulu le confier à personne, car mon père
m'a dit que les papiers, c'était quelquefois plus précieux que de
l'argent. »

En parlant ainsi, Olof remit à Christian un portefeuille de maro-
quin noir qu'il ne reconnut en aucune façon.

« C'est peut-être à vous ? dit-il au major. Dans les habits que vous
m'aviez prêtés ?...

— Nullement, je ne connais pas l'objet, répondit Larrson.

— Alors, c'est au lieutenant ?

— Oh ! non, certainement, dit Martina ; il n'a pas d'autres porte-feuilles que ceux que je brode pour lui.

— On peut toujours s'en assurer, dit le major ; il est par là dans le *gaard*.

— Attendez donc ! s'écria M. Goefle, qui était toujours sur la brè-che devant son idée fixe ; ne m'avez-vous pas dit, Christian, que vous aviez fait verser le baron ce soir au moment de la chasse ?

— C'est-à-dire que le baron m'a culbuté et s'est culbuté lui-même par contre-coup, répondit Christian.

— Eh bien ! reprit l'avocat, tous les objets que contenaient vos voi-tures ont roulé pêle-mêle sur le chemin, depuis les ours jusqu'aux por-tefeuilles, et celui-ci est...

— La trousse de son médecin, je le parierais ! dit Christian. Laissez-la ici, Olof, nous la lui renverrons.

— Donnez-moi cela ! reprit M. Goefle d'un ton décidé et absolu. La seule manière de savoir à qui appartient un portefeuille anonyme, c'est de l'ouvrir et je m'en charge.

— Vous prenez cela sur vous, monsieur Goefle ? dit le scrupuleux major.

— Oui, monsieur le major, répondit M. Goefle en ouvrant le por-tefeuille, et je vous prends à témoin de la chose, vous qui êtes ici pour instruire les faits d'un procès que j'aurai peut-être mission de plaider. Tenez, voici une lettre de M. Johan à son maître. Je connais l'écri-ture, et du premier coup j'y vois... *l'homme aux marionnettes... Guido Massarelli... la chambre des roses* ?... Ah oui ! le baron se permet, comme le sénat, d'avoir la sienne ! Major, cette pièce est fort grave, et peut-être l'autre, car il y en a deux, est-elle plus grave encore ; votre mandat exige que vous en preniez connaissance.

— Puis-je m'en aller ? dit le jeune *danneman*, qui, comprenant con-fusément l'instruction d'une affaire judiciaire, éprouvait, comme les paysans de tous les pays, la crainte d'avoir à se compromettre par un témoignage quelconque.

— Non, répondit le major, il faut rester et écouter. »

Et s'adressant à Marguerite et à Martina, qui se consultaient à voix basse sur la possibilité de s'en retourner au château :

« Je vous prie et vous demande, leur dit-il, d'écouter aussi. Nous avons affaire à forte partie, et nous serons peut-être accusés d'avoir fabriqué de fausses preuves. Or en voici une qui nous est remise en votre présence, et dont il est nécessaire que vous ayez connaissance en même temps que nous.

— Non, non ! s'écria Christian, il ne faut point que ces dames soient mêlées à un procès...

— J'en suis désolé, Christian, répondit le major ; mais les lois sont au-dessus de nous, et je ferai ici rigoureusement mon devoir. Il a été tué ce soir un homme qu'il vaudrait mieux certes tenir vivant. Je sais bien que vous n'y êtes pour rien et que vous avez été blessé... Vous êtes vif, vous êtes brave et généreux, mais vous n'êtes pas prévoyant quand il s'agit de vous-même. Moi, je dis que cette affaire-ci peut vous mener à l'échafaud, parce que vous avouerez loyalement le fait de provocation à vos ennemis, tandis que les drôles nieront tout effrontément !... Lisons donc, et ne négligeons aucun moyen pour faire triompher la vérité.

— Oui, oui, major, lisez, j'écoute, s'écria Marguerite, qui était devenue pâle en regardant la manche ensanglantée de Christian ; je témoignerai, dussé-je y perdre l'honneur ! »

Christian ne pouvait accepter le dévouement de cette noble fille, et il supportait impatiemment l'autorité que le major s'arrogeait sur elle. Le major avait pourtant raison, et Christian le sentait, puisqu'en cette affaire l'honneur de l'officier n'était pas moins en jeu que le reste. Il s'assit brusquement, et couvrit sa figure de ses mains pour cacher et retenir les mouvements impétueux qui l'agitaient, tandis que le major faisait lecture à haute voix du journal de maître Johan, écrit par lui-même et envoyé au baron durant la chasse.

« Cette pièce est très mystérieuse pour moi, dit le major en finissant ; elle prouve un complot bien médité contre Christian, mais...

— Mais vous ne pouvez comprendre, dit M. Goefle, qui, pendant la lecture de cette pièce, avait rapidement parcouru l'autre, tant de haine contre un inconnu sans nom, sans famille et sans fortune, de la part du haut et puissant seigneur le baron de Waldemora ? Eh bien ! moi, je comprends fort bien, et, puisque nous avons la preuve de l'effet, il est temps de connaître la cause ; la voici.

— Relève la tête, Christian de Waldemora, ajouta M. Goefle en frappant la table avec énergie, le ciel t'a conduit ici, et le vieux Stenson avait raison de le dire : « Les richesses du pécheur sont réservées au juste ! »

Un silence de stupeur et d'attente permit à M. Goefle de lire ce qui suit :

Déclaration confiée par moi, Adam Stenson, à Taddeo Manassé, commerçant natif de Pérouse.

Pour être remise à *Cristiano* le jour où les circonstances ci-dessous mentionnées le permettront.

Adelstan Christian de Waldemora, fils de noble seigneur Christian Adelstan, baron de Waldemora, et de noble dame Hilda de Blixen, né le 15 septembre 1746, au donjon du Stollborg, en la chambre dite de l'ourse, sur le domaine de Waldemora, province de Dalécarlie ;

Secrètement confié aux soins d'Anna Bœstoï, femme du *danneman* Karl Bœtsoï, par moi soussigné Adam Stenson, et par Karine Bœtsoï fille des ci-dessus nommés, et femme de confiance de la défunte baronne Hilda de Waldemora, née de Blixen.

Ledit enfant nourri par une daine apprivoisée en la maison dudit *danneman* Karl Bœtsoï, sur la montagne de Blaakdal, jusqu'à l'âge de quatre ans, passant pour le fils de Karine Bœtsoï, laquelle, par dévouement pour sa défunte maîtresse, a consenti à se laisser croire ensorcelée et mise à mal par un inconnu, et a ainsi préservé l'enfant, dont elle se disait mère, de la recherche de *ses ennemis* ;

Ledit enfant, emmené par moi, Adam Stenson, pour le soustraire à des soupçons qui commençaient à le compromettre, en dépit des précautions prises jusqu'alors ;

A été conduit par moi soussigné en Autriche, où j'ai une sœur mariée, laquelle pourra témoigner m'avoir vu arriver chez elle avec un enfant nommé Christian, parlant la langue dalécarlienne ;

Et sur l'avis du très fidèle ami et confident Taddeo Manassé, de la religion de *l'Ancien Testament*, autrefois bien connu en Suède sous le nom de Manassé, et très estimé de feu M. le baron Adelstan de Waldemora pour homme de parole, de discrétion et de probité dans son commerce d'objets d'art dont était fort amateur ledit baron ;

Je soussigné me suis rendu en la ville de Pérouse en Italie, où résidait alors mondit ami Taddeo Manassé, et où, me présentant aux jours de carnaval, sous un masque, aux très honorables époux Silvio Goffredi, professeur d'histoire ancienne en l'université de Pérouse, et Sofia Negrisoli, sa femme légitime, de la famille de l'illustre médecin de ce nom,

Leur ai remis, confié et comme qui dirait *donné* ledit Cristiano de Waldemora, sans aucunement leur faire connaître son nom de famille, son pays, et les raisons particulières qui me déterminaient à me séparer de lui.

En donnant cet enfant bien-aimé aux susdits époux Goffredi, j'ai cru remplir le vœu de la défunte baronne Hilda, laquelle désirait qu'il fût élevé loin de ses ennemis, par des gens instruits et vertueux, lesquels, sans aucun motif d'intérêt, l'aimeraient comme leur propre fils, et le rendraient propre à soutenir un jour dignement le nom qu'il doit porter et le rang qu'il doit recouvrer après la mort de *ses ennemis*, laquelle mort, d'après l'ordre de la nature, doit précéder de beaucoup la sienne.

Et dans le cas où la mort du soussigné arriverait avant celle *desdits ennemis*, le soussigné a chargé le susdit Taddeo Manassé de prendre telles informations qui conviendraient pour que, à la mort de *ses ennemis*, Christian de Waldemora en fût averti et mis en possession de la présente déclaration... En foi de quoi, — après avoir fait contrat de bonne amitié avec Taddeo Manassé, lequel doit ne jamais perdre de vue ledit Christian de Waldemora, résider où il résidera, et lui venir en aide si autre protection venait à lui manquer, mettre en sa propre place à cette fin, en cas de maladie grave et danger de mort, une personne sûre comme lui-même ; enfin donner une fois par an de ses nouvelles au soussigné : — le soussigné, voulant conserver sa place d'intendant au château de Waldemora, afin de ne pas éveiller de soupçons et de gagner l'argent nécessaire aux déplacements présumés de Taddeo ou aux besoins éventuels de l'enfant, a quitté, non sans douleur,

la ville de Pérouse pour retourner en Suède le 16 mars 1750, croyant
et espérant avoir fait son possible pour préserver de tout danger et placer dans une situation heureuse et digne le fils de ses défunts maîtres.

ADAM STENSON ».

« Contre-signé Taddeo Manassé, gardien juré des peintures del Cam-
bio, à Pérouse. »

« Parlez, Christian, dit M. Goefle à son jeune ami stupéfait et silen-
cieux. Tout doit être vérifié. Ce Manassé était-il réellement un hon-
nête homme ?
— Je le crois, répondit Christian.
— Ne vous offrit-il pas une fois des secours de la part de votre
famille ?
— Oui. Je refusai.
— Connaissez-vous sa signature ?
— Très bien. Il fit plusieurs affaires avec M. Goffredi.
— Regardez-la ; est-ce son écriture ?
— C'est son écriture.
— Quant à moi, reprit M. Goefle, je reconnais parfaitement dans
le corps de la pièce la main et le style d'Adam Stenson. Veuillez ouvrir
ce carton, monsieur le major, et constater la similitude. Ce sont des
comptes de gestion dressés et signés par le vieux intendant, à peu près
à la même époque, c'est-à-dire en 1751 et 52. Au reste son écriture
n'a pas changé, et sa main est toujours ferme. En voici la preuve :
trois versets de la Bible écrits hier, et dont le sens, appliqué à la situation de son esprit, est ici fort clair et fort utile à constater. »
Le major fit la constatation ; mais pour lui l'énigme restait, sinon
entière, du moins assez obscure encore. Le baron avait-il fabriqué de
fausses pièces pour établir que sa belle-sœur n'avait pas laissé d'héritier à lui opposer ? Il en était fort capable ; mais M. Goefle les avait
vues, ces pièces. Il devait même les avoir entre les mains, comme un
dépôt confié à son père, auquel il avait succédé.
« J'ai ces pièces chez moi, à Gœvala, en effet, répondit M. Goefle. Elles ont été examinées par des experts, elles sont authentiques ;
mais ne tombe-t-il pas maintenant sous le sens qu'elles ont été arra-
chées au consentement de la baronne Hilda par la contrainte ou par
la terreur ? Calmez-vous, Christian, tout s'éclaircira. Tenez, major, voici
une autre découverte faite hier dans un vêtement que je vais vous montrer : une lettre du baron Adelstan à sa femme ; lisez, et supputez les
dates. L'espérance de la maternité était confirmée le 5 mars, après deux
ou trois mois d'incertitude peut-être ! L'enfant naissait le 15 septembre ; la baronne s'était réfugiée ici dans les premiers jours dudit mois.
Elle y était probablement retenue prisonnière, et elle y mourait le 28
décembre de la même année. Encore une preuve : voyez ce portrait en
miniature ! Regardez-le, Marguerite d'Elvéda. C'est le comte Adelstan,

qui certes n'a pas été peint pour les besoins de la cause ; le peintre est célèbre, et il a daté et signé son œuvre. Ce portrait est pourtant celui de Christian Waldo ! La ressemblance est frappante. Enfin regardez le portrait en pied du même personnage. Ici même ressemblance, bien que ce soit l'œuvre d'un artiste moins habile ; mais les mains ont été rendues naïvement, et vous voyez bien ces doigts recourbés : montrez-nous les vôtres, Christian !

— Ah ! s'écria Christian, qui marchait dans la chambre avec exaltation, et qui laissa M. Goefle saisir ses mains tremblantes, si le baron Olaüs a martyrisé ma mère, malheur à lui ! Ces doigts crochus lui arracheront le cœur de la poitrine !

— Laissez parler la passion italienne, dit M. Goefle au major, qui s'était levé, craignant que Christian ne s'élançât dehors. L'enfant est généreux ; je le connais, moi ! Je sais toute sa vie. Il a besoin d'exhaler sa douleur et son indignation, ne le comprenez-vous pas ? Mais attendez, mon brave Christian. Peut-être le baron n'est-il pas aussi criminel dans le passé qu'il nous semble. Il faut connaître les détails, il faut ravoir Stenson. Délivrer Stenson, et l'amener ici, major, voilà ce qu'il faudrait, et ce que vous ne voulez pas faire.

— Vous savez bien que je ne le peux pas, s'écria le major, très ému et très animé. Je n'ai aucun droit devant l'autorité seigneuriale, surtout en matière de répression domestique, et si le baron veut faire souffrir ce vieillard, il ne manquera pas de prétextes. »

Ici le major fut interrompu par Christian, qui ne pouvait plus contenir son impétuosité. Il voulait aller seul au château neuf, il voulait délivrer Stenson ou y laisser sa vie.

« Quoi ! disait-il, ne voyez-vous pas que dans ce repaire on ne recule devant rien ? Je comprends trop ce que, par une amère et horrible dérision, on appelle ici la *chambre des roses* ! Et ce pauvre vieillard qui n'a plus que le souffle, ce fidèle serviteur qui m'a sauvé de *mes ennemis*, comme il le dit dans sa déclaration, et qui, après les fatigues d'un long voyage, m'a consacré une longue vie de silence et de travail, c'est pour moi encore qu'à l'heure où nous sommes il expire peut-être dans les tourments ! Non, cela est impossible ; vous ne me retiendrez pas, major ! Je ne reconnais pas votre autorité sur moi, et s'il faut se frayer un passage ici l'épée à la main,... eh bien ? tant pis, c'est vous qui l'aurez voulu.

— Silence ! s'écria M. Goefle en arrachant des mains de Christian son épée que le jeune homme venait de saisir sur la table, silence ! Ecoutez ! on marche au-dessus de nous dans la chambre murée.

— Comment cela serait-il possible, dit le major, si elle est murée en effet ? D'ailleurs je n'entends rien, moi.

— Ce ne sont point des pas que j'entends, répondit M. Goefle ; mais taisez-vous et regardez le lustre. »

On regarda et on fit silence, et non seulement on vit trembler le lustre, mais encore on entendit le léger bruit métallique de ses ornements de cuivre, ébranlés par un mouvement quelconque à l'étage supérieur.

« Ce serait donc Stenson ? s'écria Christian. Nul autre que lui ne peut connaître les passages extérieurs...

— Mais en existe-t-il ? dit le major.

— Qui sait ! reprit Christian. Moi, je le crois, bien que je n'aie pu m'en assurer, et que l'ascension par les rochers m'ait paru impossible. Mais... n'entendez-vous plus rien ? »

On écouta encore, on entendit ou on crut entendre ouvrir une porte et frapper ou gratter de l'autre côté de la partie murée de la salle de l'ourse. Stenson s'était-il échappé des mains de ses ennemis, et, n'osant revenir par le *gaard* ou par le préau, qu'il pouvait supposer gardés par eux, était-il entré dans le donjon par un passage connu de lui seul ? Appelait-il ses amis à son aide, ou leur donnait-il un mystérieux avertissement pour qu'ils eussent à se méfier d'une nouvelle attaque ? Le major trouvait ces suppositions chimériques, lorsque le lieutenant entra avec le *danneman* Bœtsoï, en disant : « Voici l'un de nos amis qui arrive de nos bostœlles où il cherchait son fils. N'est-il point ici ?

— Oui, oui, mon père ! répondit Olof, qui était fort effrayé de tout ce qu'il venait d'entendre et qui fut très content de voir arriver le *danneman*. Étiez-vous inquiet de moi ?

— Inquiet, non ! répondit le *danneman*, qui venait de faire la route par un temps affreux pour retrouver son enfant, mais qui trouvait contraire à la dignité paternelle de lui avouer sa sollicitude. Je pensais bien que nos amis ne t'auraient pas laissé partir seul ; mais à cause du cheval, qui pouvait s'estropier !... »

Tandis que le *danneman* expliquait ainsi son inquiétude, le lieutenant faisait au major une communication dont celui-ci parut très frappé.

« Qu'y a-t-il donc ? lui demanda M. Goefle.

— Il y a, répondit Larrson, que nous sommes tous sous l'empire d'idées noires qui nous rendent fort ridicules. Le lieutenant, en faisant sa ronde, a entendu comme une plainte humaine traverser les airs, et nos soldats sont si effrayés de tout ce que l'on raconte de la *dame grise* du Stollborg, que, sans le respect de la discipline, ils auraient déjà déguerpi. Il est temps d'en finir avec ces rêveries, et, puisqu'il n'y a pas moyen de pénétrer par ici dans cette chambre murée, il faut explorer le dehors avec attention, et voir si cette fantasmagorie[60] ne sert pas de prétexte aujourd'hui aux bandits de là-bas pour nous tendre un piège. Venez avec nous, Christian, puisque vous avez cru découvrir un moyen de grimper.

— Non, non ! répondit Christian ; ce serait trop long et peut-être impossible. Je trouve bien plus sûr et plus prompt d'ouvrir ce mur. Il ne s'agit que d'avoir la première brique. »

En parlant ainsi, Christian arrachait de ses anneaux la grande carte de Suède, et, armé de son marteau de minéralogiste, il entamait la cloison avec une vigueur désespérée, tantôt frappant avec le bout carré de l'instrument sur la brique retentissante, tantôt passant la pointe aiguë et tranchante dans les trous qu'il avait pratiqués, et amenant avec violence de larges fragments liés ensemble par le mortier, qui tombaient avec fracas sur l'escalier sonore. Il eût été bien inutile de vouloir s'opposer à son dessein. Une sorte de rage le poussait à sortir de l'inaction à laquelle on voulait le réduire. Les idées étranges qu'il avait conçues sur la présence d'une personne enfermée dans cette masure lui revenaient dans l'esprit comme un cauchemar. Il était même tellement surexcité qu'il était prêt à admettre les idées superstitieuses que M. Goefle avait subies en ce lieu, et à penser qu'un avertissement surnaturel l'appelait à découvrir le secret infernal qui pesait sur les derniers moments de sa mère.

« Otez-vous, ôtez-vous de là ! criait-il à M. Goefle, qu'une anxiété analogue, mêlée d'une vive curiosité, poussait à chaque instant au pied de l'escalier ; si le travail s'écroule en bloc, je ne pourrai pas le retenir. »

En effet, la cloison artificielle, qui s'étendait sur une assez grande surface, et que Christian attaquait avec fureur, s'en allait de plus en plus en ruines, couvrant de poussière l'intrépide démolisseur, qui semblait protégé par miracle au milieu d'une pluie de pierres et de ciment. Personne n'osait plus lui parler ; personne ne respirait, croyant à chaque instant le voir enseveli sous les débris, ou frappé mortellement par la chute de quelque brique. Un nuage l'enveloppait lorsqu'il s'écria : « J'y suis ! voilà la continuation de l'escalier. De la lumière, monsieur Goefle !... » Et, sans l'attendre, il s'élança dans les ténèbres. Mais le peu de temps qu'il lui fallut pour chercher des mains une porte qui se trouva entr'ouverte devant lui avait suffi au major pour le rejoindre.

« Christian, lui dit-il en le retenant, si vous avez quelque amitié pour moi et quelque déférence pour mon grade, vous me laisserez passer le premier. M. Goefle suppose qu'il y a ici des preuves décisives de vos droits, et vous ne pouvez témoigner dans votre propre cause. D'ailleurs prenez-y garde ! ces preuves sont peut-être de nature à vous faire reculer d'horreur !

— J'en supporterai la vue, répondit Christian, exaspéré par cette pensée qui était déjà la sienne. Je veux savoir la vérité, dût-elle me foudroyer ! Passez le premier, Osmund, c'est votre droit ; mais je vous suis, c'est mon devoir.

— Eh bien ! non ! s'écria M. Goefle, qui, avec le *danneman* et le lieutenant, venait de monter rapidement l'escalier derrière le major, et qui se jeta résolument devant la porte. Vous ne passerez pas, Christian ; vous n'entrerez pas sans ma permission ! Vous êtes violent, mais je suis obstiné. Porterez-vous la main sur moi ? »

Christian recula vaincu. Le major entra avec M. Goefle ; le lieutenant et le *danneman* restèrent sur le seuil entre eux et Christian.

Le major fit quelques pas dans la chambre mystérieuse, que n'éclairait guère la lueur de la bougie apportée par M. Goefle. C'était une grande pièce boisée, comme celle de l'ourse, mais entièrement vide, délabrée, et cent fois plus lugubre. Tout à coup le major recula, et baissant la voix pour n'être pas entendu de Christian, qui était si près de l'entrée :

« Voyez ! dit-il à M. Goefle, voyez, là ! par terre !

— C'était donc vrai ! répondit M. Goefle du même ton : voilà qui est horrible ! Allons, major, courage ! il faut tout savoir. »

Ils s'approchèrent alors d'une forme humaine qui gisait au fond de l'appartement, le corps plié et comme agenouillé par terre, la tête appuyée contre la boiserie, du moins autant qu'on en pouvait juger sous les voiles noirs et poudreux dont cette forme ténue était enveloppée.

« C'est elle, c'est le fantôme que j'ai vu, dit M. Goefle en reconnaissant sous ces voiles la robe grise avec ses rubans souillés et traînants. C'est la baronne Hilda, morte ou captive !

— C'est une personne vivante, reprit le major fort ému en relevant le voile ; mais ce n'est pas la baronne Hilda. C'est une femme que je connais. Approchez, Joë Bœtsoï ; entrez, Christian. Il n'y a rien ici de ce que vous imaginiez. Il n'y a que la pauvre Karine, évanouie ou endormie.

— Non, non, dit le *danneman* en s'approchant doucement de sa sœur, elle ne dort pas, elle n'est pas évanouie, elle est en prières, et son esprit est dans le ciel. Ne la touchez pas, ne lui parlez pas, avant qu'elle se relève.

— Mais comment est-elle entrée ici ? dit M. Goefle.

— Oh ! cela, répondit le *danneman*, c'est un don qu'elle a d'aller où elle veut et d'entrer, comme les oiseaux de nuit, dans les fentes des vieux murs. Elle passe, sans y songer, par des endroits où je l'ai quelquefois suivie en recommandant mon âme à Dieu. Aussi je ne m'inquiète plus quand je ne la vois point à la maison ; je sais qu'il y a en elle une *vertu*[61], et qu'elle ne peut pas tomber ; mais voyez ! la voilà qui a fini de prier en elle-même : elle se lève, elle s'en va vers la porte. Elle prend ses clefs à sa ceinture. Ce sont des clefs qu'elle a toujours gardées comme des reliques, et nous ne savions pas d'où elles lui venaient...

— Observons-la, dit M. Goefle, puisqu'elle ne paraît pas nous voir, ni nous entendre. Que fait-elle en ce moment ?

— Ah ! cela, dit le *danneman*, c'est une habitude qu'elle a de vouloir trouver une porte à ouvrir, quand elle rencontre certains murs. Voyez ! elle y pose sa clef et elle la tourne, puis elle voit qu'elle s'est trompée, elle va plus loin.

— Ah ! dit M. Goefle, voilà qui m'explique les petits cercles tracés sur le mur, dans la salle de l'ourse.

— Puis-je lui parler ? dit Christian, qui s'était approché de Karine.

— Vous le pouvez, répondit le *danneman*, elle vous répondra si votre voix lui plaît.

— Karine Bœtsoï, dit Christian à la voyante, que cherches-tu ici ?

— Ne m'appelle pas Karine Bœtsoï, répondit-elle, Karine est morte. Je suis la *vala*[62] des anciens jours, celle qu'il ne faut point nommer !

— Où veux-tu donc aller ?

— Dans la chambre de l'ourse. Ont-ils déjà muré la porte ?

— Non, dit Christian ; je vais t'y conduire. Veux-tu me donner la main ?

— Marche ! dit Karine, je te suivrai.

— Tu me vois donc ?

— Pourquoi ne te verrais-je pas ? Ne sommes-nous pas dans le pays des morts ? N'es-tu pas le pauvre baron Adelstan ? Tu me redemandes la mère de ton enfant ?... Je viens de prier pour elle et pour lui. Et à présent,... viens, viens,... je te dirai tout ! »

Et Karine, qui sembla tout à coup se reconnaître, franchit la porte et descendit l'escalier, non sans causer une vive terreur à Marguerite et à Martina, bien que le jeune Olof, qui s'était approché de l'escalier et qui avait tout entendu, les eût prévenues qu'elles n'avaient rien à craindre de la pauvre extatique.

« N'ayez pas peur, leur dit Christian, qui suivait Karine, et que suivaient les deux officiers, M. Goefle et le *danneman* ; examinez tous ses mouvements ; tâchez, avec moi, de deviner la pensée de son rêve. Ne fait-elle pas le simulacre de rendre les derniers devoirs à une personne qui vient de mourir ?

— Oui, répondit Marguerite, elle lui ferme les yeux, elle lui baise les mains et les lui croise sur la poitrine. Et maintenant elle tresse une couronne imaginaire, qu'elle lui pose sur la tête. Attendez, elle cherche quelqu'un...

— Est-ce moi que tu cherches, Karine ? dit Christian à la voyante.

— Es-tu Adelstan, le bon *iarl* ? répondit Karine. Eh bien ! écoute et regarde : voilà qu'elle a cessé de souffrir, ta bien-aimée ! Elle est partie pour le pays des elfes. Le méchant *iarl* avait dit : « Elle mourra "ici", et elle y est morte ; mais il avait dit aussi : Si un fils vient à naître, il mourra le premier.» Il avait compté sans Karine. Karine était là, elle a reçu l'enfant, elle l'a sauvé, elle l'a donné aux fées du lac, et l'homme de neige n'a jamais su qu'il fût né. Et Karine n'a jamais rien dit, même dans la fièvre et dans la douleur ! A présent elle parle, parce que le beffroi du château sonne la mort. Ne l'entendez-vous pas ?

— Serait-il vrai ? s'écria le major en ouvrant précipitamment la fenêtre : non, je n'entends rien. Elle rêve.

— S'il ne sonne pas, il ne tardera guère, répondit le *danneman*. Elle l'a déjà entendu ce matin, de notre montagne. Nous savions bien que cela ne se pouvait pas, mais nous savions bien aussi qu'elle entendait d'avance, comme elle voit d'avance les choses qui doivent arriver.»

Karine, sentant la fenêtre ouverte, s'en approcha.

« C'est ici ! dit-elle, c'est par ici que Karine Bœtsoï a fait envoler l'enfant. »

Et elle se mit à chanter le refrain de la ballade que Christian avait entendue dans le brouillard : « L'enfant du lac, plus beau que l'étoile du soir. »

« C'est une chanson que votre maîtresse vous a apprise ? » lui demanda M. Goefle.

Mais Karine ne semblait entendre que la voix de Christian.

Martina Akerström se chargea de la réponse.

« Oui, oui, dit-elle, je la connais, moi, cette ballade : elle a été composée autrefois par la baronne Hilda. Mon père l'a trouvée dans des papiers saisis au Stollborg, et laissés au presbytère par son prédécesseur. Il y avait aussi des poésies scandinaves, traduites en vers et mises en musique[63] par cette pauvre dame, qui était fort savante et très grande artiste en musique. On avait voulu faire de cela des preuves contre elle comme si elle eût pratiqué le culte des dieux païens. Mon père a blâmé la conduite de l'ancien ministre, et il a précieusement gardé les manuscrits.

— A présent, Karine, dit M. Goefle à la voyante, qui était retombée dans une sorte d'extase tranquille, ne nous diras-tu plus rien ?

— Laissez-moi, répondit Karine, qui était entrée dans une autre phase de son rêve, laissez-moi, il faut que j'aille sur le högar, au-devant de celui qui va revenir.

— Qui te l'a dit ? lui demanda Christian.

— La cigogne qui perche sur le haut du toit, et qui apporte aux mères assises sous le manteau de la cheminée des nouvelles de leur fils absent. C'est pourquoi j'ai mis la robe que la bien-aimée m'a donnée, afin qu'il vît au moins quelque chose de sa mère. Il y a trois jours que je l'attends et que je chante pour l'attirer ; mais le voici enfin, je le sens près de moi. Cueillez des bleuets, cueillez des violettes, et appelez le vieux Stenson, afin qu'il se réjouisse avant de mourir. Pauvre Stenson !...

— Pourquoi dites-vous *pauvre Stenson* ? s'écria Christian effrayé. Vous apparaît-il dans votre vision ?...

— Laissez-moi, répondit Karine. J'ai dit, et à présent la *vala* retombe dans la nuit ! »

Karine ferma les yeux et chancela.

« Cela signifie qu'à présent elle veut dormir, dit le *danneman* en la recevant dans ses bras. Je vais l'asseoir ici, car il faut qu'elle dorme où elle se trouve.

— Non, non, dit Marguerite, nous allons la conduire dans l'autre chambre, où il y a un grand sofa. Elle paraît brûlée de fièvre et brisée de fatigue, cette pauvre femme. Venez.

— Mais que faisait-elle là-haut ? dit M. Goefle en retournant vers l'escalier et en s'adressant au major, pendant que les deux jeunes filles conduisaient la famille du *danneman* vers la chambre de garde. Rien ne m'ôtera de l'idée qu'il y a dans cette chambre, murée avec tant de soin par Stenson, un secret plus grave encore, une preuve plus irrécusable que les souvenirs de Karine et la déclaration de Stenson. Voyons, Christian, il faut... Mais où êtes-vous donc ?

— Christian ? s'écria Marguerite en revenant précipitamment de la chambre de garde : il n'est pas avec nous ; où est-il ?

— Il est donc déjà remonté là-haut ? dit le major en s'élançant sur l'escalier de bois.

— Malédiction ! s'écria M. Goefle, qui remonta avec Osmund dans la chambre murée ; il est parti ! Il a passé par cette brèche comme une couleuvre ! N'est-ce pas lui que je vois courir sur ce mur ? Christian !...

— Pas un mot, dit le major. Il court sur le bord d'un abîme !... Laissez-le tranquille... A présent je ne le vois plus, il est entré dans le brouillard. Je voudrais le suivre ; mais je suis plus gros que lui, je ne passerai jamais là.

— Écoutez ! reprit M. Goefle. Il a sauté !... Il parle !... Ecoutez !...»

On entendit la voix de Christian qui disait aux soldats :

« C'est moi ! c'est moi ! le major m'envoie au château !

— Ah ! le fou ! le brave enfant ! s'écria M. Goefle. Il ne prend conseil que de lui-même ; il s'en va, seul contre tous, à la recherche de Stenson ! »

En effet, Christian s'était envolé, selon l'expression du *danneman*, comme l'oiseau de nuit à travers la fente du vieux mur. Le nom de Stenson, prononcé par Karine, lui avait déchiré le cœur. — Qu'il se réjouisse avant de mourir ! avait-elle dit en achevant son rêve prophétique. Stenson allait-il mourir en effet sous les coups de ses bourreaux, ou bien y avait-il dans ses navrantes paroles une de ces cruelles dérisions que nous apporte l'espérance ?

Christian se voyait enfermé et paralysé par la prudence du major. Une querelle entre eux à ce sujet était imminente, et, bien qu'il sût combien était dangereuse l'évasion par la brèche, Christian aima mieux se mesurer avec l'abîme qu'avec un des excellents amis que la Providence lui avait envoyés. Il n'avait vu cette issue fortuite de la tour que de trop loin et avec trop de préoccupation pour l'étudier. Le brouillard se dissipait lentement, et les objets étaient encore assez confus ; mais Karine y avait passé.

« Mon Dieu ! dit-il, donnez au dévouement les facultés surnaturelles que vous donnez quelquefois au délire ! »

Et, bien convaincu qu'ici l'adresse et la précaution ne lui serviraient de rien, puisqu'il ne voyait pas à trois pieds au-dessous de lui, l'enfant du lac, se confiant au miracle permanent de sa destinée, descendit en courant l'abîme qu'il n'avait pas osé gravir durant le jour.

XIX

Christian arriva au manoir de Waldemora avant que le major, ayant un parti à prendre et des ordres à donner à sa petite troupe, eût pu franchir la moitié de cette même distance pour le rejoindre. Il trouva les portes des cours ouvertes et éclairées comme d'habitude durant les fêtes. Un grand mouvement régnait toujours dans les escaliers et dans les galeries, mais un mouvement insolite. Ce n'étaient plus de belles dames parées et de beaux messieurs poudrés qui, au son de la musique de Rameau[64], échangeaient, en se rencontrant, de grandes révérences ou de gracieux sourires ; c'étaient des valets affairés portant des malles et courant charger des traîneaux. Presque tous les hôtes du manoir se préparaient au départ, les uns causant à voix basse dans les corridors, les autres enfermés chez eux, prenant quelques heures de repos après avoir donné leurs ordres pour le voyage.

Que se passait-il donc ? On était si agité que Christian, botté, tête nue, la veste déchirée et ensanglantée, le couteau de chasse à la ceinture, ne fit aucune sensation. On lui fit instinctivement place, sans se demander quel était ce chasseur attardé qui semblait monter à l'assaut, résolu à tout renverser plutôt que de subir une seconde d'attente.

Christian traversa ainsi la galerie des chasses dans laquelle il vit errer des figures singulièrement agitées. Parmi ces figures, il reconnut quelques-uns de ceux qui lui avaient été désignés au bal comme les héritiers *présomptueux*[65] du châtelain. Ils paraissaient très émus, se parlaient bas, et se tournaient à chaque instant vers une porte par laquelle ils semblaient attendre avec anxiété une nouvelle importante.

Sans leur donner le temps de l'examiner et de comprendre ce qu'il faisait, Christian franchit cette porte, se disant que par là probablement il arriverait aux appartements du baron ; mais en suivant un assez long couloir, il entendit pousser d'horribles gémissements. Il se mit à courir de ce côté, et entra dans une chambre ouverte, où il se trouva tout à coup en présence de Stangstadius, qui, tranquillement assis, lisait une gazette auprès d'une petite lampe à chapiteau, sans paraître le moins du monde ému des plaintes effrayantes qu'on entendait de plus

en plus rapprochées et distinctes. « Qu'est-ce que cela ? lui dit Christian en lui saisissant le bras. N'est-ce point par ici que l'on donne la torture ? »

Sans doute Christian, le couteau à la main, avait une physionomie peu rassurante, car l'illustre géologue bondit effrayé en s'écriant :

« Qu'est-ce que c'est ? qu'est-ce que vous voulez ? qu'est-ce que vous parlez de...

— L'appartement du baron ! répondit laconiquement le jeune homme, d'un ton si absolu que Stangstadius ne songea pas à discuter.

— Par là ! répondit-il en lui montrant la gauche. »

Et, très content de le voir s'éloigner, il reprit sa lecture, en se disant que le châtelain avait d'étranges bandits à son service, et qu'on rencontrait dans ses appartements des gens que l'on ne voudrait pas rencontrer au coin d'un bois.

Christian traversa encore un cabinet, et trouva une dernière porte fermée. Il la fit sauter d'un coup de poing. Il eût enfoncé en ce moment les portes de l'enfer.

Un spectacle lugubre s'offrit à sa vue. Le baron, en proie aux convulsions d'une terrible agonie, se débattait dans les bras de Johan, de Jacob, du médecin et du pasteur Akerström. Ces quatre personnes avaient à peine la force d'empêcher qu'il ne se jetât hors de son lit pour se rouler sur le plancher. La crise qu'il subissait était si poignante, et les gens qui l'entouraient si absorbés, qu'ils ne s'aperçurent pas du bruit que Christian avait fait pour entrer, et ne se retournèrent qu'au moment où le moribond, dont la figure était tournée vers lui, s'écria avec un accent de terreur impossible à rendre : « Voilà... voilà... voilà mon frère ! »

En même temps sa bouche se contracta, ses dents coupèrent sa langue, d'où le sang jaillit. Il se rejeta en arrière par un mouvement si brusque et si violent, qu'il échappa aux mains qui le soutenaient, et tomba, la tête en arrière, contre le mur de son alcôve, avec un bruit affreux. Il était mort.

Tandis que le ministre, le médecin et l'honnête Jacob échangeaient, terrifiés, la parole suprême : *c'est fini* ! Johan, conservant une présence d'esprit extraordinaire, avait regardé et reconnu Christian. L'attentat du Stollborg, dont il attendait depuis une heure le résultat avec tant d'impatience, sans pouvoir quitter le mourant, avait donc échoué. Johan se sentit perdu. Il n'y avait pour lui en ce moment de salut que dans la fuite, sauf à faire plus tard sa soumission au nouveau maître, ou à tenter de s'en défaire à l'aide des complices qui lui restaient. Quoi qu'il dût résoudre, il ne songea qu'à s'échapper ; mais Christian le serrait de trop près pour que cela fût possible, et il le prit au collet, sur le seuil de la porte, d'une si vigoureuse façon, que le misérable, pâle et suffoqué, tomba à genoux en lui demandant grâce.

« Stenson ! lui dit Christian, qu'as-tu fait de Stenson ?

— Qui êtes-vous, monsieur, et que faites-vous ? s'écria le ministre d'un ton sévère. Est-ce dans un moment aussi solennel que celui-ci, est-ce en présence d'un homme dont l'âme comparaît au tribunal suprême, que vous devez vous livrer à un acte de violence ? »

Pendant que le ministre parlait, Jacob essayait de dégager Johan de l'étreinte de Christian ; mais l'état de surexcitation où se trouvait le jeune homme décuplait sa force naturelle, et les trois personnages présents n'eussent pu lui faire lâcher prise.

Presque aussitôt Stangstadius, accouru au bruit, était entré, livrant passage aux héritiers, avides de connaître la vérité sur l'état du baron, et aux domestiques, qui étaient aux écoutes et qui venaient d'entendre le dernier râle du mourant.

« Qui êtes-vous, monsieur ? répétait le ministre, par qui Christian s'était laissé volontairement désarmer, mais sans lâcher sa proie.

— Je suis Christian Goefle, répondit-il autant par pitié pour les pauvres héritiers que par prudence en leur compagnie ; je viens ici de la part de M. Goefle, mon parent et mon ami, réclamer le vieux Adam Stenson, que ce misérable a peut-être fait assassiner.

— Assassiner ? s'écria le ministre en reculant d'effroi.

— Oh ! il en est capable ! » s'écrièrent à leur tour les héritiers, qui haïssaient Johan, et, sans se préoccuper davantage de l'incident, ils se pressèrent autour du *cher défunt*, étouffant le médecin sous leur nombre, l'accablant de questions avides, et repaissant leurs yeux du spectacle de cette face hideusement défigurée, qui les effrayait encore en dépit de leur joie.

Ils ne s'ouvrirent avec déférence que devant l'impassible Sangstadius, qui venait, avec une glace, faire la dernière épreuve, disant que le médecin était un âne incapable de constater le décès. Si Christian eût été moins occupé de son côté, il eût entendu plusieurs voix dire : *Ne reste-t-il plus d'espérance* ? sur un ton qui disait clairement : *Pourvu qu'il soit bien trépassé* ! Mais Christian n'avait pas une pensée pour son héritage, il voulait voir Stenson, et il exigeait que Johan le fît paraître sur l'heure ou le conduisît lui-même auprès du vieillard.

« Lâchez cet homme, lui dit le ministre, vous l'étranglez, et il est hors d'état de vous répondre.

— Je ne l'étrangle pas du tout, répondit Christian, qui en effet avait grand soin de ne pas compromettre la vie de celui auquel il voulait arracher des révélations. »

Cependant le rusé Johan avait fait son profit des bonnes intentions de M. Akerström. Ne voulant pas parler, il feignit de s'évanouir, et le ministre blâma Christian de sa brutalité, tandis que les valets, inquiets du sort qui leur était réservé si les *redresseurs de torts* commençaient leur office, se montrèrent beaucoup plus disposés à défendre Johan qu'à céder devant un inconnu.

Quand Johan se vit assez entouré et assez appuyé pour reprendre son audace, il recouvra lestement la parole, et s'écria d'une voix retentissante qui domina le tumulte de l'appartement : « Monsieur le ministre, je vous dénonce un intrigant et un imposteur, qui, à l'aide d'un infernal roman, prétend se faire passer ici pour l'unique héritier de la baronnie ! Abandonnez-moi donc à sa vengeance, vous qui me haïssez, ajouta-t-il en s'adressant aux héritiers, et à présent que le maître n'est plus, vous n'aurez plus personne pour déjouer les infâmes machinations de M. Goefle, car c'est lui qui a inventé ce chevalier d'industrie et qui se vante de faire prévaloir son droit sur tous les vôtres. »

Si la foudre fût tombée au milieu de l'assistance, elle n'aurait pas produit plus d'effroi et de stupeur que les paroles de Johan ; mais, comme il s'y attendait bien, une réaction subite s'opéra, et un chœur d'injures et de malédictions couvrit la voix de Christian, que le ministre appelait à se justifier ou à s'expliquer. « Chassez-le ! qu'il soit honteusement chassé ! disaient les cousins et neveux du défunt avec véhémence.

— Non, non ! criait Johan, aidé de ses complices, qui comprenaient fort bien que le jour des révélations était venu, et qu'il fallait réduire les vengeurs au silence ; faisons-le prisonnier. A la tour ! à la tour !

— Oui, oui, à la tour ! hurla le baron de Lindenwald, un des héritiers les plus âpres à la curée.

— Non, tuez-le ! s'écria Johan, risquant le tout pour le tout.

— Oui, oui, jetez-le par la fenêtre ! répondit le chœur de ces passions diaboliques, et la chambre du défunt devint le théâtre d'une scène de tumulte et de scandale, les valets s'étant précipités sur Christian, qui ne pouvait se défendre, car le ministre s'était mis devant lui pour lui faire un rempart de son corps, en jurant qu'on le tuerait lui-même avant d'accomplir un meurtre en sa présence. »

Le médecin, Jacob et deux des héritiers, un vieillard et son jeune fils, se mirent du côté de Christian par respect pour le ministre et par loyauté naturelle ; Stangstadius, espérant calmer les passions par l'autorité de son nom et de son éloquence, s'était jeté entre les combattants qui n'en tenaient compte et le refoulaient sur Christian, si bien que le jeune homme, plus empêché que secouru par ce petit groupe de faibles champions, se voyait repoussé pas à pas vers la fenêtre, que Johan, l'œil en feu et la bouche baveuse de rage, venait d'ouvrir en vociférant, pour ne pas laisser refroidir l'ivresse de la peur chez ses acolytes.

En regardant cet homme affreux, qui jetait enfin le masque de son hypocrite douceur et laissait voir le type et les instincts d'un tigre, le ministre et le médecin, frappés de terreur, eurent comme un moment de vertige et tombèrent plus qu'ils ne reculèrent sur Christian, tandis que deux des plus déterminés coquins saisissaient adroitement ses jambes pour le soulever et le jeter dehors à la renverse. C'en était fait de lui, lorsque le major Larrson, le lieutenant, le caporal, M. Goefle et les quatre soldats se précipitèrent dans la chambre.

« Respect à la loi ! s'écria le major en se dirigeant sur Johan. Au nom du roi, je vous arrête ! »

Et, le remettant au caporal Duff, il ajouta en s'adressant au lieutenant : « Ne laissez sortir personne ! »

Alors, au milieu d'un silence de crainte ou de respect, car personne n'osait en ce moment méconnaître l'ascendant d'un officier de l'indelta,

Larrson, promenant ses regards autour de lui, vit le baron immobile sur son lit. Il approcha, le regarda attentivement, ôta son chapeau en disant : « La mort est l'envoyée de Dieu ! » et le remit sur sa tête en ajoutant : « Que Dieu pardonne au baron de Waldemora ! »

Plusieurs voix s'élevèrent alors pour invoquer l'assistance du major contre les intrigants et les imposteurs ; mais il requit le silence, déclarant ne vouloir entendre que de la bouche du ministre la première explication de l'étrange scène qu'il avait surprise en entrant.

« Ne convient-il pas, répondit M. Akerström, que cette explication ait lieu dans une autre pièce ?

— Oui, dit le major, à cause de ce cadavre, passons dans le cabinet du baron. Caporal, faites défiler une à une les personnes qui sont ici, et qu'aucune ne reste ou se retire par une autre porte. Monsieur le ministre, veuillez passer le premier avec M. le docteur Stangstadius et le médecin de M. le baron. »

Puis, Christian lui désignant le vieux comte de Nora et son fils, qui avaient manifesté l'intention loyale de le protéger, le major les invita à passer librement, et leur témoigna de grands égards en les interrogeant à leur tour.

L'instruction des faits fut très minutieuse ; mais le major n'attendit pas longtemps qu'elle fût complétée pour céder au désir impatient de Christian et de M. Goefle, en donnant l'ordre d'aller délivrer le vieux Stenson, que Jacob déclarait avoir vu avec douleur conduire à la tour une heure auparavant. Christian voulait y courir aussitôt ; le major s'y opposa, et, sans lui donner l'explication de sa conduite, il ordonna que Stenson fût immédiatement ramené au Stollborg et réintégré dans sa résidence avec tous les égards possibles, mais sans communiquer avec personne, et cela sous les peines les plus sévères contre quiconque enfreindrait cette consigne. Puis, à la place de Stenson, il fit conduire à la prison du château Johan et quatre laquais qui furent déclarés par le ministre avoir voulu attenter à la vie de Christian. Ceux qui s'étaient contentés de l'injurier et qui s'empressèrent de nier le fait furent admonestés et menacés d'être déférés à la justice, s'ils tombaient en récidive.

Ils n'en avaient nulle envie. Malgré le petit nombre d'hommes que le major avait en ce moment autour de lui, on sentait qu'il avait la loi et le droit pour lui, en même temps que le courage et la volonté. On devinait bien aussi, à son attitude, qu'il avait fait avertir le reste de sa compagnie, et que d'un moment à l'autre l'indelta se trouverait en force au château.

En l'absence de tout autre magistrat, puisque le défunt châtelain avait assumé sur lui, par ses privilèges, toute l'autorité du canton, et qu'il se trouvait sans successeur jusqu'à nouvel ordre, le major se fit assister du ministre de la paroisse comme autorité civile et morale, et de M. Goefle comme conseil. Il se fit apporter toutes les clefs et les remit à Jacob, qu'il constitua majordome et gardien de toutes choses, en lui attribuant l'assistance spéciale de deux soldats pour se faire respecter des autres serviteurs de la maison en cas de besoin. Il confia au médecin le soin de veiller aux funérailles du baron, et déclara qu'il allait, avec le ministre, M. Goefle, le lieutenant et quatre témoins nommés à l'élection des héritiers, procéder à la recherche du testament, bien que Johan eût déclaré que le baron n'avait pas testé.

Les héritiers, d'abord très effrayés et très irrités, s'étaient calmés en voyant que ni le major, ni M. Goefle, ni Christian ne parlaient d'un nouveau compétiteur. Ils étaient environ une douzaine, tous fort mal intentionnés les uns pour les autres, bien qu'ils eussent associé leurs inquiétudes autour du châtelain et leur surveillance sur la proie commune. Le vieux comte de Nora, le plus pauvre de tous, avait seul conservé sa dignité au milieu d'eux et son franc parler avec le baron.

Aucun testament du baron ne pouvant porter atteinte aux droits de Christian, celui-ci avait compris, aux regards et à quelques mots de M. Goefle, qu'on allait se livrer à cette recherche seulement pour apaiser la bande rapace des héritiers, et gagner du temps jusqu'à ce que l'on se vît en mesure d'agir ouvertement. Christian avait également compris, au silence expressif de ses amis sur son compte, que le moment n'était pas venu de se faire connaître, et que, jusqu'à nouvel ordre, l'accusation jetée par Johan sur ses prétentions devait être considérée comme non avenue.

Les héritiers avaient, on le pense bien, accepté avec joie cette situation, que semblaient établir la pantomime dénégative de M. Goefle et l'air de parfaite sécurité très naturellement pris par Christian à partir du moment où il s'était vu rassuré sur le sort de Stenson. Donc Christian seconda les intentions de ses amis en ne les accompagnant pas dans la recherche du testament, et il ne songeait plus qu'à s'enquérir discrètement de Marguerite, lorsqu'il se trouva en présence de la comtesse d'Elvéda, dans la galerie.

Elle le reconnut du plus loin qu'elle le vit, et, venant à sa rencontre :

« Ah ! ah ! dit-elle gaiement, vous n'étiez donc point parti, ou vous êtes revenu, monsieur le fantôme ? et dans quel costume êtes-vous là ? Arrivez-vous de la chasse en plein minuit ?

— Précisément, madame la comtesse, répondit Christian, qui vit, à l'air enjoué de la tante de Marguerite, combien peu il était question, dans son esprit, de l'escapade de sa nièce. J'ai été chasser l'ours fort loin, et j'arrive pour apprendre l'événement...

— Ah oui ! la mort du châtelain ! dit la comtesse d'un ton léger. C'est fini, n'est-ce pas ? et on peut respirer maintenant ? J'ai eu du malheur, moi ! De mon appartement, on entendait tous les gémissements de son agonie, et j'ai été obligée de me réfugier dans celui de la jeune Olga, qui m'a régalée d'une autre musique. Cette pauvre fille est très nerveuse, et quand je lui ai appris qu'au lieu de voir les marionnettes, il nous fallait ou partir à travers le brouillard, ou rester dans la maison d'un moribond jusqu'à ce qu'il lui plût de rendre l'âme, elle est tombée dans des convulsions effrayantes. Ces Russes sont superstitieuses ! Enfin nous voilà tranquilles, j'espère, et je vais me mettre en route, car il est, je crois, question de sonner une grosse cloche que l'on ne met ici en branle qu'à la mort ou à la naissance des seigneurs du domaine. Donc je me sauve, moi, car il n'y aurait pas moyen de dormir, et cette cloche des morts me donnerait les idées les plus noires. Tenez ! n'est-ce pas cela que j'entends ?

— Je crois bien que oui, répondit Christian ; mais vous n'emmenez donc pas la comtesse... votre nièce ? »

Et il ajouta fort hypocritement : « Je suis un grand sot de ne pas me rappeler son nom.

— Vous êtes un grand fourbe ! répondit en riant la comtesse ; vous lui avez fait la cour, puisque vous avez provoqué le baron pour l'amour d'elle. Eh bien ! je ne m'en scandalise pas, c'est de votre âge, et après tout vous avez montré, en tenant tête à ce pauvre baron, qui était un fort méchant homme, une témérité qui ne m'a pas déplu. Il y a du bon en vous, je m'y connais, et je vois maintenant combien peu convenaient à votre caractère les leçons de souplesse et de prudence que je vous avais données ce jour-là. Vous êtes dans un autre chemin, car il y en a deux pour parvenir, l'adresse ou la témérité. Eh bien ! vous êtes peut-être dans le plus court, celui des mauvaises têtes et des audacieux. Il faut aller en Russie, mon cher. Vous êtes beau et hardi ; j'ai parlé de vous avec l'ambassadeur ; il vous a remarqué, et il a des desseins sur vous. Vous m'entendez bien ?

— Pas le moins du monde, madame la comtesse !

— Oh ! que si fait ! Le crédit d'Orlof ne peut pas être éternel, et certains intérêts peuvent vouloir combattre les siens... A présent vous m'entendez de reste ? Donc ne pensez pas à ma nièce ; vous pouvez prétendre à une plus belle fortune, et comme, pour le moment, vous n'êtes rien, pas même le neveu de M. Goefle, qui ne vous avoue même pas pour son bâtard, je vous avertis que je vous mettrais à la porte, si vous vous présentiez chez moi dans la sotte intention de plaire à Marguerite ; tandis que je vous attends à Stockholm pour vous présenter à l'ambassadeur, qui vous prendra à son service. Donc à revoir !... ou plutôt attendez, je vous emmène !

— Vraiment ?

— Vraiment oui. Je laisse ici ma nièce, qui, effrayée des rugissements du moribond, a été passer la nuit au presbytère avec Mlle Akerström, son amie, du moins à ce que prétend sa gouvernante. En quelque lieu que cette poltronne se soit réfugiée, Mlle Potin partira aujourd'hui avec elle pour Dalby sous la conduite de Péterson, un homme de confiance. M. Stangstadius m'a promis de les accompagner. Ce sera un grand crève-cœur pour la petite, qui se flattait de venir avec moi à Stockholm ; mais elle est trop jeune encore, elle ne ferait que des sottises dans le monde. Son début est remis à l'année prochaine.

— Ainsi, dit Christian, elle passera encore une année toute seule dans son vieux manoir ?

— Ah ! je vois qu'elle vous a conté ses peines. C'est fort touchant, et voilà pourquoi je vous emmène dans mon traîneau. Tenez, je vous donne une heure pour vous préparer, et je reviens vous prendre ici. C'est convenu ?

— Je n'en sais rien, répondit Christian, payant d'audace ; je suis très amoureux de votre nièce, je vous en avertis !

— Eh bien ! tant mieux si cela dure ! reprit la comtesse. Quand vous aurez passé quelques années en Russie et que vous vous y serez fait donner beaucoup de roubles et de paysans, je ne dirai pas non, si vous persistez. »

Et la comtesse se retira, persuadée que Christian serait exact au rendez-vous.

Elle n'eut pas plus tôt disparu que Mlle Potin, qui la guettait, se glissa près de Christian pour lui faire une sévère remontrance. Elle avait été fort inquiète de Marguerite et l'avait cherchée partout.

« Heureusement, ajouta la gouvernante, elle vient de rentrer avec son amie Martina, dont la mère ne s'inquiétait pas, la croyant attardée dans notre appartement ; mais il m'en coûte de mentir si souvent pour couvrir les imprudences de Marguerite, et je déclare que je vais tout révéler à la comtesse, si vous ne me donnez votre parole d'honneur de quitter le château et le pays à l'instant même. »

Christian rassura la bonne Potin en lui disant que c'était convenu, et, bien résolu à ne rien faire de ce qu'elle souhaitait, il attendit les événements.

A une heure du matin, la troupe arriva sans bruit, et avis en fut donné au major, qui déclara les recherches terminées ; elles n'avaient eu aucun résultat, à la grande satisfaction de la plupart des héritiers, qui aimaient mieux s'en remettre à leurs droits qu'à la bienveillance fort douteuse du défunt.

« Maintenant, messieurs, dit le major, je vous prie de me suivre au Stollborg, où j'ai quelque raison de croire qu'un testament a été confié à M. Stenson. »

Et comme tous s'élançaient vers la porte de l'appartement :

« Permettez, leur dit-il ; une grave responsabilité pèse ici sur M. le ministre, sur M. Goefle et sur moi. Je dois procéder très scrupuleusement et très officiellement, rassembler le plus grand nombre possible de témoins sérieux, et ne pas permettre que les choses se passent sans ordre et sans surveillance. Veuillez vous rendre avec moi dans la galerie des chasses, où les autres témoins doivent être rassemblés. »

En effet, conformément aux ordres donnés par le major, tous les hôtes du château neuf avaient été priés de se rendre dans la galerie, au grand dépit de quelques-uns, qui avaient déjà le pied levé pour partir ; mais l'indelta parlait au nom de la loi, on s'y rendit.

La comtesse d'Elvéda, pressée d'en finir et toujours fort active, y était arrivée la première. Elle trouva Christian endormi sur un sofa.

« Eh bien ! s'écria-t-elle, vous n'êtes pas plus prêt que cela ?

Et que venez-vous faire ici ? ajouta-t-elle en s'adressant à Marguerite, qui arrivait avec sa gouvernante.

— Je n'en sais rien, répondit Marguerite ; j'obéis à un ordre général. »

Olga arriva bientôt en effet, ainsi que la famille du ministre, M. Stangstadius, l'ambassadeur et son monde, enfin tous les hôtes de Waldemora, en habit de voyage et la plupart fort maussades d'être retenus au moment de partir, ou empêchés de continuer leur somme. On murmura beaucoup, on maudit la lugubre cloche qui eût pu attendre, disait-on, que tout le monde fût en route.

« Mais qu'y a-t-il ? que nous veut-on ? disaient les douairières ; le baron a-t-il donné l'ordre qu'on dansât encore ici après sa mort, ou bien sommes-nous condamnées à le voir sur son lit de parade ? Je n'y tiens pas, moi, et vous ?

— Quel est donc ce jeune homme qui sort d'ici ? dit l'ambassadeur à la comtesse d'Elvéda : n'est-ce pas notre jeune drôle ?

— Oui, c'est notre aventurier, répondit-elle. Il vient de recevoir un billet. Il paraît que la consigne qui nous retient ici ne le concerne pas. »

En effet, Christian venait de recevoir un mot de M. Goefle, qui lui disait : « Allez-vous-en au Stollborg, et habillez-vous vite comme vous étiez au bal d'avant-hier ; vous nous attendrez dans la salle de l'ourse. Faites dégager l'escalier et cacher la brèche sous les grandes cartes. »

On apporta le thé et le café dans la galerie des chasses, et un quart d'heure après toutes les personnes désignées par le major et le ministre, ainsi que les héritiers et une partie des serviteurs et des principaux vassaux du domaine, se mirent en route pour le Stollborg, dont Christian, convenablement vêtu, fit les honneurs avec l'aide de Nils, des *dannemans* père et fils, et d'Ulphilas, qui avait été mis en liberté après quelques heures de prison. Disons ici qu'il n'a jamais su pourquoi M. Johan lui avait infligé cette peine, n'ayant compris, ni avant, ni pendant, ni après, les événements accomplis au Stollborg.

XX

Quand toute l'assistance fut réunie, le major donna lecture et communication de toute l'affaire relative à l'assassinat projeté sur la personne de Christian, et les prisonniers appelés à comparaître, se voyant perdus par l'emprisonnement de Johan et la mort du baron, se défendirent si mal que leurs dénégations équivalurent à des aveux. Puffo avoua franchement qu'on l'avait chargé de mettre la coupe d'or dans le bagage de son maître, et que pour ce fait il avait reçu de l'argent de M. Johan.

« A présent, dit l'avare et orgueilleux baron de Lindenwald, qui était le cousin le plus proche du défunt, nous ne demandons pas mieux que de signer le procès-verbal de tout ce que nous venons d'entendre sur le compte de M. Johan, si l'on veut bien nous tenir quittes de juger la conduite et les intentions du baron, son maître. Il y a quelque chose de barbare et d'impie à instruire ici le procès d'un homme qui n'est pas encore descendu dans la tombe, et qui, couché sur son lit de mort, ne peut plus répondre aux accusations. A mon avis, messieurs, c'est trop tard ou trop tôt, et nous devons refuser d'en entendre davantage. Que nous importe l'individu qui prend de telles précautions pour assurer sa vengeance devant les tribunaux contre des valets dont personne ne se soucie, et contre la mémoire d'un homme que chacun ici, j'espère, est libre d'apprécier intérieurement, sans être appelé à le maudire en public ? On nous avait parlé d'un testament dont il n'est plus question, et, comme il est aisé de voir qu'on a voulu nous mystifier, je suis, quant à moi, résolu à me retirer et à ne pas m'incliner devant les usurpations de pouvoir d'un petit officier de l'indelta. Je ne suis pas le seul ici dont les privilèges soient méconnus en cet instant, et quand de pareilles choses arrivent, vous savez aussi bien que moi, messieurs, ce qu'il nous reste à faire. »

En achevant sa phrase, le baron de Lindenwald mit la main sur la garde de son épée, et, les autres héritiers suivant son exemple, un combat allait s'engager, lorsque le ministre, avec une grande vigueur de parole et de fierté ecclésiastique, s'interposa en invoquant l'appui des personnes désintéressées et loyales, lesquelles, par leur attitude et leurs réflexions, condamnèrent tellement la tentative du baron, que les récalcitrants se soumirent et dispensèrent le major du devoir pénible de sévir contre eux.

Il devenait bien évident pour lui et pour tous les témoins de cette scène que les héritiers se refusaient à connaître les motifs de haine du baron contre Christian parce qu'ils pressentaient la vérité. M. Goefle l'avait fait placer, sans affectation, au-dessous du portrait de son père, et la ressemblance frappait déjà tous les regards ; mais il n'y avait pas assez de sarcasmes dans la langue suédoise pour exhaler l'aversion des *présomptueux* contre le bateleur que Johan avait dénoncé, et que M. Goefle (dont il était le bâtard) voulait produire à l'aide d'un roman invraisemblable et de preuves fabriquées.

M. Goefle resta impassible et souriant. Christian eut un peu plus de peine à se contenir ; mais le regard tendre et suppliant de Marguerite produisit ce miracle.

« A présent, dit le ministre quand le silence fut établi, introduisez M. Adam Stenson, que nous tenons au secret dans son appartement depuis sa sortie de prison. »

Adam Stenson comparut. Il s'était habillé avec soin ; sa douce et noble figure altérée de fatigue, mais digne et sereine, produisit beaucoup d'émotion. M. Goefle le pria de s'asseoir, et lui donna lecture de la déclaration écrite de sa main et confiée à Manassé, à Pérouse. Cette pièce, qui n'avait pas encore été produite à l'assemblée, fut accueillie avec un grand mouvement de surprise et d'intérêt par les uns, avec un silence de stupeur par les autres.

L'ambassadeur de Russie, qui n'avait peut-être pas sur Christian les vues que lui attribuait ou que voulait lui susciter la comtesse d'Elvéda, mais qui s'intéressait véritablement à sa figure et à son air déterminé, commença à témoigner de son approbation pour la manière dont cette instruction était conduite, à l'effet de prévenir un débat judiciaire, ou d'y apporter, si l'on y était conduit, toutes les lumières de la conscience. Il faut dire aussi que les amis de Christian avaient amené là le personnage par la douceur et la prière. Les égards que lui témoignait adroitement M. Goefle, en dépit de ses préventions contre son rôle politique, flattaient l'ambassadeur, qui aimait à se mêler des affaires particulières comme des affaires publiques de la Suède.

Quand la pièce fut lue, le ministre, s'adressant à Stenson, lui demanda s'il était en état d'entendre les questions qui lui seraient adressées.

« Oui, monsieur le ministre, répondit Stenson, j'ai l'oreille affaiblie, il est vrai, mais pas toujours, et j'entends souvent des choses auxquelles je ne veux pas répondre.

— Voulez-vous répondre aujourd'hui ?

— Oui, monsieur, je le veux.

— Reconnaissez-vous dans cette pièce votre écriture ?

— Oui, monsieur, parfaitement.

— Les raisons de votre long silence y sont indiquées, reprit le ministre ; mais la vérité exige plus de détails. La manière dont le baron vous a traité jusqu'à ce jour ne semble pas motiver la crainte que vous aviez de lui, ni les terribles intentions que votre déclaration lui attribue envers d'autres personnes. »

Pour toute réponse, Stenson releva les manches de son habit, et, montrant, sur ses bras maigres et tremblants, les traces de la corde qui avait serré ses poignets jusqu'à en faire jaillir le sang :

« Voilà, dit-il, quels jeux s'amusait à regarder le baron quand l'agonie a éteint ses yeux et terminé mon supplice ; mais je n'ai rien avoué. On eût pu briser tous mes vieux os ! je n'aurais rien dit. Qu'importe de mourir à mon âge ?

— Vous vivrez encore, Stenson ! s'écria M. Goefle ; vous vivrez pour avoir une grande joie. Vous pouvez parler maintenant, le baron Olaüs a cessé de vivre.

— Je le sais, monsieur, dit Stenson, puisque je suis ici ; mais je n'aurai plus de joie en ce monde, car celui que j'avais sauvé n'existe plus !

— En êtes-vous bien sûr, Stenson ? » dit M. Goefle.

Stenson promena ses regards autour de la chambre, qui était très éclairée. Ses yeux s'arrêtèrent sur Christian, qui se contenait pour ne pas avoir l'air de solliciter son attention, et qui affectait même de ne pas le voir, bien qu'il brûlât de se jeter dans ses bras[66].

« Eh bien ! dit M. Goefle au vieillard, qu'est-ce que vous avez, Stenson ? Pourquoi les larmes couvrent-elles votre figure ?

— Parce que je crains de rêver, dit Stenson, parce que j'ai déjà cru rêver en le voyant ici il y a deux jours, parce que je ne le connais plus, moi, et que je le reconnais pourtant.

— Restez là, monsieur Stenson, dit le ministre au vieillard, qui voulait s'approcher de Christian : une ressemblance peut n'être qu'un hasard insidieux. Il faut établir les faits avancés par vous dans la pièce qui vient d'être lue.

— C'est bien facile, dit Stenson, M. Goefle n'a qu'à vous lire l'écrit que je lui ai confié avant-hier, et il pourra ensuite établir l'identité de Cristiano Goffredi avec Christian de Waldemora, au moyen des lettres de Manassé que je lui ai également remises hier.

— J'avais juré, dit M. Goefle, de n'ouvrir cet écrit qu'après la mort du baron. Je l'ai donc ouvert il y a deux heures, et voici le peu de mots qu'il contient :

"Crevez le mur derrière le portrait de la baronne Hida, au Stollborg, à droite de la croisée de la chambre de l'ourse."

— Ah ! ah ! dit le major à l'oreille de M. Goefle, pendant que le ministre faisait enlever le portrait et procéder, sous la direction de Stenson, à l'ouverture de la cachette, j'aurais cru que la preuve se trouverait dans la chambre murée.

— Dieu merci, non, répondit du même ton l'avocat, car il eût fallu faire voir que nous y avions pénétré, chose dont, grâce aux grandes mappes[67] remises en place, personne ici ne se préoccupe et ne s'aperçoit, et on eût pu nous accuser d'avoir mis là nous-mêmes de fausses preuves. C'est parce que j'ai pris connaissance, au château neuf, de l'avis mystérieux de Sten que je vous ai dit d'amener ici sans crainte beaucoup de témoins. »

La cachette ouverte, le ministre y prit lui-même un coffret de métal, où se trouva une pièce décisive dont il donna lecture.

C'était un récit très net et très détaillé, écrit en entier de la main de la baronne Hilda, des tristes jours qu'elle avait passés au Stollborg sous la garde de l'odieux Johan, et des persécutions exercées contre elle et contre ses fidèles amis et serviteurs, Adam Stenson et Karine Bœtsoï.

La malheureuse veuve déclarait et jurait « sur son salut éternel et sur l'âme de son mari et de son premier enfant, tous deux assassinés par l'ordre d'un homme qu'elle ne voulait pas nommer, mais dont les forfaits seraient connus un jour », qu'elle avait donné naissance à un second fils, fruit de sa légitime union avec le baron Adelstan de Waldemora, le 15 septembre 1746, à deux heures du matin, dans la salle de l'ourse, au Stollborg. Elle racontait, d'une façon à la fois modeste et dramatique, le courage qu'elle avait eu de ne pas faire entendre la moindre plainte à ses geôliers, installés auprès d'elle dans la chambre dite *chambre de garde*. Karine l'avait assistée dans ses souffrances, tout en chantant auprès d'elle pour couvrir le bruit des vagissements du nouveau-né. Stenson n'avait pas quitté la chambre pendant la naissance de l'enfant, et aussitôt après il avait tenté de l'emporter par la porte secrète ; mais cette porte se trouva fermée en dehors et gardée. (A cette époque, la brèche de l'appartement situé au-dessus de la chambre de l'ourse n'existait pas, puisque Stenson n'avait point essayé d'en profiter.) Stenson, après avoir été fouillé, réussit pourtant à sortir du donjon pour chercher une barque, qu'à la faveur de la nuit il parvint à amener sous les rochers ou galets du lac, et Karine lui descendit l'enfant par la fenêtre au moyen d'une corde et d'une corbeille. Tout cela avait pris du temps, et le jour paraissait. La fenêtre de la chambre de garde s'ouvrit au moment où Stenson recevait l'enfant dans ses mains tremblantes ; mais, heureusement protégé par la voûte de rochers, il avait pu se tenir caché là et attendre que les gardiens se fussent rassurés, pour traverser, en se recommandant à Dieu, le court espace entre le lac et la rive, derrière le *gaard*.

Christian, en explorant ce site bizarre, avait donc deviné et reconstruit sa propre histoire.

L'enfant avait été confié à Anna Bœtsoï, mère de Karine et du *danneman* Joë. Il avait été nourri par une daine apprivoisée dans les chalets du Blaakdal, et de temps en temps la baronne captive recevait de ses nouvelles au moyen de certains signaux de feux allumés à l'horizon.

Rassurée sur le sort de son enfant, la baronne avait espéré pouvoir le rejoindre et s'enfuir avec lui en Danemark ; mais le baron avait mis à sa liberté la condition qu'elle signerait la déclaration d'une grossesse

simulée ; et comme elle s'y refusait, disant qu'elle voulait bien s'accuser d'erreur, mais non d'imposture, on lui avait laissé voir de graves soupçons sur l'événement qu'elle avait tant à cœur de cacher. Dès lors, tremblant qu'on ne vînt à découvrir la naissance et la retraite de son fils et à le faire périr, elle signa cette pièce, rédigée par le pasteur Mickelson.

« Mais, devant Dieu et les hommes, disait-elle dans sa nouvelle déclaration, je proteste ici contre ma propre signature, et fais serment qu'elle m'a été arrachée par la violence et la terreur. Si en cette circonstance j'ai, pour la première fois de ma vie, trahi la vérité, toutes les mères comprendront ma faute et Dieu me la pardonnera. »

Une fois en possession de cette terrible pièce, le baron, craignant une rétractation ou la révélation de ses violences, avait formellement refusé la liberté à sa victime, déclarant qu'elle était folle, et faisant son possible pour qu'elle le devînt par un système d'étroite captivité, de privations, d'insultes et de terreurs. Quelques paysans ayant eu le courage de lui témoigner de la sympathie et d'essayer de la délivrer, il les avait fait battre *à la russe* dans la chambre de garde, et elle avait entendu leurs cris. Il avait menacé Stenson et Karine du même traitement, s'ils insistaient encore pour que la liberté fût rendue à la baronne, et ces fidèles amis avaient dû feindre de vouloir lui complaire pour n'être pas séparés de leur infortunée maîtresse.

Enfin la souffrance et la douleur avaient vaincu les forces de la victime. Elle avait décliné rapidement, et, se sentant mourir, elle avait écrit pour son fils le récit de ses maux, en le conjurant de ne jamais chercher à en tirer vengeance, si des circonstances *impossibles à prévoir* lui faisaient découvrir le mystère de sa naissance avant la mort du baron. Elle était convaincue qu'en quelque lieu de la terre que son fils fût caché, cet homme implacable, riche et puissant, saurait l'atteindre. Elle faisait des vœux pour qu'il vécût longtemps « dans la médiocrité, dans l'ignorance de ses droits, et pour qu'il eût l'amour des arts ou des sciences bien plutôt que celui des richesses et du pouvoir, source de tant de maux et de cruelles passions sur la terre ». La pauvre mère ajoutait néanmoins, dans la prévision de futurs éclaircissements, que son fils, à qui elle avait donné le nom d'Adelstan Christian, avait, en naissant, les cheveux noirs et les doigts « faits comme ceux de son père et de son aïeul ». Puis, en lui donnant sa suprême bénédiction, elle lui recommandait de regarder comme sacrée la parole de Stenson et de Karine sur la vérité de tous les faits qu'ils pourraient lui transmettre, sur les souffrances de sa captivité et la constante et inaltérable lucidité de son esprit, en dépit des bruits calomnieusement répandus sur son prétendu état d'aliénation et de fureur. « Mon âme est calme, disait-elle, aux approches de la mort. Je m'en vais, pleine de résignation, d'espoir et de confiance, dans un monde meilleur. Je pardonne à mes bourreaux. Je n'emporte qu'un regret de cette triste vie, celui d'abandonner mon fils ; mais le succès inespéré de son évasion m'a appris à compter sur la Providence et sur la sainte amitié de ceux qui l'ont déjà sauvé. »

La signature était ferme et large, comme si un dernier effort de la vie eût réchauffé le cœur de la pauvre mourante à cette heure suprême. La date portait : « Aujourd'hui 15 décembre 1746. »

A la date du 28 décembre de la même année, Stenson avait dressé une sorte de procès-verbal des derniers moments et de la mort de son infortunée maîtresse. « On l'a privée de sommeil jusqu'à sa dernière heure, disait-il ; Johan et sa séquelle[68], installés dans la chambre voisine, jurant, criant et blasphémant jour et nuit à ses oreilles, et M. le baron, son beau-frère, venant chaque jour, sous prétexte de voir si elle était bien traitée, lui dire qu'elle était folle et l'accabler de reproches outrageants sur la prétendue ruse qu'il avait fait échouer. Toute la ruse, et Dieu l'a protégée ! fut d'amener ce persécuteur, à force de patience et de silence, à croire qu'en effet madame s'était trompée sur son état, et qu'il n'avait rien à craindre de l'avenir.

De son côté, le pasteur Mickelson, non moins cruel et non moins importun, vint jusqu'au pied du lit de mort de madame lui dire qu'ayant vécu dans les pays du papisme, elle était imbue de mauvaises doctrines, et il la menaça cent fois de l'enfer, au lieu de lui donner les consolations et les espérances auxquelles a droit toute âme chrétienne.

Enfin il est sorti une heure avant qu'elle ne rendît le dernier soupir, et elle a expiré dans nos bras, le quatrième jour de Noël, à quatre heures du matin, en disant ces paroles : ''Mon Dieu ! rendez une mère à mon fils !''

Nous attestons qu'elle est morte comme une sainte, sans avoir eu un seul instant de colère, de délire, ou seulement de doute religieux.

Après lui avoir fermé les yeux, nous avons arrêté la pendule et soufflé la bougie de Noël qui brûlait dans le lustre, en demandant à Dieu qu'il nous permît de voir pousser cette aiguille et rallumer cette flamme par la main de notre futur jeune maître.

Après quoi nous avons rédigé cet écrit, que nous allons cacher et sceller, avec celui de notre dame bien-aimée, dans le mur de sa chambre, à la place qu'elle-même nous avait désignée, toutes choses étant préparées à cette fin.

Et versant bien des larmes, avons signé tous deux ici, faisant encore serment de n'avoir certifié que l'exacte vérité. »

« ADAM STENSON, KARINE BŒTSOÏ. »

Le pasteur avait lu ces simples pages avec tant de franchise et d'onction que les femmes pleuraient, et que les hommes, touchés et convaincus, acclamèrent par trois fois le nom de Christian de Waldemora, et s'empressèrent autour de lui pour le féliciter et lui serrer les mains ; mais les héritiers (il faut toujours excepter de cette mauvaise bande le vieux comte de Nora et son fils) déclarèrent qu'ils exigeaient la comparution de Karine Bœtsoï, ayant peut-être recueilli, on ne sait d'où, l'avis que cette femme existait encore et qu'elle était folle. C'était pour eux un témoignage à récuser ; aussi le major redoutait-il beaucoup sa présence, et se hâta-t-il de dire qu'elle était malade et demeurait fort loin. Une voix rude, quoique bienveillante, l'interrompit : c'était celle du *danneman* Joë Bœtsoï.

« Pourquoi dire ce qui n'est point, monsieur le major ? s'écria le brave homme : Karine Bœtsoï n'est ni si malade, ni si loin que tu crois. Elle a dormi ici, et à présent qu'elle est reposée, son esprit est aussi clair que le tien. Ne crains pas de faire venir Karine Bœtsoï. Il est bien vrai que la pauvre âme a souffert, surtout depuis le jour où il a fallu se séparer de l'enfant ; mais si elle dit des choses que l'on ne peut pas comprendre, elle n'en a pas moins la tête bonne et la volonté sûre ; car jamais personne n'a pu lui arracher son secret, pas même moi, qui ai connu l'enfant, et qui viens d'apprendre ici son nom et son histoire pour la première fois de ma vie. Or une femme qui sait garder un secret n'est pas une femme comme une autre, et quand elle parle, on doit croire ce qu'elle dit. »

Puis, ouvrant la porte de la chambre de garde : « Viens, ma sœur, dit-il à la voyante, on a besoin de toi ici. »

Karine entra au milieu d'un mouvement de curiosité. Sa pâleur et sa précoce vieillesse, son regard étonné, sa démarche incertaine et brusque causèrent d'abord plus de pitié que de sympathie. Cependant à la vue de tout le monde elle se redressa et s'affermit. Sa physionomie prit une expression d'enthousiasme et d'énergie. Elle avait ôté de dessus ses vêtements de paysanne la pauvre robe grise, ce haillon précieux avec lequel elle ne s'endormait jamais, et ses cheveux blancs comme la neige étaient rigidement relevés par des cordons de laine rouge qui lui donnaient je ne sais quel air de sibylle antique.

Elle approcha du ministre, et, sans attendre qu'on l'interrogeât, elle lui dit : « Père et ami des affligés, tu connais Karine Bœtsoï ; tu sais que son âme n'est ni coupable ni trompeuse. Elle te demande pourquoi sonne le beffroi du château neuf ; ce que tu lui diras, elle le croira.

— Le beffroi sonne la mort, répondit le ministre ; tes oreilles ne t'ont pas trompée. Depuis longtemps, Karine, je sais qu'un secret te pèse. Tu peux parler maintenant, et peut-être tu peux guérir : le baron Olaüs n'est plus !

— Je le savais, dit-elle ; le grand *iarl* m'est apparu cette nuit. Il m'a dit : Je m'en vais pour toujours... et j'ai senti mon âme renaître. A présent je parlerai, parce que l'enfant du lac doit revenir. Je l'ai vu aussi en songe !

— Ne nous parle pas de tes songes, Karine, reprit le ministre ; tâche de recueillir tes souvenirs. Si tu veux que l'esprit de lumière et de tranquillité revienne en toi par la grâce du Seigneur, fais un effort pour revenir toi-même à la soumission et à l'humilité, car, je te l'ai dit souvent, il y a de l'orgueil dans ta démence, et tu prétends lire dans l'avenir, quand tu es incapable peut-être de raconter le passé. »

Karine resta interdite et rêveuse un instant, puis elle répondit : « Si le bon pasteur de Waldemora, aussi doux et aussi humain que celui d'auparavant était farouche et cruel, m'ordonne de dire le passé, je dirai le passé !

— Je te l'ordonne et je te le demande, dit le pasteur ; dis-le avec calme, et songe que Dieu entend et pèse chacune de tes paroles. »

Karine se recueillit encore et dit : « Nous voici dans la chambre où s'est endormie pour toujours la maîtresse bien-aimée !

— Est-ce Hilda de Waldemora que tu appelles ainsi ?

— C'est elle, c'est la veuve du bon jeune *iarl* et la mère de l'enfant qui se nomme Christian, et qui doit revenir bientôt pour rallumer la chandelle de Noël au foyer de ses pères[69]. Elle a donné le jour à cet enfant au milieu de la lune de *hœst*, ici, dans ce lit, où elle est morte à la fin de la lune de *jul*[70]. Elle l'a béni ici, auprès de cette fenêtre par où il s'est envolé, car il était né avec des ailes ! Et puis elle a menti en disant dans son cœur : « Que Dieu me pardonne de tuer mon fils par ma parole ! mais il vaut mieux qu'il vive parmi les elfes que parmi les hommes. » Elle l'a ensuite chanté sur la harpe[71], et quand elle est morte, elle m'a dit : *Que Dieu rende une mère à mon fils !* Ici Karine, ramenée au souvenir de la réalité, se prit à pleurer ; puis ses idées se troublèrent, et le ministre, voyant qu'elle ne semblait plus comprendre les questions qui lui étaient adressées, fit un signe au *danneman*, qui emmena doucement la pauvre voyante, en jetant sur l'assemblée un regard de triomphe pour la manière dont sa sœur avait répondu.

« Que voulez-vous de plus ? dit M. Goefle à l'assistance ; cette femme enthousiaste ne vous a-t-elle pas dit, en quelques mots de sa poésie rustique, les mêmes choses que Stenson a écrites ici avec la netteté méthodique de son esprit ? Et l'espèce de délire où elle vit n'est-il pas une preuve de ce qu'elle a souffert pour ceux qu'elle a tant aimés ? »

L'occasion de plaider un peu était trop belle pour que M. Goefle pût se retenir de la prendre aux cheveux. Il parla d'inspiration, résuma les faits rapidement, raconta en partie la vie de Christian après avoir établi son identité par les lettres de Manassé à Stenson, éclaircit toutes les circonstances romanesques des deux journées qui venaient de s'écouler, et sut si bien porter la conviction dans les esprits, qu'on oublia l'heure avancée et la fatigue pour lui adresser des questions, afin d'avoir le plaisir de l'entendre encore ; après quoi chacun apposa sa signature sur le procès-verbal de la séance.

Le baron de Lindenwald fit une dernière tentative pour relever le courage abattu des autres héritiers.

« N'importe, dit-il en se levant, car les portes étaient ouvertes, et l'on était libre de se retirer ; nous aurons raison de toutes ces fictions ridicules, nous plaiderons !

— J'y compte bien, répondit M. Goefle fort animé, et j'attends les arguments de pied ferme.

— Moi, je ne plaiderai pas, dit le comte de Nora ; je suis convaincu, et je signe.

— Ces messieurs ne plaideront pas non plus, dit l'ambassadeur avec intention.

— Si fait, reprit M. Goefle, mais ils perdront.

— Nous attaquerons la validité du mariage, s'écria le baron ; Hilda de Blixen était catholique ! »

Christian, irrité, allait répondre ; M. Goefle l'interrompit précipitamment :

« Qu'en savez-vous, monsieur ? dit-il au baron. Où en trouvez-vous la preuve ? Où est cette prétendue chapelle de la Vierge qu'elle avait fait ériger ? A présent que le Stollborg n'a plus de mystères pour personne, soutiendra-t-on encore ce conte ridicule, qui a servi ici de prétexte à plusieurs pour abandonner cette malheureuse femme à la persécution et à la mort ?

— Mais M. Christian Goffredi, élevé en Italie, n'est-il pas catholique lui-même ? murmuraient les héritiers en s'éloignant. Patience ! nous le saurons bien, et nous verrons si un homme qui ne peut siéger à la diète, ni occuper aucun emploi, peut hériter d'un domaine qui comporte tous les privilèges de la noblesse.

— Taisez-vous, Christian, taisez-vous ! disait tout bas M. Goefle en retenant de force Christian, qui voulait suivre dehors ses adversaires et les braver en face. Restez ici, ou tout est perdu ! Soyez dissident, si bon vous semble, quand vous aurez hérité ; mais à présent, ne levez pas ce lièvre. Personne n'a remarqué que la chambre où nous sommes est redevenue carrée !

— Que voulez-vous dire ? demanda le major à M. Goefle ; on pourrait ouvrir à tout le monde la chambre murée, puisque la prétendue chapelle n'existe pas !

— Sans doute, si nous ne l'eussions point ouverte, répondit M. Goefle, auquel cas on n'eût pas pu nous accuser d'en avoir fait disparaître les signes du culte prohibé. »

La comtesse d'Elvéda s'approcha alors de Christian, et lui dit de son air le plus gracieux : « A présent, j'espère, monsieur le baron, que j'aurai le plaisir de vous revoir à Stockholm...

— Sera-ce encore à la condition, répondit-il, que je partirai pour la Russie ?

— Non, reprit-elle, je laisse votre cœur libre de choisir l'objet de ses vœux.

— La comtesse Marguerite vous accompagne-t-elle à Stockholm ? dit Christian à voix basse.

— Elle y viendra peut-être quand vous aurez gagné votre procès, si procès il y a. En attendant, elle retourne à son château. C'est décidé, la prudence le veut, et je vous offre toujours une place dans mon traîneau pour vous rendre à Stockholm, où vos affaires vont se décider.

— Je vous en remercie, madame la comtesse, je suis dans l'entière dépendance de mon avocat, qui a encore besoin de moi ici.

« — A revoir donc, » répliqua la comtesse, prenant le bras de l'ambassadeur, qui lui dit en sortant :

« J'aime bien autant que ce beau jeune baron ne voyage pas avec vous ! »

Marguerite fit ses adieux à sa tante à la porte du Stollborg, et partit avec sa gouvernante et la famille Akerström pour le bostœlle du ministre, où elle devait prendre du repos avant de songer au départ. Elle n'échangea pas un mot ni même un regard avec Christian ; mais il n'en fut pas moins convenu tacitement entre eux qu'elle ne quitterait pas le pays sans qu'ils se fussent revus.

Le major retourna avec sa troupe et ses prisonniers au château neuf, où il devait attendre l'arrivée d'ordres supérieurs pour continuer ou déposer l'exercice de son autorité. Le *danneman* et sa famille retournèrent dans leur montagne, sans que Karine eût voulu comprendre qu'elle voyait dans Christian l'enfant du lac. Son esprit ne pouvait admettre aussi vite la notion du présent, et même par la suite, bien que son état moral fût amélioré, et qu'elle se sentît instinctivement délivrée d'un grand trouble, elle ne le reconnut pas toutes les fois qu'elle le vit, et très souvent elle le confondit avec son père le jeune baron Adelstan.

Il était quatre heures du matin, et, malgré l'habitude que l'on a de se coucher tard à une époque de l'année où les nuits sont si longues, tant d'émotions avaient brisé de fatigue les personnages principaux de notre histoire, que tous dormirent profondément, exceptés peut-être Johan et sa séquelle, enfermés dans la tour du château neuf, où ils avaient enfermé et torturé tant de monde.

Mais, avant que le jour parût, Stenson se glissa doucement près du lit de Christian, et, après l'avoir regardé quelques instants avec ivresse, il l'éveilla sans éveiller M. Goefle. « Levez-vous, mon maître, lui dit-il à l'oreille, j'ai à vous parler à vous seul ! Je vous attends dans la chambre murée. »

Christian s'habilla sans bruit et à la hâte, et, refermant les portes derrière lui, il suivit Stenson dans la salle déserte et délabrée où il avait déjà pénétré la veille. Alors Stenson, se découvrant, lui dit : « Ici, monsieur le baron, derrière cette boiserie où vous voyez une colombe sculptée, existe un mystère auquel vous seul devez être initié. C'est là que Mme votre mère avait fait ériger en secret un autel à la Vierge, car elle était catholique, le fait n'est que trop certain. L'exercice de son culte n'étant point autorisé dans le pays de son mari, madame dut s'en cacher, dans la crainte d'attirer des persécutions sur lui.

Le pasteur Mickelson ne put jamais rien constater, l'autel ayant été apporté et posé dans cette cachette par des ouvriers italiens de passage, qui avaient exécuté d'autres travaux en marbre et en bois au château neuf. J'étais seul dans la confidence. Il y avait au château un vieux savant français qui était prêtre catholique à l'insu de tout le monde, et qui disait en secret la messe ici ; mais il était mort, et les ouvriers italiens étaient partis à l'époque de la persécution de votre pauvre mère.

Il faut que vous voyiez l'autel, monsieur le baron, et que, quelle que soit votre religion, vous le regardiez avec respect. Aidez-moi à faire jouer le ressort de la boiserie, qui est probablement bien rouillé.

— C'est-à-dire que vos pauvres bras sont enflés et brisés, dit Christian en portant à ses lèvres les mains torturées du vieillard.

— Ah ! ne me plaignez pas, dit Stenson, mes mains guériront ; je ne les sens pas, et ce que j'ai souffert est bien peu de chose au prix du bonheur que je goûte à présent ! »

Christian, dirigé par Stenson, ouvrit la boiserie et tira ensuite un rideau de cuir doré, derrière lequel il vit un autel de marbre blanc en forme de sarcophage. Et comme Stenson, fort ému, s'était agenouillé : « Êtes-vous donc catholique aussi, mon ami ? » lui dit-il.

Stenson secoua la tête négativement, mais sans paraître offensé de ce doute ; des larmes coulaient lentement sur ses joues blêmes.

« Stenson ! s'écria Christian, ma mère repose là ? Cet autel est devenu sa tombe !

— Oui, dit le vieillard, étouffé par les sanglots ; c'est Karine qui l'a ensevelie dans sa robe blanche et couronnée de verdure de cyprès, car ce n'était pas la saison des fleurs. Nous l'avons mise dans un coffre rempli d'aromates, et le coffre, nous l'avons déposé dans ce sépulcre sans tache, qui est comme une représentation de celui du Christ. Je l'ai scellé moi-même, et ensuite j'ai muré la chambre, pour que la tombe de la victime ne fût point profanée. Votre ennemi n'a jamais su pourquoi je tenais à supprimer la porte. Il a cru que j'avais peur des revenants. Il a cru que, d'après son ordre et le refus du ministère d'inhumer religieusement une *païenne*, j'avais jeté la nuit ce pauvre corps au fond du lac ; mais, quoi qu'en ait pu dire le ministre Mickelson, ce corps était celui d'une sainte. Quel que fût son culte, la baronne aimait Dieu, faisait le bien, et respectait la religion des autres. Elle est au ciel et prie pour nous, et son âme se réjouit de voir son fils où il est, et tel qu'il est maintenant.

— Ah ! dit Christian, le bonheur n'est donc pas de ce monde, car je l'aurais rendue heureuse, et elle n'est plus ! »

Christian baisa le tombeau avec respect et avec foi, et, l'ayant renfermé derrière le rideau et le panneau de boiserie, il redescendit avec Stenson dans la salle de l'ourse. Là, Stenson lui dit : « Je ne sais pas s'il vous faudra beaucoup de peine et de temps pour faire reconnaître vos droits ; mais autorisez-moi à faire rétablir la cloison de cette chambre. Dès que vous serez le maître, nous transporterons la tombe dans la chapelle du château neuf.

— La tombe de ma mère à côté de celle où l'on va déposer le baron Olaüs ! Non, non, jamais ! Puisque la Suède lui a refusé un coin de terre pour abriter ses os, après lui avoir refusé l'air et la liberté, j'emporterai sous un ciel plus clément ses précieux restes. Riche ou pauvre, je saurai bien me procurer de quoi retourner avec cette relique au bord du lac d'Italie où repose mon autre mère, celle qui a exaucé son dernier vœu, et qui, bien malheureuse aussi, hélas ! a eu du moins un fils pour lui fermer les yeux.

— Agissez avec calme et prudence, répondit Stenson, ou bien vos droits seront méconnus. Vous ferez un jour votre volonté, mais à présent laissez ignorer, même à vos meilleurs amis, même au digne M. Goefle, que votre mère était dissidente. Il plaidera avec plus de conviction qu'elle ne l'était pas, et vous-même, si vous êtes dissident, ne le faites point paraître, ou vous ne pourrez pas triompher de vos ennemis !

— Hélas ! dit Christian, la richesse vaut-elle les peines que je vais prendre, la dissimulation que l'on me recommande, et les indignations qu'il me faudra contenir ? Je n'avais rien, Stenson, pas même une obole en entrant ici, il y a trois jours ! J'avais le cœur léger, j'avais l'esprit libre ! Je ne haïssais personne, personne ne me haïssait, et à présent...

— A présent vous serez moins libre et moins heureux, je le sais, répondit gravement le doux et austère vieillard ; mais beaucoup de gens qui ont souffert peuvent être consolés et soulagés par vous. Si vous songez à cela, vous aurez le courage de lutter.

— Bien dit, mon cher Stenson ! s'écria M. Goefle, qui venait de se lever et d'entendre les dernières paroles du pieux serviteur : quiconque accepte des devoirs prête ses pieds à des chaînes et son âme à des amertumes. Reste à savoir si l'homme qui s'est trouvé en face du devoir au plus beau moment de sa force, et qui s'est détourné pour le fuir, peut encore être heureux par l'insouciance et se dire content de lui-même.

— Vous avez raison, mon ami, dit Christian, faites de moi ce que vous voudrez. Je vous jure de suivre tous vos conseils.

— Et puis, ajouta M. Goefle en baissant la voix, Marguerite sera, je crois, une compensation assez douce à la vie de grand seigneur ! »

Il fut décidé par M. Goefle que Christian quitterait Waldemora, où il n'avait aucun droit à faire valoir avant la décision du comité secret de la diète, pouvoir mystérieux, spécial et privilégié qui s'attribuait le droit d'évoquer les causes pendantes aux cours ordinaires, et spécialement les affaires de la noblesse ; Christian suivrait son avocat à Stockholm pour faire sa demande et solliciter une décision.

Tous deux se rendirent au presbytère, où Christian, après avoir fait ses remerciements affectueux et respectueux au ministre Akerström, le nomma curateur de ses biens, autant qu'il dépendait de lui, et dans la prévision très juste que ce choix serait ratifié par le tribunal de la noblesse. Il ne put être seul un instant avec Marguerite, et quand même il eût pu lui parler librement, il n'eût pas voulu lui demander de s'engager à lui avant d'être sûr de ne pas redevenir Christian Waldo ; mais Marguerite ne douta ni de ses intentions ni de son succès, et partit pour sa retraite avec les espérances de la jeunesse et la foi d'un premier amour.

Christian refusa d'aller déjeuner au château neuf avec le major et ses amis. Ils comprirent sa répugnance, et vinrent dîner au *gaard* de

Stenson avec lui et M. Goefle. Le soir, ils furent tous invités à souper chez le ministre. Marguerite ne devait partir que le lendemain. Le lendemain, Christian partit de son côté avec M. Goefle, s'amusant à conduire Loki, ce qui permit à M. Nils de dormir et de ne s'éveiller que pour manger tout le long du voyage.

Après deux semaines passées à Stockholm, où Christian ne se montra qu'avec beaucoup de prudence, de réserve et de dignité, M. Goefle, qui était fort impatient de retourner à Gevala, l'invita à le suivre, en attendant la décision du tribunal suprême, qui pouvait bien se faire attendre, la mort du roi et l'avènement du prince Henri (devenu Gustave III) ayant apporté de graves préoccupations dans les hautes régions de l'État ; mais Christian, voyant s'ouvrir devant lui une phase d'incertitude illimitée, ne voulut pas rester tout ce temps à la charge de M. Goefle, et résolut de suivre son projet de rude voyage avec le *danneman* Bœtsoï dans les régions glacées de la Norvège. Pour n'être pas non plus à la charge de ce brave paysan, il accepta de M. Goefle une très modeste avance sur son héritage ou sur son travail à venir, et alla embrasser ses amis de Waldemora et du Stollborg, après quoi il partit avec Bœtsoï, laissant de nouveau son cher Jean à la garde de Stenson.

Conclusion

Christian eut tout le loisir de voyager. La reconnaissance de ses droits, malgré toutes les précautions prises par ses amis et les incessantes démarches de M. Goefle, fut tellement travaillée en sens contraire par le parti des *bonnets*, auquel appartenait le baron de Lindenwald, qu'un moment vint où l'actif et courageux avocat regarda comme perdue la cause de son client. L'ambassadeur de Russie, qui s'était montré favorable, vira de bord, on ne sait pour quel motif, et la comtesse Elfride fit pour sa nièce d'autres projets de mariage. M. Goefle porta la cause jusque dans les conseils secrets du jeune roi ; mais Gustave III, qui préméditait avec une incroyable prudence la grande révolution d'août 1772[72], fit conseiller la patience, sans s'expliquer sur les espérances qu'il était permis de concevoir. De fait, le roi ne pouvait rien encore.

Après avoir voyagé avec le *danneman* jusqu'à la fin de février, Christian reçut de M. Goefle des nouvelles qui le décidèrent à poursuivre seul son exploration dans les régions du Nord. M. Goefle, voyant les ennemis de Christian très appuyés, craignait avec raison que, s'il se montrait à Stockholm, on ne lui cherchât querelle. Il savait Christian facile à exciter, et se disait que, s'il tuait un ou deux champions, il pourrait bien être tué par le troisième. Trop de gens avaient intérêt à lui faire perdre patience et à l'entraîner sur le terrain du duel. Il se gardait bien de lui donner cette raison, mais il l'engageait à ne pas compter sur un prompt succès.

Christian reçut, en même temps que la lettre de M. Goefle, une nouvelle somme qu'il résolut de ne pas ajouter au chiffre de la première dette. Dans la position incertaine où il se trouvait, il s'enrôla pour la pêche aux îles Loffoden[73], et au commencement d'avril il écrivait à M. Goefle :

« Me voici dans une bourgade des Nordlands, où il me semble entrer dans la terre de Chanaan, bien que le *torp* du *danneman* Bœtsoï soit un Louvre en comparaison de mon logement actuel, et son *kakebroë* de la brioche auprès du pain de *bois pur* dont je fais aujourd'hui mes délices. C'est vous dire que j'ai eu beaucoup de misère, sans parler de la fatigue et des dangers ; mais j'ai vu les plus terribles spectacles de l'univers, les scènes de la nature les plus austères et les plus grandioses[74], des gouffres sous-marins où les navires et les baleines sont entraînés comme des feuilles d'automne dans un tourbillon de vent, des rivières qui ne gèlent jamais au milieu de la glace qui ne fond jamais, des cascades dont le rugissement s'entend de plusieurs lieues, des abîmes où le vertige s'empare du renne et de l'élan, des neiges plus dures que le marbre de Paros, des hommes plus laids que des singes, des âmes angéliques dans des corps immondes, un peuple hospitalier au sein d'une misère inouïe, patient, doux et pieux, dans une lutte éternelle contre la plus formidable et violente nature qui se puisse imaginer. Je n'ai point éprouvé de déceptions. Tout ce que j'ai vu est plus sublime ou plus surprenant que tout ce que j'avais imaginé.

Donc je suis un voyageur heureux ! Ajoutez que ma santé a résisté à tout, que ma bourse s'est remplie si bien que je suis à même de m'acquitter envers vous, et d'avoir encore de l'argent devant moi ; enfin qu'après avoir pu étudier la formation géologique d'une longue chaîne de montagnes, je rapporte des trésors en fait d'échantillons rares et précieux, de quoi faire sécher d'envie l'illustre docteur Stangstadius, et des observations utiles, de quoi devenir, avec un peu d'intrigue, si le goût m'en vient, chevalier de l'Étoile polaire.

Vous me demanderez comment je me suis enrichi de la sorte. C'est en me fatiguant beaucoup, en risquant mille fois de me noyer ou de me casser le cou, en côtoyant beaucoup d'abîmes sur des patins immenses dont j'ai appris à me servir, en pêchant beaucoup de poissons dans l'archipel norvégien, en vendant ma part de pêche sur place, très bon marché, à ceux qui ont le génie du trafic, et en risquant pour ce fait de me faire assommer par mes confrères, qui ont renoncé pourtant à cette velléité en voyant que j'avais le bras leste et la main lourde.

Enfin je pars pour Bergen, où il faut que j'arrive avant le dégel, si je ne veux être enfermé ici pendant six semaines par des tourmentes et des avalanches qu'il n'est pas au pouvoir de l'homme de surmonter.

Ne vous désolez pas, ô le meilleur des hommes et des amis, si je perds mon procès. Je viendrai à bout d'être quelque chose, et puisque Marguerite est pauvre, du moment que je suis *bien né*, je pourrai encore prétendre à elle. Et puis n'ai-je pas votre amitié ? Je ne demande au ciel que d'être à même de soigner les vieux jours de mon cher Stenson, s'il perd sa place et son asile au château de Waldemora. »

M. Goefle reçut plusieurs autres lettres du même genre durant l'été et l'hiver suivants. Le procès n'avançait pas, bien qu'il n'y eût pas de procès proprement dit, les *présomptueux* faisant une guerre sourde bien plus funeste et apportant d'insaisissables obstacles à la décision du comité.

Christian commençait cependant à être rassasié de hasards, de fatigues et de durs travaux. Il n'en avouait rien à son ami, mais l'exubérance de sa curiosité était apaisée. Les besoins du cœur, éveillés par des espérances peut-être trompeuses, réclamaient souvent le bonheur entrevu. La *vie terrible*, comme il l'appelait, ne dépassait pas l'héroïsme de ses résolutions et l'énergie enjouée de son caractère ; mais l'âme souffrait bien souvent en silence, et le moment était venu où, selon les expressions du major Larrson, l'oiseau, fatigué de traverser l'espace, s'inquiétait de trouver un ciel doux et un lieu sûr pour bâtir son nid.

La misère visita plusieurs fois Christian en dépit de son intelligence et de son activité. La vie du voyageur est un enchaînement de trouvailles et de pertes, de succès inespérés et de désastres désespérants. Il gagna de quoi vivre au jour le jour, en trafiquant de sa chasse, de sa pêche, et d'un échange de denrées transportées à de grandes distances avec un courage et une résolution incroyables ; mais, facile, confiant et généreux, le jeune baron n'était pas né commerçant, et son incognito ne pouvait déguiser l'aristocratique libéralité de son caractère.

Et puis le chapitre des accidents fit souvent échouer ses plus sages prévisions, et un jour il fut réduit à réaliser le rêve d'héroïque désespérance dont il avait entretenu le major sur la montagne de Blaackdal, c'est-à-dire qu'il dut, comme Gustave Wasa [75], travailler dans les mines, et, comme à ce héros d'une épopée romanesque, il lui arriva d'être reconnu pour un *ouvrier extraordinaire* moins *au collet brodé de sa chemise* qu'à l'autorité de sa parole et au feu de ses regards.

Christian était alors dans les mines de Röraas [76], dans les plus hautes montagnes de la Norvège, à dix lieues de la frontière suédoise. Il travaillait de ses mains, depuis huit jours, avec une adresse et une vigueur qui lui avaient mérité l'estime de ses compagnons, lorsqu'il reçut de M. Goefle une lettre qui lui disait :

« Tout est perdu. J'ai vu le roi, c'est un homme charmant, mais hélas ! je lui ai fait savoir qui vous êtes : j'ai mis toutes nos preuves sous ses yeux ; je lui ai dit comment vous pensiez sur l'abus des privilèges nobiliaires, et *combien vous pourriez être utile aux desseins d'un prince philosophe et courageux qui voudrait rétablir l'équilibre dans les droits de la nation.* Après m'avoir écouté avec une attention et compris avec une lucidité que je n'ai jamais rencontrées chez aucun juge, il m'a répondu : "Hélas ! monsieur l'avocat, rendre justice aux opprimés est une grande tâche ; elle est au-dessus de mes forces. J'y serais brisé, comme mon pauvre père, qu'*ils* ont fait mourir de lassitude et de chagrin !"

Gustave est faible et bon ; il ne veut pas mourir ! Nous nous flattions en vain qu'il porterait de grands coups au sénat. La Suède est perdue, et notre procès aussi !

Revenez près de moi, Christian. Je vous aime et vous estime. J'ai un peu de fortune et point du tout d'enfants. Dites un mot et je partage avec vous ma clientèle. Vous parlez le suédois à ravir, vous avez de l'éloquence. Vous apprendrez notre code, et vous me succéderez. Je vous attends. »

« Non ! s'écria Christian en portant à ses lèvres l'écriture de son généreux ami : je connais mieux qu'il ne pense le peu de ressources de ce pays et les sacrifices auxquels une pareille association condamnerait ce digne homme ! Et puis il faut des années pour apprendre un code, et pendant des années il me faudrait vivre, moi jeune et fort, des bienfaits de celui qui, après tant de luttes et de fatigues, a désormais besoin de bien-être et de repos. Non, non ! j'ai des bras, et je saurai m'en servir en attendant que la destinée me fasse rencontrer l'emploi de mon intelligence. »

Et il rentra dans la galerie où il devait, de l'aube à la nuit, creuser, à la lueur d'une petite lampe, et à travers les émanations sulfureuses de l'abîme, le filon de cuivre ramifié dans les entrailles de la terre.

Mais au bout de quelques jours le sort de Christian était amélioré. Les chefs l'avaient remarqué et lui confiaient la direction de certains travaux pour lesquels son instruction et sa capacité s'étaient révélées, à un moment donné, sans aucune affectation de sa part. Savant, modeste et laborieux, il occupait les heures du repos à instruire les ouvriers. Un soir il ouvrit pour eux un cours gratuit de minéralogie élémentaire, et fut écouté de ces hommes rudes qui voyaient en lui un laborieux camarade en même temps qu'un esprit original et cultivé. La salle de ses séances fut une de ces grandes cavernes métalliques auxquelles les mineurs aiment à donner des noms pompeux. Sa chaire fut un bloc de cuivre brut.

Christian essayait d'être heureux par le travail et le dévouement, car c'est toujours le bonheur que l'homme cherche, même au fond du sacrifice de lui-même. Il soignait les malades et les blessés de la mine. Courant toujours le premier aux accidents avec un courage héroïque, il apprenait en outre aux ouvriers à se préserver de ces terribles dangers par le raisonnement et la prudence. Il essayait d'adoucir leurs mœurs et de combattre leur funeste passion pour l'eau-de-vie, mère trop féconde des affreux duels au couteau. On l'aimait, on l'estimait ; mais sa paye passait tout entière au soulagement des estropiés, des orphelins ou des veuves.

« Décidément, se disait-il souvent, en entrant dans le tonneau qui le descendait au fond du puits incommensurable, j'étais né seigneur, c'est-à-dire, à mon sens, protecteur du faible, et à cause de cela je ne pourrai donc pas vivre à la lumière du soleil !

— Christian, lui cria un jour l'inspecteur avec le porte-voix du haut de la gueule effroyable de la mine, laisse là ton marteau un instant, et va recevoir au bas des pentes une société qui veut visiter les grandes salles. Fais les honneurs, mon enfant, je n'ai pas le loisir de descendre. »

Comme de coutume, Christian fit allumer les grandes torches de résine dans l'intérieur des excavations, et alla à la rencontre des visiteurs ; mais, en reconnaissant le ministre Akerström avec sa famille, et le lieutenant Osburn qui donnait le bras à sa jeune épouse Martina, Christian passa la torche qu'il portait à un vieux mineur de ses amis, en lui disant qu'il était pris d'une crampe et qu'il le priait de promener les visiteurs à sa place. Puis, rabaissant son bonnet goudronné sur ses yeux, il se tint en arrière, repaissant son cœur du plaisir de voir ses amis heureux, mais ne voulant pas être reconnu dans la crainte de les affliger et de faire savoir à Marguerite dans quelle situation il se trouvait.

Il allait s'éloigner après avoir écouté un instant leur entretien joyeux et animé, lorsque Mme Osburn se retourna en disant :

« Mais Marguerite n'arrive donc pas ? La poltronne n'aura jamais osé traverser le petit pont !

— Où vous avez eu grand'peur vous-même, ma chère Martina ! répondit le lieutenant ; mais que craignez-vous ? M. Stangstadius n'est-il pas avec elle ? »

Christian, oubliant la crampe qu'il s'était promis d'avoir, s'élança sous les voûtes en pente rapide qui conduisaient au pont de planches, véritablement effrayant, que Marguerite devait franchir en compagnie de M. Stangstadius, l'homme du monde qui savait le mieux tomber pour son compte, mais non pas celui qui était le plus capable de protéger les autres.

Marguerite était là en effet, hésitante et prise de vertige, avec Mlle Potin, qui traversait plus bravement avec M. Stangstadius, afin d'encourager sa jeune amie. Le lieutenant remontait pour l'aider et pour tranquilliser sa femme ; mais, avant qu'il fût arrivé, Christian s'élançait, prenait Marguerite dans ses bras, et traversait en silence le torrent souterrain.

Certes, Marguerite ne le vit pas, car elle ferma les yeux tant qu'elle put pour ne pas apercevoir l'abîme ; mais au moment où il la déposait auprès de ses amis, avec l'intention de s'enfuir au plus vite, Marguerite, encore épouvantée, chancela, et il dut lui saisir la main pour l'éloigner du précipice. Ses doigts, noircis par le travail, laissèrent leur empreinte sur le gant vert tendre de la jeune fille, et il la vit l'essuyer avec soin, un instant après, avec son mouchoir, tout en disant à sa gouvernante : « Donnez donc vite quelque argent à ce pauvre homme qui m'a portée ! »

Le pauvre homme s'était enfui le cœur un peu gros, n'en voulant point à la jeune comtesse d'avoir le goût des gants propres, mais se disant qu'il ne lui était plus possible, quant à lui, d'avoir les mains blanches.

Il s'en retourna à la forge, où il faisait confectionner des outils perfectionnés [77] d'après ses idées et approuvés par les inspecteurs ; mais au bout d'une heure de travail, car il mettait souvent la main à l'œuvre, il entendit revenir les promeneurs, et il ne put résister au désir de revoir passer la jeune comtesse. Elle lui avait paru un peu grandie, embellie à rendre fou le plus aveugle et le plus maussade des cyclopes.

Comme il entendait les voix encore éloignées, il approchait sans précaution de la galerie où le groupe devait repasser, lorsqu'il se trouva dans une salle très éclairée, face à face avec Marguerite, qui, maintenant rassurée et presque habituée déjà aux bruits formidables et aux aspects grandioses de ce séjour austère, venait seule en avant des autres. Elle tressaillit en le voyant. Elle crut le reconnaître ; il enfonça vite son bonnet ; elle le reconnut tout à fait au soin qu'il prenait de cacher sa figure.

« Christian ! s'écria-t-elle, c'est vous, j'en suis sûre ! »

Et elle lui tendit la main.

« Ne me touchez pas, lui dit Christian ; je suis tout noir de poudre et de fumée.

— Ah ! cela m'est bien égal, reprit-elle, puisque c'est vous ! Je sais tout maintenant ! Les mineurs qui nous conduisent nous ont longuement parlé d'un Christian qui est grand savant et grand ouvrier, qui ne dit pas son nom, mais qui a la force d'un paysan et la dignité d'un *iarl*, qui est courageux pour tous et dévoué à tous. Eh bien ! nos amis n'ont pas songé que ce pouvait être vous : il y a tant de Christian sous le ciel scandinave ! mais moi je me suis dit : Il n'y en a qu'un, et c'est lui ! Voyons, donnez-moi donc la main ; ne sommes-nous pas toujours frère et sœur comme là-bas ? »

Comment Christian n'eût-il pas oublié la petite insulte du gant essuyé ? Marguerite lui tendait sa main nue. « Vous ne rougissez donc pas de me voir ici ? lui dit-il, vous savez donc bien que ce n'est pas l'inconduite qui m'y a amené ? et que si je travaille aujourd'hui, ce n'est pas pour réparer des jours de paresse et de folie ?

— Je ne sais rien de vous, répondit Marguerite, sinon que vous avez tenu la parole donnée *autrefois* au major Larrson d'être mineur ou chasseur d'ours plutôt que de continuer un état qui me déplaisait !

— Et moi, Marguerite, je ne sais rien de vous non plus, reprit Christian, sinon que votre tante doit vouloir vous faire épouser le baron de Lindenwald, contre qui j'ai, à ce qu'il paraît, perdu mon procès.

— C'est vrai, dit Marguerite en riant. Ma tante veut me consoler par là de la mort du baron Olaüs ; mais puisque vous devinez si bien les choses, vous devez savoir aussi que je ne compte pas me marier du tout. »

Christian comprit cette résolution, qui lui laissait son espérance entière. Il jura dans son cœur qu'il ferait fortune, fallût-il devenir égoïste. Quoi qu'il pût dire, Marguerite ne voulut jamais consentir à protéger son incognito auprès du lieutenant et de la famille du ministre, qui arrivaient au milieu de leur tête-à-tête. « C'est lui ! s'écria-t-elle en courant vers eux, c'est notre ami du Stollborg, vous m'entendez bien ! c'est ce Christian, cet ami des pauvres, le héros de la mine ; c'est le baron sans baronnie, mais non pas sans honneur et sans cœur, et si vous n'êtes pas aussi heureux que moi de le revoir...

— Nous le sommes tous ! s'écria le ministre en serrant les mains de Christian. Il donne ici un grand exemple de vraie noblesse et de saine religion. »

Christian, accablé de caresses, d'éloges et de questions, dut promettre d'aller souper dans le village avec ses amis, qui comptaient y passer la nuit avant de retourner à Waldemora, où Marguerite était en visite d'une quinzaine au presbytère.

On voulait emmener Christian tout de suite ; mais d'une part il n'était pas aussi libre de l'emploi de ses heures qu'on le supposait, de l'autre il tenait, plus qu'il ne convenait peut-être à un homme aussi raisonnable, à se revêtir d'un habillement grossier, mais irréprochablement propre. On se donna rendez-vous pour le soir, et Christian, ému et heureux, retourna à ses travaux.

Là, pourtant, des pensées tumultueuses se combattirent en lui-même. Devait-il donc s'obstiner à nourrir l'espoir chimérique d'un amour partagé ? Marguerite avait trop d'élan et de franchise dans son affection pour lui ; ce ne pouvait être là que de l'amitié paisible, sans trouble dans l'âme et sans rougeur au front. L'amour pouvait-il être si spontané, si courageux, si expansif ? Il s'accusait de présomption et de folie. Et puis tout aussitôt il s'accusait d'ingratitude : une voix intérieure lui disait que, quel que fût son sort, il trouverait toujours Marguerite résolue à le partager.

Il quittait définitivement son travail, et, préférant de beaucoup le tonneau et la poulie, qui ne lui causaient aucun vertige, au long trajet des escaliers et des pentes, il s'apprêtait à remonter, en un instant, du sombre abîme à l'entrée par où l'on apercevait un coin du ciel encadré de sorbiers et de lilas, lorsqu'il se trouva en présence d'un mineur qu'il avait déjà rencontré la veille dans sa circonscription, et qui n'appartenait point à la brigade dont il avait fait partie d'abord et qu'il dirigeait maintenant.

Cet homme n'était pas connu des compagnons de Christian. Noirci avec excès, soit par négligence, soit par affectation, et coiffé d'une guenille de chapeau pendant de tous les côtés autour de sa tête, il n'était pas aisé de se faire une idée de sa figure. Christian n'avait pas cherché à la voir. Il pouvait être de ceux qu'on appelle les travailleurs honteux (comme on dit les *pauvres honteux* pour exprimer précisément le contraire de la honte, qui est la fierté silencieuse). Il respecta donc l'air mystérieux de cet inconnu, et, après avoir donné le coup de sifflet d'usage pour avertir ceux qui manœuvraient la poulie, il se contenta de lui montrer une place à côté de lui dans le tonneau, supposant qu'il voulait remonter aussi ; mais l'inconnu sembla hésiter. Il mit ses mains sur le bord du tonneau comme s'il eût voulu s'y élancer, puis il s'arrêta en ayant l'air de chercher quelque chose.

— Vous avez perdu un outil ? » lui dit Christian, qui remarqua qu'il était assez gros et lourd, et qu'il n'avait rien de la tournure dégagée d'un mineur habitué à se servir du tonneau.

A peine eut-il parlé que l'inconnu, comme s'il eût voulu entendre sa voix avant de prendre un parti, monta auprès de lui avec plus de résolution que d'adresse, et attendit en silence le second coup de sifflet.

Christian supposa que cet homme n'entendait pas le norvégien, et comme il connaissait désormais presque tous les dialectes du Nord, il essaya de l'interroger, mais en vain ; l'inconnu demeura muet, comme si l'effroi de se voir suspendu à mi-chemin de l'abîme eût paralysé ses facultés. Le tonneau ou seau des mines est, comme on le sait, formé de douves épaisses cerclées de fer, et qu'il faut pourtant diriger dans les grandes excavations. Christian, déjà très habitué à ce mode de transport, manœuvrait très adroitement. Debout sur le rebord, un bras passé dans la corde, il frappait légèrement du pied les parois du puits quand le balancement menaçait d'y briser le seau, et, renonçant à arracher un mot à son camarade de voyage, il s'était mis à chanter tranquillement une barcarole vénitienne [78], quand le seul de ses pieds qui portât en ce moment sur le bord du véhicule fut traîtreusement poussé avec assez de vigueur pour perdre son point d'appui et se trouver lancé dans le vide.

Heureusement Christian, qui était, par habitude, aussi prudent que hardi, avait le bras gauche solidement passé dans la corde, et il glissa à peu près comme ferait un panier pris par son anse, sans lâcher prise ; mais l'inconnu, élevant son marteau tranchant, se mit en devoir de frapper d'abord sur la main droite de Christian, qui avait assuré son salut en saisissant le bord du tonneau. C'en était fait, sinon de lui, du moins d'une de ses mains, sans le balancement et l'inclinaison subite que le poids de son corps imprima au tonneau. Ses pieds pendants vinrent frapper un second seau qui descendait auprès de lui, et il put donner au premier une telle secousse que l'assassin fut forcé de se prendre lui-même aux cordes pour n'être pas lancé dehors.

Ce moment d'effroi suffit à Christian pour se cramponner à l'autre corde et sauter dans l'autre tonneau, qui remonta avec rapidité, tandis que celui où l'assassin restait seul disparaissait à ses yeux avec une rapidité plus grande encore. Christian, arrivé au bord du puits, venait de sauter sur les planches qui le surplombent, lorsqu'un sourd rugissement monta vers lui des profondeurs de l'abîme, tandis que la fantastique figure de Stangstadius apparaissait toute souriante à ses côtés pour lui dire : « Hé ! mon cher baron, venez donc vite ! On ne veut pas souper sans vous là-bas, et je meurs d'inanition !

— Mais que s'est-il donc passé ? s'écria Christian, sans lui répondre, en s'adressant aux ouvriers qui manœuvraient la poulie. Où est l'autre tonneau ? où est l'homme ?...

— La corde s'est cassée, lui répondit l'un d'eux en jurant très haut et en feignant de déplorer l'événement, tandis que l'autre, se penchant à son oreille, disait à Christian : Silence ! nous l'avons lâchée !

— Quoi ! vous avez précipité ce malheureux... ce fou...

— Ce malheureux n'était pas fou, répondit le manœuvre. Il cherchait depuis trois jours l'occasion de se trouver seul auprès de toi. Nous le guettions, nous avions vu ce qu'il voulait faire. Nous t'avons descendu à tout hasard un autre tonneau, et, quant à celui où il est, c'est un tonneau gâté, voilà tout ! »

Christian savait que, dans les mines, à cette époque, on pratiquait la justice expéditive et directe. Il n'en avait que plus de regret et d'inquiétude de ce qui venait de se passer, parce qu'il savait aussi que les gens qui entrent, à un certain âge, dans ce monde souterrain sont quelquefois pris d'accès de fureur involontaire. Il se fit redescendre avec Stangstadius, qui prétendait avec raison connaître ces accidents-là, *ex professo*. Deux mineurs se firent descendre aussi pour constater le fait, disaient-ils, mais en réalité pour faire disparaître le cadavre sans avoir d'explication à donner aux inspecteurs de la mine.

« Ma foi ! dit Stangstadius dès qu'à la lueur des torches il eut examiné le misérable corps, son affaire est faite ! Il a eu moins de bonheur que moi ; mais, par le ciel ! je jure de dresser un rapport sur l'emploi des cordes dans la descente des tonneaux de mine. Ces accidents-là sont trop fréquents... Quand je songe que moi-même...

— Monsieur Stangstadius ! s'écria Christian, regardez cet homme... Ne le connaissez-vous pas ?

— C'est pardieu vrai ! répondit M. Stangstadius, c'est maître Johan, l'ex-majordome de Waldemora. Voilà une plaisante rencontre, hein ?... Alors il n'y a pas grand mal. Il avait fait des aveux en prison ; c'est lui qui a assassiné autrefois ce pauvre baron Adelstan... à propos ! oui, votre père, mon cher Christian. Ce Johan est un ancien mineur de Falun, un scélérat... Il paraît qu'il s'était évadé de sa dernière prison ; mais il était écrit dans sa destinée qu'il périrait par la corde. »

Enchanté de ce bon mot, M. Stangstadius entraîna Christian hors de la mine, tandis que les mineurs, après avoir jeté le cadavre dans une sorte d'*in pace* bien connu d'eux, au plus profond des puits, s'occupèrent tranquillement à réparer le tonneau. Christian, qui avait un petit logement dans le village, courut s'habiller. Il trouva chez lui une lettre qu'un exprès venait d'apporter ; elle était de M. Goefle :

« Tout est sauvé, disait-il ; le roi est bon comme je vous le disais, mais non pas faible, comme je le croyais. C'est un gaillard qui... Mais il ne s'agit pas de cela. Accourez ! soyez à Waldemora le 12 ; un de mes amis vous donnera de bonnes nouvelles.

A bientôt, mon cher baron. »

Christian ne parla pas de cette lettre aux amis qui l'attendaient pour souper chez le ministre de Röraas, où nécessairement celui de Waldemora recevait, pour lui et ses amis, une cordiale hospitalité. Christian put être seul quelques instants ensuite avec Marguerite et sa gouvernante. Il fut plus hardi qu'il ne l'avait encore été. Il osa parler d'amour. Mlle Potin voulut l'interrompre, mais Marguerite à son tour interrompit son amie.

« Christian, dit-elle, je ne sais pas bien ce que c'est que l'amour, et quelle différence vous voulez me faire comprendre entre ce sentiment-là et celui que j'ai pour vous. Ce que je sais, c'est que je vous respecte et vous estime, et que, si jamais je suis libre et que vous le soyez encore, je partagerai votre fortune, quelle qu'elle soit. J'ai beaucoup travaillé depuis que nous nous sommes quittés ; je saurais maintenant donner des leçons, ou tenir des écritures comme tant d'autres jeunes filles pauvres qui travaillent, et qui ont le bon esprit de n'en pas rougir, comme Mlle Potin de Gerville elle-même, qui est de famille noble, et qui, pour avoir été forcée de tirer parti de ses talents, n'a déchu aux yeux de personne et n'a fait que grandir à ceux des gens de cœur,... à preuve, ajouta-t-elle avec une tendre malice en regardant sa gouvernante, qu'elle est fiancée en secret avec le digne major Larrson, et qu'elle n'attend que mon mariage pour célébrer le sien. »

Mlle Potin fut bien embarrassée de contredire Marguerite. Elle en voulait à Christian d'insister pour être aimée au moment où sa cause était perdue ; elle fut tout à fait fâchée contre lui quand elle vit qu'il se mettait à la suite de la petite caravane pour traverser les montagnes, et rentrer en Suède par Idre et les montagnes du Blaackdal.

Le lendemain, 12 juin 1772, Christian vit venir au-devant de lui, sur la route des montagnes, l'ami que M. Goefle lui avait annoncé, et qui n'était autre que M. Goefle lui-même, escorté du major Larrson. On s'embrassa, on échangea quelques mots d'ivresse affectueuse, et on arriva pour dîner au chalet du *danneman*, qui était tout pavoisé de fleurs sauvages. Karine était sur le seuil, comprenant à demi ce qui se passait et s'habituant difficilement à voir l'enfant du lac sous les traits du beau jeune *iarl*.

Le repas fut servi en plein air, sous un berceau de feuillage, en vue de cette magnifique perspective de montagnes dont Christian avait admiré, par un jour de décembre, la mâle et mélancolique beauté. La belle saison est courte dans cette région élevée, mais elle est splendide. La verdure est aussi éblouissante que les neiges, et la végétation prend un si rapide développement, que Christian croyait voir un autre site et un autre pays.

On resta dans la montagne jusqu'à six heures du soir. Il ne fut pas question de chasser l'ours, mais de cueillir sentimentalement des fleurs au bord des eaux courantes, et d'écouter le doux murmure ou les roulades impétueuses de toutes ces voix qui semblaient se hâter de chanter et de vivre avant le retour de la glace, où elles devaient encore être changées en cristal par les elfes du sombre automne.

Christian était bien heureux, et cependant il lui tardait de revoir Stenson ; mais M. Goefle ne voulait pas que l'on se remît en route à cause de la chaleur. Le soleil ne devait se coucher qu'après dix heures, pour reparaître trois heures après, dans un crépuscule étoilé, qui ne permet pas aux ténèbres d'envahir le ciel d'été. C'était une surprise que le bon avocat ménageait à Christian. Aussitôt que la fraîcheur commença, on vit arriver en carriole le vieux Stenson triomphant et rajeuni ; grâce à la chaleur de la saison, et peut-être aussi à la joie et à la confiance, il n'était presque plus sourd. Il apportait le décret du comité de la diète, qui reconnaissait les droits de Christian, et une lettre de la comtesse d'Elvéda, qui autorisait secrètement M. Goefle à disposer de la main de sa nièce en faveur du nouveau baron de Waldemora.

En revenant au château avec *son oncle* Goefle, Christian, qui voyait avec délices la joyeuse réunion de ses dignes amis se dérouler en voiture sur les méandres du chemin pittoresque, fut pris, au milieu de sa joie, d'un accès de mélancolie.

« Je suis trop heureux, dit-il à l'avocat ; je voudrais mourir aujourd'hui. Il me semble que la vie où je vais entrer sera une agression perpétuelle au bonheur simple et pur que je rêvais.

— C'est fort possible, mon enfant, répondit M. Goefle. Il n'y a que les romans qui finissent par l'éternelle formule : "Ils moururent tard et vécurent heureux." Vous souffrirez au contact de la vie publique, terriblement agitée en ce temps-ci, surtout dans les hautes régions sociales où vous entrez. Je ne sais quels événements étranges se préparent. J'en ai senti comme une révélation dans la dernière entrevue que le roi m'a accordée. Ce jour-là, il m'est apparu à la fois grand et redoutable. Je crois qu'il médite une explosion qui remettra bien des gens à leur place ; mais pourra-t-il et voudra-t-il les y maintenir ? Les révolutions qui devancent le travail du temps et des idées peuvent-elles fonder quelque chose de durable[79] ?

— Pas toujours, dit Christian ; mais elles plantent des jalons dans l'histoire, et, des progrès qui avortent, il reste toujours quelque chose d'acquis.

— Alors, vous seriez véritablement pour le roi contre le sénat ?

— Oui, certes !

— Vous voyez donc bien que votre pensée n'est pas de fuir la tempête, mais de la chercher. Allons, c'est l'instinct de la jeunesse et la fatalité de l'intelligence ! Moi, je dirai *amen* à tout ce qui nous affranchira de la Russie et de l'Angleterre... Mais comment diable siégerez-vous aux États, si vous ne voulez pas reconnaître la religion du pays ?... Ne dites rien, vous verrez plus tard ce que vous dictera votre conscience ; et ce que vous imposeront vos devoirs de père et de citoyen.

— Mes devoirs de père ! s'écria Christian. Ah ! monsieur Goefle, mon bonheur est là, je le sens ! Mon Dieu ! comme je les aimerai, les enfants que me donnera cette brave et loyale créature, qui leur transmettra le désintéressement et la franchise avec la grâce et la beauté !

— Oui, oui, Christian, vous serez heureux par la famille. Cela vous est dû pour les soins que vous avez donnés à la pauvre Sofia Goffredi ! Vous vivrez à la manière suédoise[80], dans vos terres, au sein du bien-être, en face de la grande et rude nature du Nord ! Vous ferez des heureux de tous ceux dont votre prédécesseur avait fait des misérables. Vous cultiverez la science et les beaux-arts. Vous élèverez vos enfants vous-même. Ces coquins-là seront entourés, en naissant, d'amour et de soins ; ils grandiront avec les enfants d'Osmund et d'Osburn. Moi, je travaillerai le plus longtemps possible, parce que je deviendrais trop bavard et trop nerveux, si je ne plaidais pas ; mais tous les ans je viendrai passer avec vous les vacances. Nous gâterons à l'envie l'un de l'autre le vieux Sten et la pauvre Karine ; nous ferons en politique des châteaux en Espagne : nous rêverons l'alliance sans nuages avec la France[81] et la résistance à l'ambition russe au moyen de l'union scandinave. Puis le soir nous exhumerons les *burat-*

tini, et nous donnerons à toute la chère marmaille rassemblée au château des représentations où je prétends devenir l'égal du fameux Christian Waldo, de joyeuse et douce mémoire[82]. »

NOTES

[1] Il est évident que dans la présentation du lieu de spectacle, la romancière garde présentes à son esprit les pages du *Château des Désertes* où se lisent les préoccupations d'un « artiste minutieux », p. 112 : « Nous avons imaginé de faire un théâtre dont nous puissions jouir nous-mêmes, et qui n'offrît pas à nos yeux, désabusés à chaque instant, ces laids intérieurs de coulisses pelées où le froid vous saisit le cœur et l'esprit dès que vous y rentrez. Nous ne nous moquons pas pour cela du public, qui est censé partager nos illusions. Nous agissons en tout comme si le public était là ; mais nous n'y pensons que dans l'entracte. »

[2] L'association du bouffon et du chevaleresque se trouve déjà exprimée dans le *Fantasio* de Musset, acte II, sc. 7 : « Ah ! si j'étais poète, comme je peindrais la scène de cette perruque voltigeant dans les airs. Mais celui qui est capable de faire de pareilles choses dédaigne de les écrire. Ainsi la postérité s'en passera. »

[3] Un divertissement à l'italienne avec quatre instruments. Il s'agit d'une composition instrumentale avec des morceaux agréables alternés par des mélodies de danses. En France il s'agit d'une danse mêlée de chant, qu'on plaçait dans les actes des opéras.

[4] Sur l'improvisation musicale, signe du génie, et l'importance que les Romantiques lui accordaient, voir J.-M. Bailbé, *Le Roman et la musique en France sous la Monarchie de Juillet*, Paris, Lettres modernes, 1969, p. 57 sqq., où l'on voit bien la grandeur et les limites de ce genre d'exercice notamment pour l'orgue.

[5] Cassandre est le principal personnage des anciennes farces des tréteaux. C'est un père trompé par ses enfants et berné par tout le monde.

[6] Sur ce lapsus révélateur d'une sorte d'acte manqué, on peut se reporter à la théorie freudienne.

[7] Ce bel éloge de Marivaux n'est pas indifférent sous la plume de G. Sand, dont on connaît la fine psychologie. Voir G. Planche, *Étude sur les arts*, Paris, M. Lévy, 1855, où l'auteur évoque les airs d'opéra où sont « notées et scandées toutes les arguties amoureuses de Marivaux » (pp. 236-40).

[8] Un diapason plus clair. C'était la norme adoptée pour l'accord des voix et des instruments, le « la » étant pris comme élément de référence. Jusqu'au milieu du XIXe siècle aucune règle n'était établie en ce domaine : il y avait à Paris six diapasons en usage. Il ne me semble pas que la formule soit bien utilisée par rapport à ce que veut exprimer la romancière.

[9] Le dialogue de Johan et de Christian évoque certains dialogues comiques de Molière, et notamment la scène entre Don Juan et M. Dimanche. (Acte IV, sc. 3)

[10] On pense à E.T.A. Hoffmann, image d'un artiste qui demande l'inspiration à l'alcool, et qui raconte comme aventures vécues ce qui n'a été sans doute que rêvé. Dans le prologue des *Contes* d'Hoffmann le compositeur, accompagné du fidèle Niklausse, vient comme chaque soir boire du punch dans la taverne berlinoise de Lutter et Wegener dont les voûtes noircies présentent un décor inquiétant et fantastique.

¹¹ Voir le thème du masque dans *le Château des désertes*, p. 102, *op. cit* : « Je me hâtai de revêtir cet étrange costume, même le masque qui représentait la figure austère et chagrine d'un vieux capitaine, et dont les yeux blancs, doublés d'une gaze à l'intérieur, avaient quelque chose d'effrayant. »

¹² Johan représente le laquais sans éducation tout entier dans l'apparence à l'image de son maître le baron. Christian n'a aucune peine à se jouer de lui, ce qui est le triomphe de l'innocence sur l'activité inquisitoriale.

¹³ Le temple de Paphos. C'est le nom de deux villes anciennes de l'île de Chypre, célèbres par leurs temples de Vénus Astarté, déesse de la fertilité, à la fois céleste et marine, attachée également à la beauté et aux plaisirs. Sur l'art du confiseur « ce dernier-né de l'architecture », écrit Janin, voir P. Lacam, *Mémorial historique et géographique de la pâtisserie*, Paris, 1895. On peut aussi évoquer la description minutieuse que donne Flaubert d'une pièce montée dans *Madame Bovary*, Paris, Garnier, 1960, p. 27. On sait que Carême se voulait architecte, tout comme l'orfèvre Froment-Meurice.

¹⁴ Le nom de Tébaldo fait penser, dans un tout autre contexte, à Tébaldéo dans *Lorenzaccio* de Musset, un vrai cœur d'artiste. Acte II, sc. 2 : « Réalisme des rêves, voilà la vie du peintre ».

¹⁵ Le bostœlle du major, c'est une maison de campagne, comme l'indique George Sand dans une note du Tome I.

¹⁶ Cette page ne manque pas de pathétique : le contraste entre la fête de nuit et l'agonie du baron, la détresse du médecin pris entre la pratique de son art et le sentiment d'être complice d'une iniquité, les bruits divers de la vie quotidienne, les jeux de lumière, tout cela révèle la parfaite maîtrise de la romancière.

¹⁷ On remarque la vogue de l'exotisme oriental notamment au XVIIIe siècle, et le développement qu'il prendra au XIXe siècle, voir les *Orientales* de V. Hugo, dans la littérature et dans l'art.

¹⁸ On voit, une fois encore, que G. Sand donne, dans le texte lui-même, la définition des mots suédois difficiles à comprendre pour le lecteur. Il s'agit ici des *högar*, tumulus attribués à la sépulture des anciens chefs scandinaves. On pense aux chortens du Ladakh. Il en est de même pour le *Kakebroé* et pour *elf* ou *stroem*.

¹⁹ Thor, le Jupiter scandinave. C'est le fils d'Odin et le dieu de la guerre chez les peuples germaniques.

²⁰ G. Sand a une prédilection pour les animaux fantastiques (voir aussi, p. 42 les « formes les plus fantastiques de la pâtisserie »). Ici l'association des couleurs et des formes est particulièrement réussie et digne d'une décoratrice de théâtre : cygnes à bec d'or rouge, dauphins d'or vert, poissons à queue recourbée, dragon effroyable. Tout cela préfigure discrètement les tentations surréalistes.

²¹ Vers 1720, le style Louis XV se manifeste par un emploi exclusif des courbes, en allégeant de toute surabondance ornementale. Il y a un souci de simplicité qui commande les formes avec une certaine curiosité pour les combinaisons mécaniques. A partir de la minorité de Louis XV, on tenait un registre exact des personnes admises à monter dans les carrosses. Il fallait occuper un rang parmi la noblesse titrée et fournir un simulacre de preuves.

²² La personnalité de Stangstadius se complète ; sa naïveté, le caractère grotesque du personnage et le jugement que l'on peut porter sur lui apparaissent. Son naturel n'en demeure pas moins touchant et il a l'estime de la romancière. Il est le pendant burlesque de Stentarello.

²³ *Le Mariage secret* (*Il Matrimonio segreto*) est un opéra en deux actes de Cimarosa (1749-1801) dont la première représentation fut donnée à Vienne en 1792. C'est le modèle de l'Opéra comique italien au XVIIIe siècle souvent invoqué par Stendhal dans ses œuvres.

²⁴ L'habileté de Christian Waldo ne vise pas seulement les mouvements qu'il imprime à ses marionnettes, mais la possibilité de leur communiquer une existence, une épaisseur humaine qui passe par le timbre et les inflexions de la voix. C'est l'art complet de l'acteur au service des créatures de l'imaginaire.

[25] On pense à l'épisode bien connu du *Fantasio* de Musset. Acte II, sc. 5, Le Page : « La perruque s'est enlevée en l'air au bout d'un hameçon. Nous l'avons retrouvée dans l'office à côté d'une bouteille cassée, on ignore qui a fait cette plaisanterie. »

[26] La langue suédoise est riche en voyelles colorées, elle porte un accent musical qui permet toutes les modulations, depuis les accents solennels jusqu'aux murmures les plus intimes. Les Suédois sont légitimement fiers de cette diversité qui se communique aux dialogues de la langue écrite.

[27] Corne à boire : symbole de la force et de la puissance, elle servait à offrir à la divinité des boissons de toute espèce.

[28] La main blanche de Christian semble révéler une origine aristocratique ; quant au petit doigt recourbé de la main gauche, il est un signe de reconnaissance comme l'on en trouve souvent dans le roman-feuilleton populaire. Voir Lise Queffélec, *Le roman-feuilleton français au XIXe siècle*, Paris, PUF, 1989, p. 27.

[29] Cette définition de l'écrivain voyageur et observateur correspond parfaitement à l'idéal de G. Sand ; de plus l'évocation de la Dalécarlie « pays en apparence inabordable » révèle une nostalgie secrète de la romancière pour une région qu'elle aurait voulu découvrir autrement que par le rêve.

[30] Voir Starobinski, *Portrait de l'artiste en saltimbanque*, Paris, Skira, 1970, p. 121, à propos de Picasso : « L'ombre du vieux saltimbanque baudelairien a passé d'abord sur sa peinture, et les Pierrots lunaires du symbolisme ont sans doute peuplé un moment son imagination. »

[31] Cette page est capitale pour la conception de l'artiste chez G. Sand. Il s'agit avant tout « d'instruire, éclairer ou divertir les autres ». Ces idées ont déjà été exprimées avec force dans *Consuelo*.

[32.] Pour l'importance de l'imagination et du rêve chez les Romantiques, voir Chateaubriand, *Mémoires d'Outre-Tombe*, « Rêverie au Lido », 4e p., Liv. 7, 18 : « Inutilement je vieillis : je rêve encore mille chimères. L'énergie de ma nature s'est resserrée au fond de mon cœur. »

[33] Compositions musicales des maîtres de chapelle italiens et allemands pour les théâtres de ce genre. Je pense à Giovanni Paisiello, maître de chapelle à Naples de 1783 à 1799 qui illustra le nouvel opéra-bouffe issu de l'intermède, scène mimée ou chantée intercalée dans les actes d'un spectacle (avec *Il negligente giocoso* et avec *Il virtuose ridicole*).

[34] On note la belle formule « conquérir la terre au profit de l'intelligence humaine » qui souligne bien la double mission du voyageur, être sacré, depuis l'Antiquité : connaissance et initiation. On peut se reporter également aux pages célèbres de Montaigne sur le voyage.

[35] La riche association du théâtre et de la vie a été abondamment illustrée dans la critique moderne, voir G. Strehler, *Un théâtre pour la vie*, Paris, Fayard, 1980 : « Si le théâtre apparaît comme un fait unitaire dans l'histoire de l'homme, il est aussi un fait unique comme le sont certains processus physiques, vitaux, fondamentaux pour l'homme, qui ne peuvent être éliminés ou renversés sous peine d'être détruits. »

[36] La courante est un air de danse, à mesure ternaire, qui était autrefois utilisée dans les bals. La courante suivait ordinairement l'allemande. Elle était à deux reprises.

[37] Voir Beaumarchais, *Le Barbier de Séville*, Acte I, sc. 2, à propos de l'habitude du malheur : « Je me presse de rire de tout de peur d'être obligé d'en pleurer » (Figaro).

[38] Parhélie : c'est l'image du soleil réfléchie dans un nuage. Les réflexions et réfractions de la lumière sur les faces latérales des cristaux de glace donnent lieu à une série d'images qui sont disposées sur un cercle horizontal passant par le soleil.

[39] Odin est le plus ancien des dieux secondaires de la mythologie scandinave. Il n'a pas créé le monde, mais il l'a ordonné, et il le gouverne. Il est le guide et le protecteur du brave à tous les âges de la vie.

[40] La poésie suédoise est riche de textes célébrant le soleil du Nord, voir Pär Lagerk-

vist, *Le Printemps de la terre*, où l'on sent la résurgence du paganisme et le culte rendu à l'astre du jour, principe de toute vie et de toute joie :

> « Voici que le soleil déploie sa chevelure blonde
> Dans la première heure du crépuscule
> Et la répand sur le printemps de la terre
> Où scintillent mille fleurs.
> ...
> Il déploie sa chevelure et la répand
> Sur l'heure bienheureuse du matin
> Et rêve parmi les mondes qui l'ont précédé
> Et ceux à venir qui scintillent de leur attente. »

(Traduction de Frédéric Durand.)

[41] Voir Diderot, article « Art » de l'*Encyclopédie* et l'éloge des arts mécaniques : « C'était s'abaisser à des choses dont la recherche est laborieuse, la méditation ignoble, l'exposition difficile, le commerce déshonorant, le nombre inépuisable. Préjugé qui tendait à remplir les villes d'orgueilleux raisonneurs et de contemplateurs inutiles, et les campagnes de petits tyrans ignorants, oisifs et dédaigneux. »

[42] Ce Suisse du Nord. Un peu plus haut la romancière parle des chalets suisses. Il est clair que le XIXᵉ siècle a découvert le charme des lacs et des montagnes suisses et les a célébrés dans la littérature et dans l'art.

[43] On voit que G. Sand s'est bien documentée sur la chasse à l'ours, l'une des spécialités des régions nordiques.

[44] Buffon contredit Wormsius à l'endroit des ours : je n'ai pas retrouvé cette allusion.

[45.] Cette formule évoque parfaitement les *Fables* de La Fontaine, qui servaient souvent de référence. Voir *Le chat, la belette et le petit lapin*, VII, fable 15 : « Les voilà tous deux arrivés/Devant sa Majesté fourrée. »

[46] L'eider est un genre d'oiseau palmipède comprenant des canards qui fournit le duvet appelé édredon.

[47] C'est le 15 septembre 1869 que paraîtra dans la *Revue des deux mondes, Lokis*, de Mérimée, qui est le nom lithuanien de l'ours, voir notamment Mérimée, *Romans et nouvelles*, Paris, Gallimard, 1951, p. 751 à propos de l'ours qui enlève la comtesse.

[48] Ce n'est que très récemment que l'État s'est préoccupé, trop tard peut-être, d'arrêter ces dévastations en Suède. (Note de George Sand).

[49] Eau-de-vie de grains dont plus tard Gustave III fit un monopole d'État : cela fait partie des diverses réformes entreprises par le souverain.

[50] Antinoüs est un jeune Bithynien d'une grande beauté, esclave de l'Empereur Hadrien, qui en fit son favori. Il se noya dans le Nil. L'*Antinoüs* du Belvédère est particulièrement connu. C'est une belle figure en marbre de Paros.

[51] Brouillard sec. Les références scientifiques de la romancière sont toujours accompagnées d'explications assez nuancées. Je n'ai rien trouvé concernant ce phénomène.

[52] L'opposition des deux mots est tout à fait caractéristique du mouvement de la sensibilité littéraire et artistique au XIXᵉ siècle, depuis Mme de Staël et Chateaubriand.

[53] Le nom fantastique de capitaine Chimère se trouve plusieurs fois dans le manuscrit, et il a été souvent effacé.

[54] *Le Mariage de la Folie* : cela rappelle les titres des canevas de la *Commedia dell'arte* ou bien du Théâtre des Funambules. Voir Champfleury, *Souvenirs des Funambules*, Paris, M. Lévy, 1859, p. 85 : « Loin d'être vagues, mes pantomimes sont arrêtées et exactes ; chaque scène a la netteté et la rigueur d'un trait de dessin linéaire. On ne peut m'accuser que de *positivisme* en matières funambulesques. »

[55] C'est encore une fois un appel à l'expérience de Maurice Sand en ce domaine.

[56] G. Sand rend compte ici des limites de la tentative de Rousseau dans son traité d'éducation intitulé l'*Émile*. On sait que la romancière était une fervente lectrice de Rous-

seau, qui lui a ouvert l'esprit sur l'acuité et la précision des sensations, ainsi que sur l'authenticité de l'âme populaire.

57 Scène de Moron avec l'ours dans *la Princesse d'Élide* : Acte I, 2ᵉ intermède, sc. 2 « Ah ! monsieur l'ours, je suis votre serviteur de tout mon cœur. Épargnez-moi ! »

58 G. Sand connaissait fort bien *Joseph en Égypte*, opéra en trois actes de Méhul (1763-1817) qui fut donné pour la première fois à l'Opéra-comique le 17 février 1807. Cette œuvre contient des pages d'une grande noblesse et une recherche harmonique tout à fait remarquable.

59 L'épisode de la coupe d'or est un peu long et, me semble-t-il, inutile ; il affaiblit le roman au même titre que l'interminable chasse à l'ours.

60 Fantasmagorie : c'est principalement un spectacle de lanterne magique, dans lequel, au moyen de certains artifices, on fait paraître des figures qui semblent tour à tour s'approcher ou s'éloigner.

61 Une vertu, c'est une sorte de don des fées. Nous entrons dans une atmosphère de légendes chère à la romancière.

62 La *vala*, c'est-à-dire la prophétesse, selon le modèle si souvent exploité de Cassandre. Voir *Les Troyens* de Berlioz.

63 Ce personnage fantastique de la Baronne Hilda ne peut être dissocié d'une ambiance musicale. Le héros fantastique est souvent musicien ; que l'on pense au violon du prince Albert dans *Consuelo*.

64 Rameau dirigeait la musique de La Pouplinière vers 1731, époque où fréquentait Francueil.

65 Le jeu sur les mots présomptueux/présomptifs manifeste l'ironie de G. Sand. Les héritiers présomptifs sont désignés d'avance par la parenté.

66 Au début du roman, Stenson et Christian ne peuvent se rencontrer, car Stenson se cloître. La romancière ne laisse rien au hasard, et rend compte ici de l'émotion bien légitime du héros.

67 Les mappes sont les cartes géographiques ; on pense à mappemonde, carte qui représente le globe terrestre divisé en deux hémisphères.

68 Séquelle désigne ici une suite méprisable de gens.

69 G. Sand fait sans doute allusion à un usage suédois qui fait de la fête de Noël une renaissance de la lumière associée au sentiment de la fidélité familiale.

70 *Jul*, décembre ; *hœst*, septembre. (Note de George Sand).

71 La harpe avait un grand prestige à l'époque romantique, avec la vogue d'Ossian et de ses grandioses poésies, tirées d'anciens chants.

72 La grande révolution d'août 1772 : Gustave III réalise sans effusion de sang un coup d'État lui donnant des pouvoirs accrus.

73 Il s'agit des îles Lofoden, archipel dépendant de la Norvège sur la côte ouest du pays et dans lequel se trouve le fameux gouffre du Maëlstrom. On y pêche la morue et l'on y chasse l'eider.

74 Ce spectacle grandiose de l'univers présenté par le navigateur Christian évoque de nombreux romans de J. Verne.

75 En 1521 une révolte éclata en Dalécarlie fomentée par Gustave Vasa qui reste dans l'histoire le « bâtisseur du Royaume ». Il fut proclamé roi en 1523 sous le nom de Gustave Iᵉʳ, sut assainir les finances, confisqua les biens de l'Église romaine et favorisa le luthéranisme comme doctrine officielle de l'Église nationale.

76 Les mines de Röraas : je n'ai pas pu localiser cette région.

77 Les perfectionnements apportés aux outils se rapportent aux grandes idées de l'*Encyclopédie*.

78 On peut évoquer les nombreux textes où G. Sand parle de Venise, et de la musique

de ses gondoliers. *L'Uscoque* (1838) : « A Venise surtout où l'air, le marbre et l'eau ont une sonorité si pure, la nuit un silence si mystérieux, et le clair de lune de si romanesques beautés, la romance a un langage persuasif et les instruments des sons passionnés qui semblent faits exprès pour la flatterie et la séduction. »

[79] Chez G. Sand, l'idée de révolution est souvent associée à la réconciliation des classes sociales, dans le cadre d'un socialisme utopique et fraternel. Elle a toujours été attachée à une certaine lenteur dans la transformation des habitudes et la mise en place des idéologies. Pierre Leroux a eu une grande influence sur elle.

[80] Vivre à la manière suédoise, c'est incontestablement un idéal pour G. Sand qui concilie la vie familiale et un regard sur les autres. Ce n'est pas tout à fait le bonheur simple et utopique dont rêvait Christian.

[81] Gustave III, admirateur de la culture française, protégea les artistes à la Cour où le français était la langue de bon ton, fonda l'Académie suédoise et l'Opéra. Il mourut assassiné en 1792, au cours d'un bal masqué, par un fanatique Anckarström qui appartenait à l'opposition aristocratique. Voir Verdi, *Un ballo in maschera*, dont la première représentation fut donnée à Rome, le 17 février 1859 ; cet opéra est inspiré de *Gustave III ou le bal masqué* d'Eugène Scribe.

[82] L'évocation du bonheur familial devant le spectacle de marionnettes (« toute la chère marmaille rassemblée »), l'image heureuse de Christian Waldo, admirable meneur de jeu, sont associées à une étonnante réussite d'écriture. Il s'agit presque d'un envol vers de nouvelles fantaisies pleines de jeunesse et d'entrain.

Le manuscrit

Le manuscrit est conservé à la Bibliothèque historique de la Ville de Paris, sous la cote O 12 (Papiers G. Sand). Il comporte 6 volumes de format 13x20,5 et 1951 pages.

L'écriture, sur beau papier glacé, est ferme, d'intensité variable, et demeure parfaitement lisible dans l'ensemble. L'encre utilisée est bleue. Les corrections posent un problème ; en effet si le trait de plume pour effacer un mot laisse celui-ci très visible, il arrive que de larges traits bleus interviennent, qui certes ne permettent aucun doute sur la volonté de l'auteur d'éliminer tel ou tel passage, mais ne facilitent pas la lecture, voire la rendent impossible. G. Lubin, que je remercie vivement, m'a indiqué que G. Sand avait l'habitude d'utiliser de petits bâtonnets trempés dans l'encre pour assurer la netteté des ratures. On peut constater que ce procédé intervient parfois, à la fin d'une page, par simple coquetterie. J'ai parcouru l'ensemble du manuscrit et sélectionné un certain nombre de variantes, que je propose, avant de tirer quelques conclusions. Je confronte le manuscrit avec l'édition Hachette de 1859.

MANUSCRIT	TEXTE HACHETTE
Volume I	Tome I
p. 3 cette grossière faute	p. 2 cette irrégularité
p. 4 malgré cette flagrante preuve d'abandon	p. 2 malgré cette preuve de respect ou d'indifférence.
p. 7 de ce laborieux insecte	p. 3 d'araignée.
p. 8 son aiguille est arrêtée sur minuit moins dix minutes	p. 4 son aiguille est arrêtée sur quatre heures du matin.
p. 10 Au-dessus de la porte principale	p. 4 sur tout le haut de la paroi irrégulière
p. 12 sous le règne de Frédéric Adolphe contemporain de Louis XV (1770)	p. 5 vers la fin du règne bénévole et tracassé d'Adolphe Frédéric...
p. 15 château délaissé	p. 7 castel délabré
p. 17 le nom sous lequel on la désignait : la chambre de l'ourse	p. 8 que l'on nommait la chambre de l'ourse.

p. 242 vous parlez le français sans aucun accent.

p. 102 français, n'est-ce pas ? ou italien, car vous avez un tout petit accent étranger.

p. 289 qui le ferait chasser honteusement

p. 294 Cet homme est la mort en personne, cela lui convient fort bien... la mort par le froid.

p. 344 Il n'oserait pas se présenter dans cette illustre compagnie.

p. 360 aux sons de quarante violons, hautbois et contrebasses.

p. 361 dans tout son être

p. 123 qui compromettrait gravement son succès.

p. 125 Le nom lui convient. Il personnifie pour moi l'hiver du Spitzberg. Il m'a donné le frisson.

p. 148 se présenter comme invité dans la bonne compagnie.

p. 154 aux sons de trente violons, hautbois et contrebasses.

p. 155 dans tout son charmant petit être.

p. 364 un grotesque italien n'est vraiment pas un point de comparaison.

p. 401 Il refit exprès le chemin qu'il avait fait par distraction une heure auparavant.

p. 156 un bouffon italien n'est vraiment pas un point de comparaison.

p. 172 Il s'en alla, en suivant la rive

p. 413 chanteur ambulant, car M. Goefle enrhumé qui se réchauffait, découvrit un luth dans le coin du poêle.

p. 176 chanteur ambulant (le reste du texte a été supprimé)

p. 434 Oh ! parbleu ! c'est bien heureux, dit M. Goefle ; j'avais tout lieu de le croire mort, mon pauvre Ulf.

p. 477 moi, brin d'herbe

p. 480 collines splendides

p. 186 Et c'est bien heureux pour moi puisque depuis douze heures tu m'avais si complètement oublié.

p. 199 fétu transporté de je ne sais quelle région inconnue.

p. 206 collines argentées.

Volume II

p. 17 Cependant à force de persévérance et de volonté je parvins à y vivre, d'abord dans une gêne excessive, peu à peu dans une aisance proportionnée à mes humbles besoins.

p. 24 M. Diderot me confia de lui fournir des matériaux pour certains articles de l'Encyclopédie.

De la page 26 à 34 intervient un épisode qui ne figure pas dans le texte définitif : « La marquise Léona *** une des femmes les plus séduisantes et les plus dépravées de toute la cour de Naples... j'avais souvent rencontré la marquise à Naples, mais je n'avais jamais été son amant... Je ne pouvais avoir pour elle qu'un caprice, et ma pauvreté ne me permettait pas de donner toutes mes nuits aux aventures... aussi voulut-elle faire ses folies pour moi. Rompre avec tous ses cavaliers

p. 272 sans ressources, sans amis, sans recommandations, je m'informai de Comus, espérant qu'il me procurerait quelque relation.

p. 274 J'eus l'honneur de fournir indirectement des matériaux pour certains articles de l'Encyclopédie.

servants, et partir avec moi pour les contrées du rêve et du sentiment. »

p. 43 savans

p. 278 nobles savants

p. 61 un blessé à panser

p. 285 un blessé à secourir

p. 72 Puffo. Il était né en Provence, il avait été marin.

p. 290 Il était de Livourne ce qui en Italie est une mauvaise note.

p. 140 J'ai caché ma face arrière de toi pour un moment dans le temps de l'indignation, mais j'ai eu compassion de toi par une gratuité éternelle.

p. 318 Ne pleurais-je point pour l'amour de celui qui a passé de mauvais jours !

p. 194 Là le sentier disparaissait.

p. 339 La marche n'était guère facile en cet endroit, à cause de la neige tombée.

p. 201 La chanteuse devait être une gardienne du château, une servante, ou une parente de Stenson.

p. 342 La chanteuse devait être une personne attachée, comme Stenson et Ulphilas, à la garde du vieux manoir.

p. 205 Christian s'amusa ou plutôt s'impatienta à la chercher ainsi de place en place dans le petit chaos formé par les blocs granitiques.

p. 344 Christian leva la tête, et remarqua, sur le flanc du donjon, une longue fissure.

p. 428 Il sentit une main se poser sur son épaule.

Tome II
p. 4 Il sentit comme un souffle effleurer sa chevelure.

p. 439 Tu ne reçois que la comtesse Marguerite ? Tu en as menti, faquin, je ne la connais pas, ni toi non plus.

p. 9 passage supprimé

Volume III
p. 3 le bout du nez de M. Goefle

p. 91 Ils aperçurent M. Goefle.

p. 4 — jour de Noël après minuit et — fin de décembre et en plein minuit

p. 91 la nuit du 26 au 27 décembre.

p. 40 le prêtre qui donne aux mauvaises consciences l'espoir de se racheter de l'enfer.

p. 103 le prêtre qui, pour les incrédules, est encore l'officier indispensable à leur état civil.

p. 46 Je n'ai que quarante-trois ans

p. 105 Je n'ai pas encore la soixantaine.

p. 92 depuis cette nuit dans la grotte du högar.

p. 124 depuis ce punch dans la grotte du högar.

p. 108 une vieille fille moitié folle

p. 131 une vieille fille idiote ou folle.

p. 123 dans le petit grenier

p. 136 à un petit hangar.

p. 139 le soleil projetait déjà son arc oblique.

p. 144 projetait déjà ses rayons.

p. 169 à quelque initiation ou à quelque formule de conjuration.

p. 154 à quelque initiation cabalistique.

p. 189 peut lui arracher des bras

p. 167 peut lui arracher des griffes.

p. 200 ou il fuira lâchement

p. 172 ou il fuira lestement.

p. 274 un groupe incompréhensible à la première vue.

p. 205 un groupe à la fois bouffon et tragique, peut être incompréhensible à première vue.

p. 304 Il trouva M. Goefle en présence des apprêts de son quatrième repas.

p. 220 M. Goefle était en présence des apprêts de son quatrième repas.

p. 346 cherchons donc, aidez-moi

p. 369 Puffo sort du Stelleborg

p. 490 le jour où il aura vingt-cinq ans accomplis.

p. 569 Orloff n'est ni le premier ni le dernier ?

p. 595 Il avait tenté d'emporter la pauvre petite créature par la porte secrète.

p. 695 Nous rêverons la conquête de la Finlande, de Pétersbourg.

Le mot « fin » et une très belle signature de George Sand.

p. 241 écoutez-moi

p. 251 Le Livournais sortit du donjon très indécis.

p. 303 le jour où les circonstances ci-dessous mentionnées le permettront

p. 338 Le crédit d'Orloff ne peut pas être éternel.

p. 351 Il avait tenté de l'emporter par la porte secrète.

p. 396 nous rêverons l'alliance sans nuages avec la France et la résistance à l'ambition russe au moyen de l'union scandinave.

On peut faire les remarques suivantes :

1) Les premiers chapitres comportent beaucoup de corrections. Il semble que G. Sand ait éprouvé de réelles difficultés pour la géographie et l'histoire de la Dalécarlie et qu'elle ait mis beaucoup de soin à la rédaction. D'une façon générale les corrections sont de moins en moins nombreuses jusqu'à la fin du roman.

2) L'orthographe du nom du Stollborg ou Stelleborg, la localisation du château, les mystères de la chambre de l'ourse, et la volonté de permettre au lecteur de suivre sans peine le parcours des différents personnages paraissent justifier quelques repentirs dans le texte.

3) La romancière est remarquablement attentive aux coutumes de la Suède, à la réputation d'hospitalité qui fait sa gloire, à la confection des repas qu'elle analyse avec le plus grand soin.

4) Qu'il s'agisse des portraits ou des paysages nordiques, on est frappé de la virtuosité de la romancière qui semble prendre son élan pour une page lyrique et ne commet aucune maladresse. Dans ce cas, les ratures sont vraiment insignifiantes.

5) En revanche, pour l'écriture comme pour le style, on saisit à merveille les mouvements d'humeur de G. Sand, qui ne veut laisser aucun doute sur ses intentions profondes : ainsi pour la confrontation entre les divers types de marionnettes, pour l'indispensable unité de l'artisan et de l'artiste, pour le caractère des différentes voix, pour les limites du progrès, pour les problèmes religieux.

6) Les petits changements de l'orthographe sont communs à tous les écrivains du XIXᵉ siècle et n'ont pas une grande importance : mape/mappe ; rallentir/ralentir ; barraque/baraque...

7) Il arrive que la romancière reprenne son texte sur un papier séparé qu'elle colle par la suite à l'endroit qui convient (I, p. 438, 562, II, 48, 81).

8) Évidemment, la psychologie des personnages est importante pour la romancière : le choix des épithètes et leur redoublement, les nuances nombreuses au niveau de l'expression sont significatives.

9) Enfin, même si la longueur du roman pose des problèmes, on remarque que G. Sand reste fidèle à ses idées sur la condition de l'artiste et le théâtre qui vont au cœur de ses préoccupations familiales.

Table des illustrations

Les dessins illustrant l'ouvrage sont de Paul Destez (p. 4, 24, 47, 48, 74, 92, 100, 112, 122, 146, 150, 164, 177, 186) pour la publication en feuilleton de *L'Homme de neige* dans *Les Bons romans*, publiés par Calmann-Lévy (nos 2171 à 2200).

La maquette de couverture est l'œuvre de Pierre Tartaix, à partir de *Winter*, peinture sur papier du peintre dalécarlien Erik Eliasson (détail de l'intérieur du chalet de Siljansnäs, collection du Centre culturel de Leksant).

La maquette intérieure est de Nicole Courrier.

Bibliographie

Je me borne à indiquer ici les ouvrages qui m'ont été le plus utiles :

1) Ouvrages généraux :

BARRY (Joseph), *G. Sand ou le scandale de la liberté*, Paris, Seuil, 1982.

DURAND (Frédéric), *Suède moderne, terre de poésie*, Paris, Aubier, 1962.

POLI (Annarosa), *L'Italie dans la vie et dans l'œuvre de G. Sand*, Paris, A. Colin, 1960.

SALOMON (Pierre), *George Sand*, Meylan, Aurore, 1984.

SAND (George) : *Correspondance*, tomes XIV et XV, édition de Georges Lubin, Garnier, 1979 et 1980.

2) Ouvrages particuliers :

BAILBÉ (Joseph-Marc), « Musique et personnalité dans *Consuelo* » *Entretiens sur Consuelo*, Presses Universitaires de Grenoble, 1976.

BOZON-SCALZITTI (Yvette), « G. Sand et le fantastique : *L'Homme de neige* ou la morte qui revient », *Présence de G. Sand*, N° 22.

CHAMBERS (Ross), *La Comédie au château*, Paris, Corti, 1971.

DONNARD (Jean-Hervé), « Le château en Suède de la baronne Dudevant », *Présence de George Sand*, n° 20.

MARIX-SPIRE (Thérèse), *Les Romantiques et la musique : le cas G. Sand (1804-1838)*, Paris, NEL, 1955.

MILNER (Max), *Le Diable dans la littérature française de Cazotte à Baudelaire*, Paris, Corti, 1960.

SAND (Maurice), *Masques et bouffons*, Paris, M. Lévy, 1860.

SAND (George), *Le Château des Désertes*, Meylan, Éditions de l'Aurore, 1985.

SAND (George), « Le Théâtre des marionnettes de Nohant », *Œuvres autobiographiques*, Paris, Gallimard, 1971.

SAND (George), « Le Théâtre et l'acteur », *op. cit.*

212

SAND (George), *Questions d'art et de littérature*, Paris, 1878.

3) Éditions

SAND (George), *L'Homme de neige*, Paris, Hachette, 1859, 2 volumes.
SAND (George), *L'Homme de neige*, Paris, M. Lévy, 1861, 3 volumes.

Pour les illustrations je remercie tout particulièrement Bernard et Anne Bailbé, fervents voyageurs en Dalécarlie, qui m'ont communiqué des documents et des impressions de voyage dont j'ai pu apprécier la qualité.

LA REVUE DES SANDISTES
PRÉSENCE DE GEORGE SAND

NUMÉROS DISPONIBLES

(Commandes franco de port :
Jean Courrier - Chemin du Parc - 38410 URIAGE)

OUVRAGES PARUS

Horace. Présentation de Nicole Courrier et Thierry Bodin.

Contes d'une grand-mère (2 volumes). Présentation de Philippe Berthier.

Le Péché de Monsieur Antoine. Présentation de Jean Courrier et Jean-Hervé Donnard.

Consuelo. La comtesse de Rudolstadt (3 volumes). Présentation de Simone Vierne et René Bourgeois.

Tamaris. Présentation de Georges Lubin.

Le Château des Désertes. Présentation de Joseph-Marc Bailbé.

Un Hiver à Majorque. Présentation de Jean Mallion et Pierre Salomon.

Jeanne. Présentation de Simone Vierne.

George Sand, Biographie, par Pierre Salomon.

Elle et lui. Présentation de Thierry Bodin, préface de Joseph Barry.

Nanon. Présentation de Nicole Mozet.

André. Présentation de Huguette Burine et Michel Gilot.

Lélia (2 volumes). Présentation de Béatrice Didier.

Jean de la Roche. Présentation de Claude Tricotel.

Valentine. Présentation d'Aline Alquier.

Le Marquis de Villemer. Présentation de Jean Courrier.

La Ville noire. Présentation de Jean Courrier.

La Filleule. Présentation de Marie-Paule Rambeau.

Le Meunier d'Angibault. Présentation de Marielle Caors.

Les Beaux messieurs de Bois-doré (2 volumes). Présentation de René Bourgeois.

L'Homme de neige (2 volumes). Présentation de Joseph-Marc Bailbé.

Achevé d'imprimer par Corlet, Imprimeur, S.A.
14110 Condé-sur-Noireau (France)
N° d'Imprimeur : 17680 - Dépôt légal : octobre 1990
Imprimé en C.E.E.